銀行預金しかしていない　子育て・老後資金が不安　難しそうで踏み出せない

知識ゼロですが、新NISAとiDeCoをはじめたいです。

サルタント
横山光昭 著
ペロンパワークス 編

※新NISAについて

2024年１月より、それまでのNISA制度が改正され新しくスタートしたものが「新NISA」です。本書では解説の都合上「新NISA」「NISA」とふたつの記載がありますが、同義です。以前のNISA制度を指す場合は「旧NISA」と記載しています。

インプレス

もくじ

証券会社

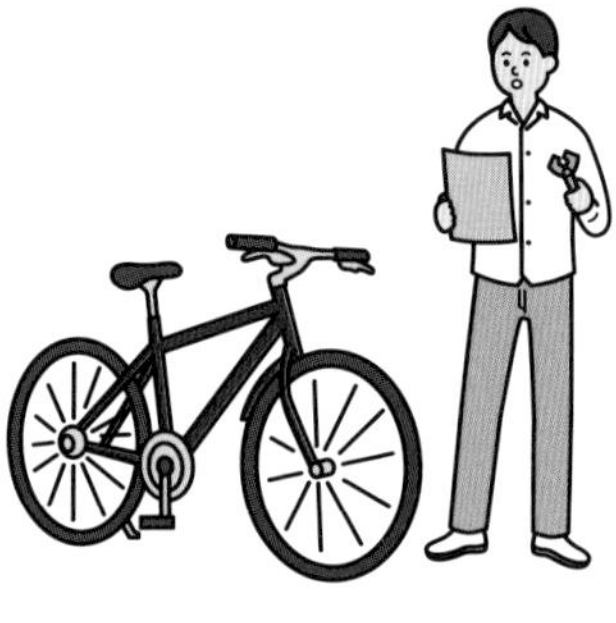

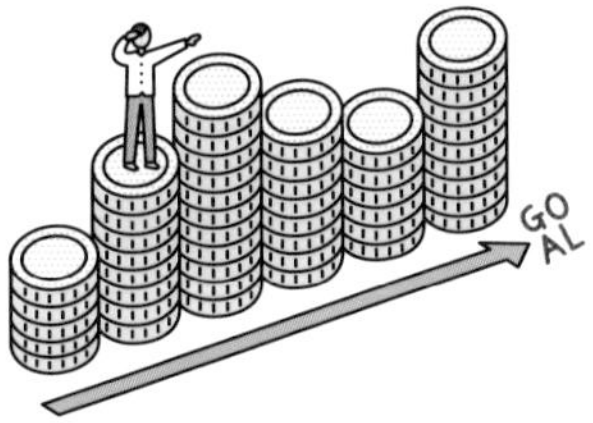
GOAL

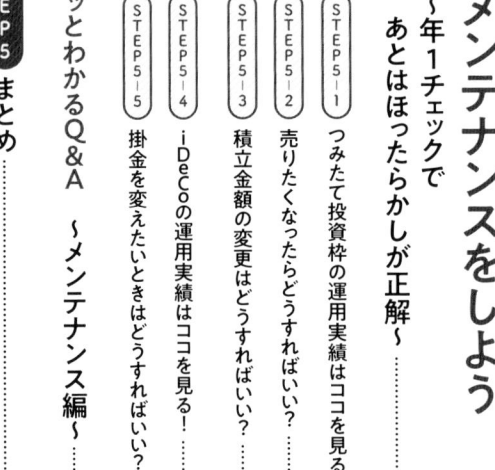

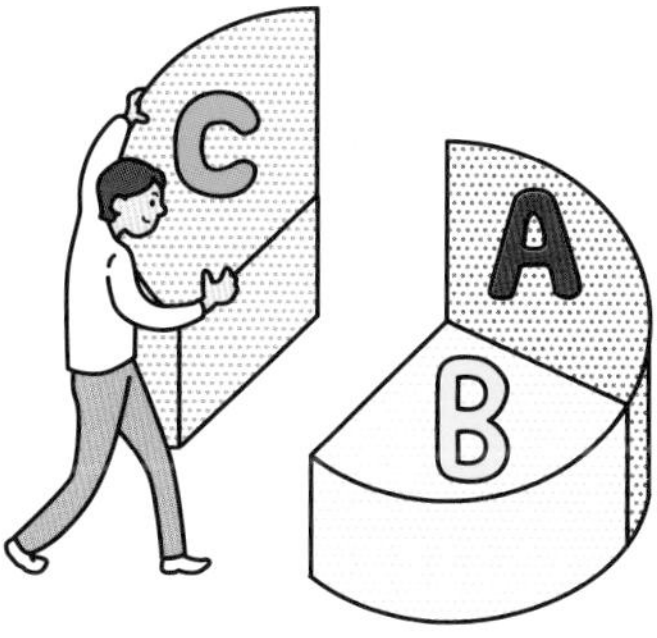
C
A
B

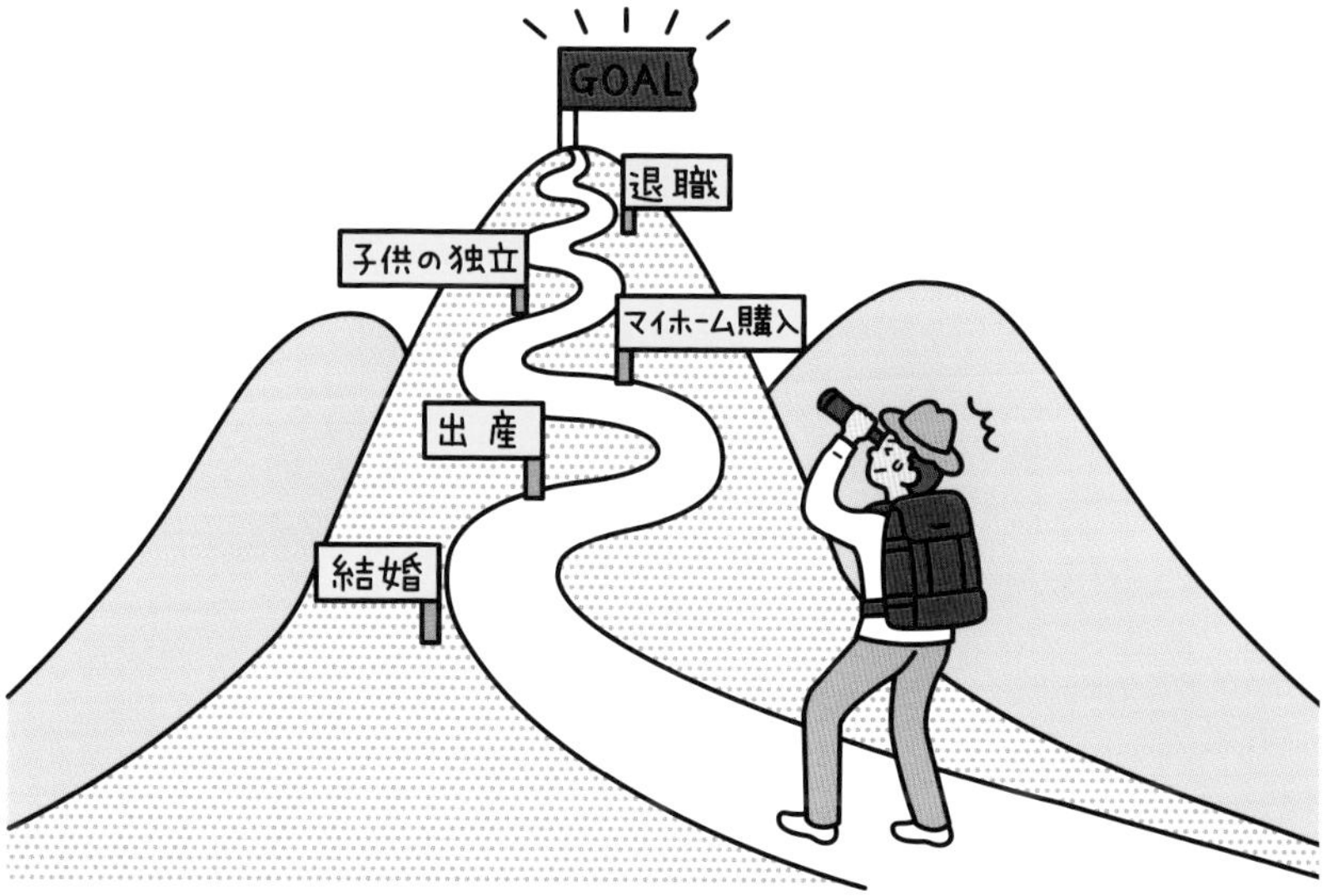
GOAL
退職
子供の独立
マイホーム購入
出産
結婚

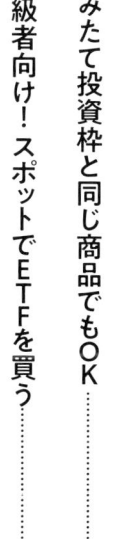

はじめに

どうもはじめまして。私はファイナンシャルプランナーの横山光昭と申します。

ファイナンシャルプランナーといっても、単に金融商品や資産運用の提案だけを行っているわけではありません。

「節約の仕方がさっぱりわからない」

「大きな買い物をしていないのになぜかお金が貯まらない」

そんな悩みを持つ方々に対して、家計から再生させていくことを得意としています。

家計の相談に来られる方々の多くに共通するのが、**「老後のお金についてほとんど準備していない」という不安**です。

ご承知のとおり、近年は人生１００年時代といわれ、**長寿化とともに老後の資産寿命についても過去にないほど関心が高まっています。**

国の法改正により定年退職が60歳から65歳、さらに70歳とする社会的な動きも見られますが、それでも一生涯働き続けられるわけではありません。つまり、老後のお金は、現役時代に早めに準備しておくことが大切なのです。

「ちょっと待ってよ。早めに準備しておくって、何をどうやって？」

読者の方のなかには、そのような疑問を抱えている方もいると思います。あるいは、「新ＮＩＳＡとかｉＤｅＣｏとか名前は知ってるけど、難しいんでしょう？」

と考えている方もいるかもしれません。

今、手に取っていただいているこの本は、**そんなモヤモヤを解消するために、必要なポイントだけに絞って作られた一冊です。**

２０２４年からはＮＩＳＡの新制度もスタートし、個人の資産形成はますます活発になっています。とはいえ、投資に対して難しいイメージを持つ人や、ずっと相場を見ていないといけない、まとまったお金がないとはじめることすらできないと考える人もいるかもしれません。

でも、安心してください。それらはすべて勘違いです。

投資は誰でも、今すぐにでもはじめられる老後に向けたお金の準備として、必ず一度は検討しておきたい選択肢です。**ガマンも無理も一切なし**ではじめられ、最短距離で実践できるお金の準備の方法を、要点だけに絞って、さっそく解説していきましょう。

横山光昭

最短でまるわかり！

これさえ押さえればOKの6ステップ

投資は難しいというイメージを抱く人も多いでしょう。しかし実践するのはここで挙げている6ステップだけ。全体の流れを見てみましょう。

STEP 1 投資でお金に働いてもらおう

P11

将来に向けた資産を作るためにも、お金に働いてもらうことが大切。ただ、やみくもに増やすのを目指すのではなく、60歳、または65歳の定年退職のタイミングを「老後」の入り口として、その時点でいくらあればいいのか。金額から逆算して毎月の必要積立額や年数を計画します。

貯めたい金額から逆算で考えよう

貯めたい金額 ＝ 毎月の積立額 × 年数

STEP 2 新NISA or iDeCoを選ぼう

P31

投資の経験のない人でも第一歩を踏み出せるように、国は税金面の負担を軽減してくれる制度を設けています。NISAとiDeCoの2つの非課税投資制度を利用すれば、本来はかかるはずの投資の利益に対する税金を気にせずに、厳選された商品に投資できます。まずはこれらの活用から検討します。

投資はこの2択でOK

- ☑積立の途中で自由に引き出したい
- ☑商品を多くの選択肢から選びたい
- ☑所得税や住民税がそれほど多くない

➡ 新NISA

- ☑税金を少しでも安くしたい
- ☑途中で引き出すつもりはない
- ☑商品をいろいろ選ぶのは面倒

➡ iDeCo

STEP 3 口座を開設しよう

P59

投資は専用の口座を持つことからはじまります。各金融機関で新NISAやiDeCoの専用口座を申し込みましょう。どちらもネットで多くの手続きが完結します。

ネットから手続きできる

スマホからもOK

STEP 4 商品を選ぼう

P77

投資で選べる商品は数多くありますが、まずは全世界か全米に分散投資する投資信託を検討。毎月コツコツ定額を投資し続けていくことがうまくいくコツです。

まずはインデックスファンド１本だけ

楽天投信投資顧問
楽天・
オールカントリー株式
インデックス・ファンド

全世界ならこんな商品も

STEP 5 メンテナンスをしよう

P97

投資信託は時期によって値上がりすることもあれば、値下がりすることもあります。資産の状況がどうなっているのか、年に1回だけチェックしておきましょう。

年１回のチェックだけで十分

資産内訳　｜　資産総額　｜　運用のリターン

STEP 6 ゴールを計画しよう

P111

毎月コツコツ投資したように、売るときも複数回に分けることで売却価格は安定します。少しずつ時間をかけて売却することを意識しましょう。

売るときも時間をかける

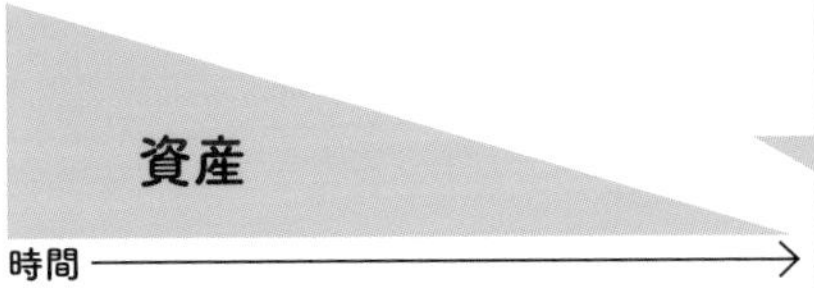

少しずつ売却するのが理想

登場人物紹介

投資に関する知識を
要点をまとめて解説しますね

家計再生
コンサルタント
横山光昭先生

家計再生
2万1000件
以上

著書累計
397万部
以上

ファイナンシャル
プランナー

株式会社マイエフピー代表。お金の使い方そのものを改善する独自の家計再生プログラムで、家計の確実な再生を目指し、個別の相談・指導に高い評価を得ている。これまでの家計再生件数は21,000件を突破。書籍・雑誌への執筆、講演も多数。著書は、シリーズ累計90万部超の『貯金感覚でできる3000円投資生活デラックス』や『年収200万円からの貯金生活宣言』を代表作とし、計181冊、累計397万部となる。

面倒なことは抜きにして
何をすればいいか教えてください！

投資について
何も知らない会社員
藤田良朗さん

投資経験
ゼロ

銀行預金
のみ

将来の不安
いっぱい

家計管理が苦手で、これまで投資についてほとんど考えたことがなかった33歳の会社員。そろそろパートナーとの結婚を計画しているが、貯蓄額は多くなく、将来もこのままでいいのか悩んでいる。目先のお金のやりくりだけでなく、60歳や65歳の定年後に老後を無事に過ごしていけるのか、不安は募るばかり。投資の第一歩を踏み出すために、横山先生のもとを訪ねた。

STEP

1

投資でお金に働いてもらおう

～正しく知ってうまく活用！～

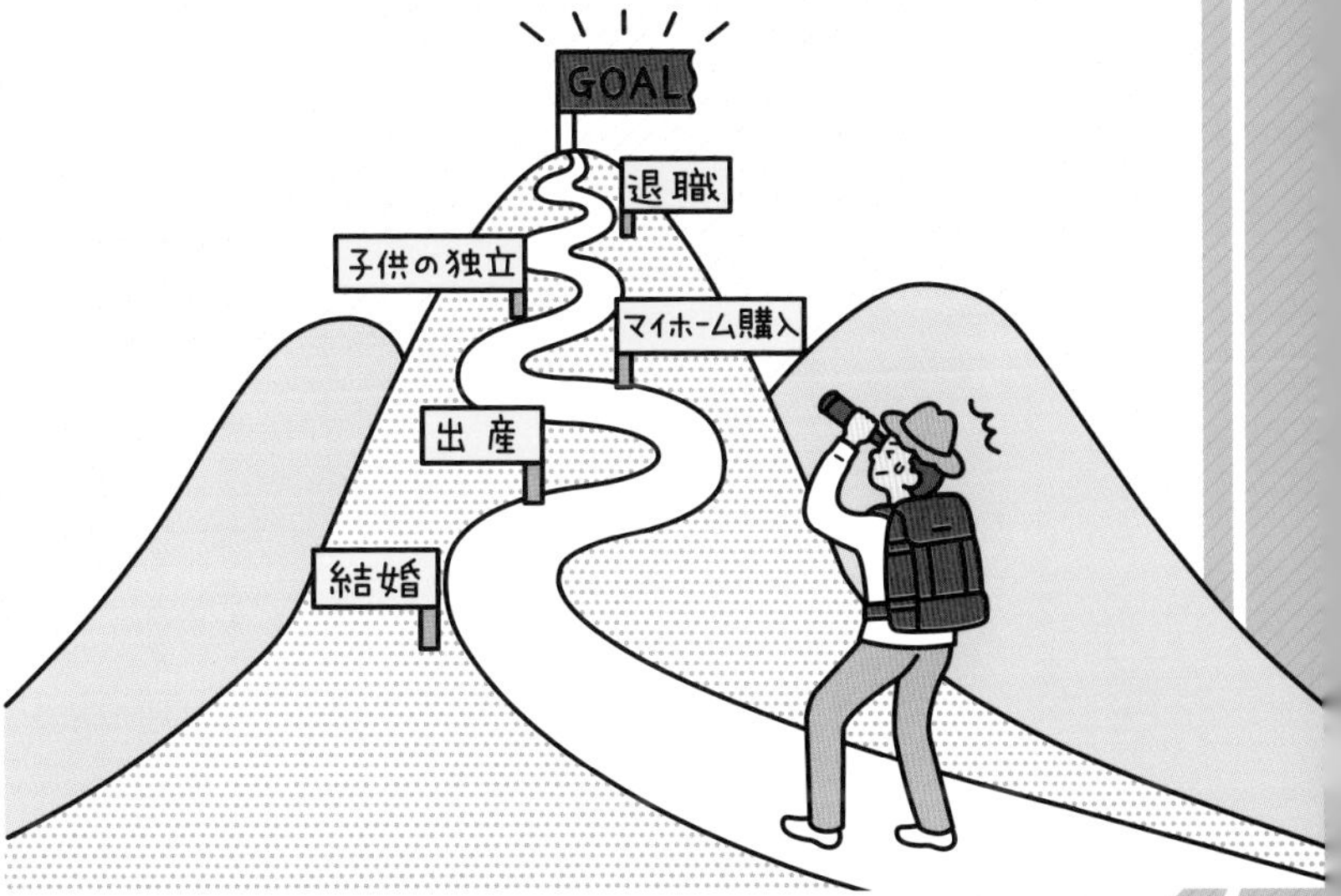

将来に向けていくら貯めればいいんだろう？

老後に向けて不安はあるものの、具体的にいくらお金を準備しておけばいいかわからない人も多いのでは。まずは目標金額をじっくり考えてみましょう。

いきなりで申し訳ないのですが、お金の不安が年々増えていくばかりなんです。でも、何から手をつければいいのか……。

漠然としたお金の不安は多くの人が持っている。だから過剰に怖がることはないと思うよ。

怖がらなくても大丈夫？

うん。**不安の一番の原因は、単に「いくらあればいいのかわからない」という知識不足であることも珍しくない**からね。ちなみに、藤田さんは老後までにいくらあれば安心かな？

うーん……5億円くらいかな？

けっこう大きな金額だね（笑）。もちろん人それぞれだけど、総務省統計局のデータによると老後の夫婦の生活費は毎月約2万2270円の不足。1年間だと26万7240円、20年間で534万円が不足するという結果になっているよ。

え、**不足ってことは、老後はずっと赤字が続くってこと？**

積極的に勤労収入を得たり、支出を見直したりすることで家計のバランスが整って解決できる場合もあるけどね。ただ、このデータは医療や介護費は含まれていないので、これとは別に1000万円くらいは準備しておくことが理想。**老後は「取り崩す期間」、現役時代は「貯める期間」としてなるべく早く準備をはじめることが大切**だよ。

「家計調査報告」とは……総務省統計局が毎年公表している、さまざまな条件別に家計状況を確認することができる統計データ。老後の家計収支は赤字であることが多い。

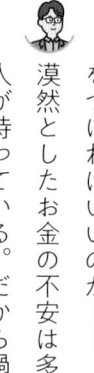

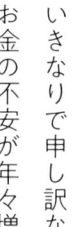

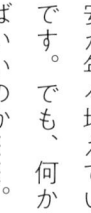

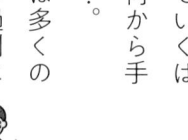

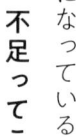

やること 01 老後の資産をイメージする

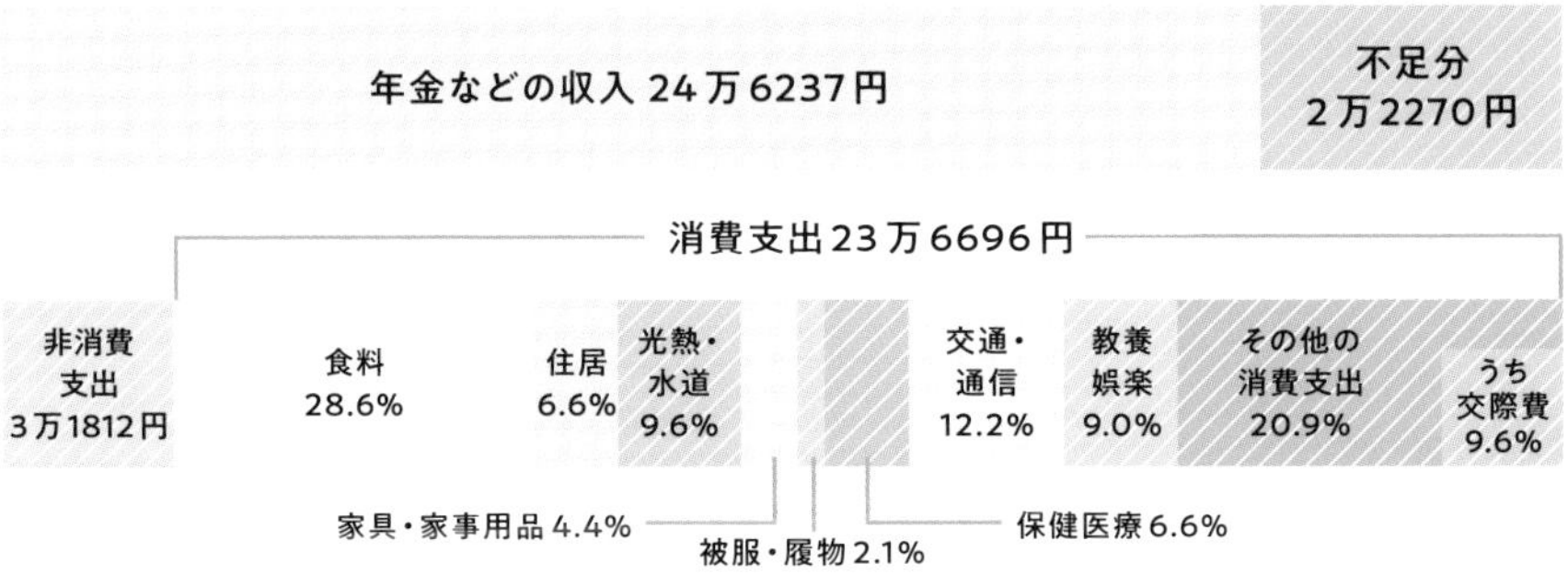

※総務省統計局「家計調査報告 2022年（令和4年）平均」より。65歳以上の夫婦のみの無職世帯の家計収支

1カ月 2万2270円の不足　**1年間** 26万7240円の不足　**20年間** 534万4800円の不足

さらに
1000万円プラスで　**約1500万円の準備が目安**

やること 02 老後の準備は現役のうちに対応する

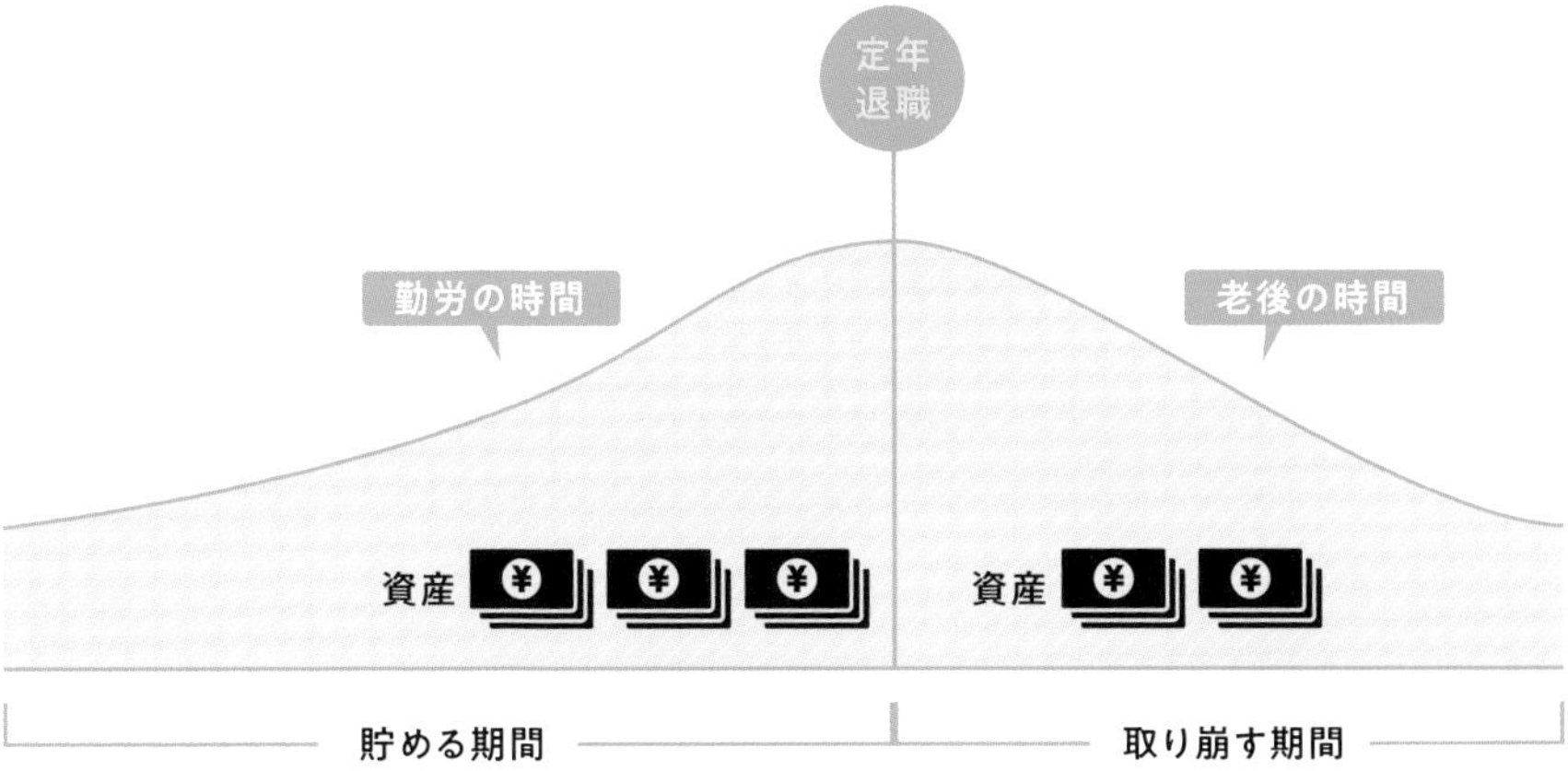

会社員の場合、定年退職を境に収入が大きく下がるケースが多い。いわゆる現役時代に働く期間はお金を「貯める期間」、老後はお金を「取り崩す期間」としてイメージしましょう。

「現役時代」とは……60歳または65歳の定年退職までの期間を指す場合に用いられることが多い。定年の年齢も時代とともに延長し、「現役時代」もさらに長くなる見込みだ。

STEP 1-2 投資でお金に働いてもらおう

銀行預金だけではお金は貯まらない！

老後に向けてなるべく早めにお金の準備を進めたいものの、投資で資産形成はちょっと怖い。そんなときに参考にしたいのが、預貯金と投資の差です。

老後に向けてなるべく早くお金を準備しておかないといけないことはわかりました。でも、毎月コツコツ銀行に**預貯金をするだけではダメなんですよね？**

何事も継続するという行為はとてもすばらしいことだよ。ただ、**残念ながら低金利時代の今は銀行預金だけではお金を大きく増やすことは難しいね。**藤田さんは、今の銀行の金利が何%くらいか知ってる？

え、1%とか0・1%とか、店頭の看板で見かけたような……。

今は普通預金で0・001%（2023年11月末のメガバンクの円預金金利）。定期預金でも0・002%とか、そんな水準がもう何年も続いている。

ええと、つまり100万円預けていても、10円とか20円とかしか利息がつかない……。

そのとおり。銀行の利息はアテにしてはいけないんだ。ではどうすればいいかというと、**お金はバランスよく投資に回すこと。長い期間運用すると、お金を増やしやすいんだ。**

でも投資ってちょっと怖い……。

そんなことはないよ。詳しくはあとで説明するけど、左のページで示しているとおり**10年後、20年後には同じ積立金額でも大きく差が出る。**老後資金の準備において、投資は非常に重要な役割を果たしてくれるんだ。

「金利」とは……預金や投資の金額に対して支払われる年間利息の割合のこと。1年間の利息額をパーセンテージで示す。投資では「利回り」という言葉が同じ意味で使われる。

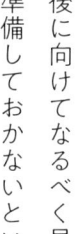

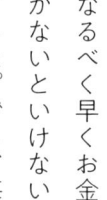

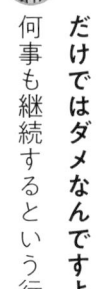

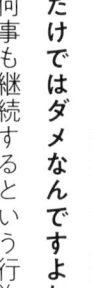

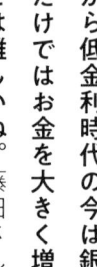

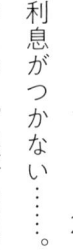

知ること

銀行預金と投資の差

銀行に預けた場合

※金利0.002%の場合。税引き前

毎月3万円を20年積み立てた場合

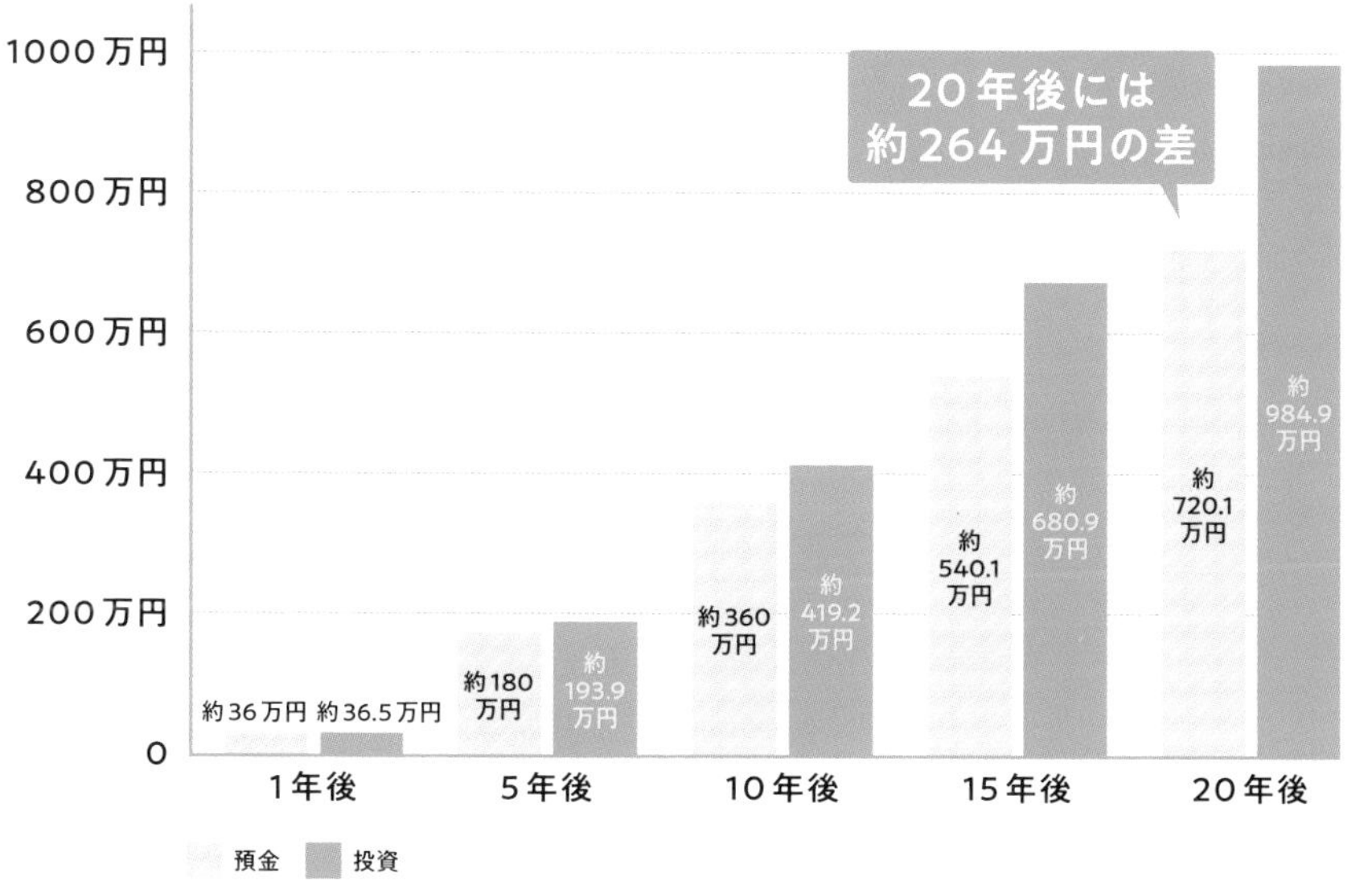

※複利周期は1年。預金は年利0.002%、投資は年利3%で計算

同じ3万円を毎月積み立てたとしても、年利（金利）が違うと20年後には大きく差が開きます。投資の年利を3%とすると、0.002%の預金と比べて約264万円も多くお金が増えます。

「定期預金」とは……あらかじめ預けておく期間を決めて利用する預金。1年後など、満期日まで基本的にはお金を引き出すことはできない。普通預金に比べて金利は少し高い。

STEP 1-3

投資でお金に働いてもらおう

人生で投資できるのはあと何年？

投資は資産づくりのために行うもの。では、何歳まで老後の準備として投資を続けることができるのでしょうか。将来の道のりをイメージしてみましょう。

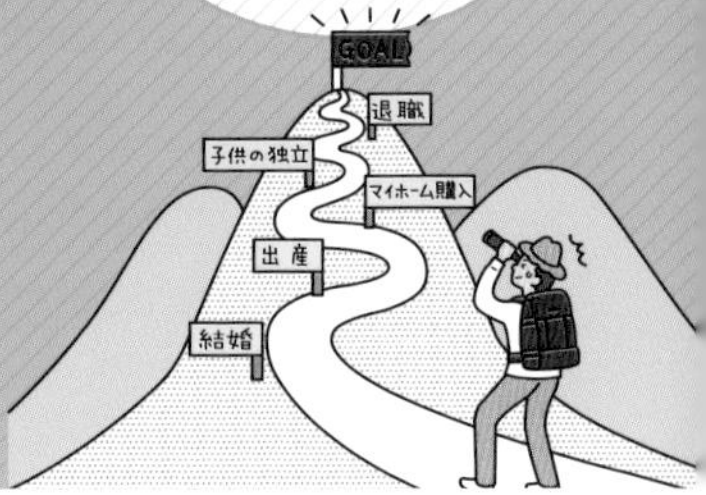

さっきは10年とか20年投資を続けているとお金の増え方が変わる、という話でしたよね。でも、投資ってそんなに長期間かけて行うものなんですか？　ビットコインだと「1年で資産3倍！」みたいなイメージがあるんですが……。

それも投資の1つだね。でも、一攫千金ではなく、未経験者が本気で資産を増やすために選ぶなら、**長い時間をかけて増やしていくことを目指したほうがいいよ。**

それはどうしてですか？

1年で資産を2倍に増やそうとすると、極端な値上がりを狙う投資になってしまうんだ。それは損をする可能性も高くなるので、できれば避けたい。

なるほど。長期間かけて増やすならそこまで無理しなくてもいい、ということですね。

そうだね。そのほうが安定してお金を増やせるよ。そして収入が減少する定年退職までの年数が、基本的には投資できる期間。

ぼくはあと30年くらいあるな。ボーナスが入ったら投資にあてようかな。

ちょっと待って。**初心者は毎月一定額をコツコツ投資するのが基本。**「お金に余裕ができたら」と投資のタイミングがバラバラだとお金は安定して増えにくい。継続することを意識しよう。

「ビットコイン」とは……インターネット上でやりとりできる財産的価値を持つ暗号資産の一種。発行主体がなく、世界中の誰とでも取引可能。価格変動が激しいという特徴がある。

やること 01 65歳を節目として考える

定年退職の年齢		現在の年齢		投資する期間
65歳	−		=	

投資に回すことができる収入を安定的に得られる期間として、定年退職を1つの区切りに。定年が65歳で現在の年齢が40歳なら、投資を続ける目安の期間は25年となる。

ココもPOINT

65歳以降も投資は続けてもいい

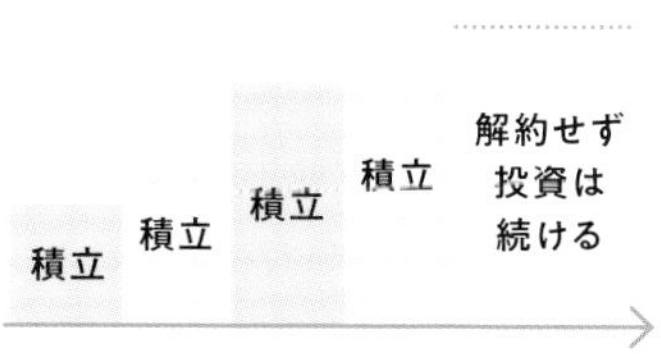

65歳という区切りは「新規で投資してお金を上乗せする」期限として考えることもできる。金融商品を保有するだけでも投資は続けられる。

やること 02 〝ときどき〟より〝コツコツ〟を目指す

△ 気が向いたときだけ投資

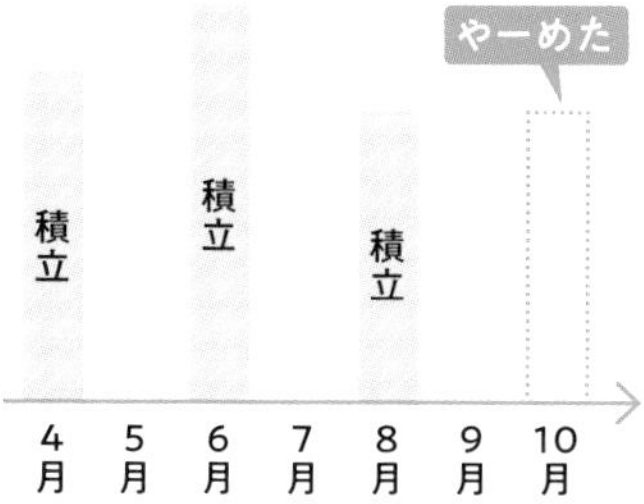

○ 毎月一定額を長く投資

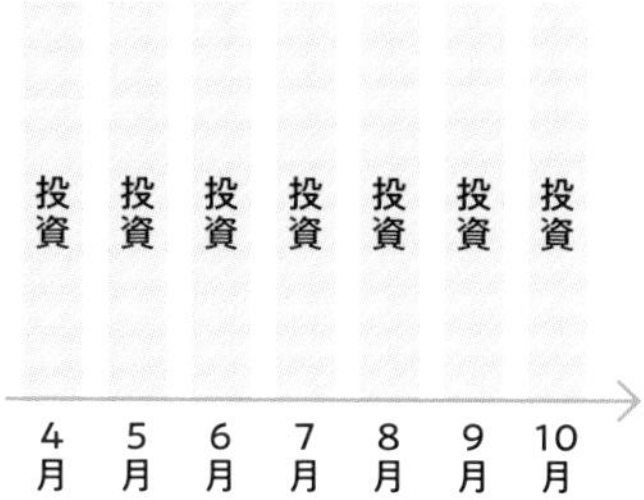

投資は日々資産の価値が変動しているが、「儲かったからやめる」「損をしたから投資額を増やす」とその時々の気分で判断するのは避けましょう。淡々とコツコツ続けるのが基本です。

「資産価値」とは……社会には株式や債券、不動産や金などの資産があり、価値は個別の特徴や取引するタイミングによって異なる。資産価値は需給のバランスで決まる。

まずはざっくり家計を把握しよう

投資でお金を増やすには、運用するための元本がないとはじまりません。まずは家計管理で投資に回すお金を準備するところから計画してみましょう。

毎月コツコツ投資をするということは、まとまった金額が最初からなくてもいいってことですか？

そう、いいところに気づいたね。**投資は大きな金額がないとはじめられない、と考える人もいるけど、そんなことはないよ。**

毎月コツコツって具体的にいくらくらいなんですか？

1000円でもいいし、1万円でもいい。金額自体に正解はないよ。じゃあどうやって決めるかというと、**まずは家計簿をつけてみて、お金の流れを見える化してみること。**

え、投資なのに家計簿？

うん。毎月継続的に投資に回すお金を作るには、足元の家計が安定していないといけない。**自分の収入と支出を見直して、いくらなら投資を続けていけそうか、ざっくりイメージしてみることが大切なんだ。**

でも、家計簿って面倒くさそう。

別に1円単位で細かくつける必要はないよ。費目もざっくりでOK。**それができたら、支出を「消費」「浪費」「投資」の3つに分類してみること。**

消費、浪費、投資？

そう。生活には必要がない浪費が多いなら、そこを削って家計のバランスを整える。そのうえで、投資に回すお金を増やしていくことを目標にしてみよう。

「元本」とは……投資は金融商品を売買するが、そのもととなる元金のこと。元本以上の利益を、投資用語ではリターンと呼ぶ。元本より少ない金額になる状態を元本割れという。

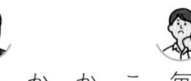

やること 01 家計簿でお金の流れを見える化する

収入 手取り収入	円
支出 下記合計	円

住居費	円	教育費	円
食費	円	交通費	円
水道光熱費	円	被服費	円
通信費	円	交際費	円
生命保険料	円	娯楽費	円
自動車関連費	円	小遣い	円
日用品代	円	お酒・たばこ代	円
医療費	円	その他	円

収入 − 支出 ＝ 円 これが投資に回せるお金です

やること 02 支出を消費・浪費・投資で分ける

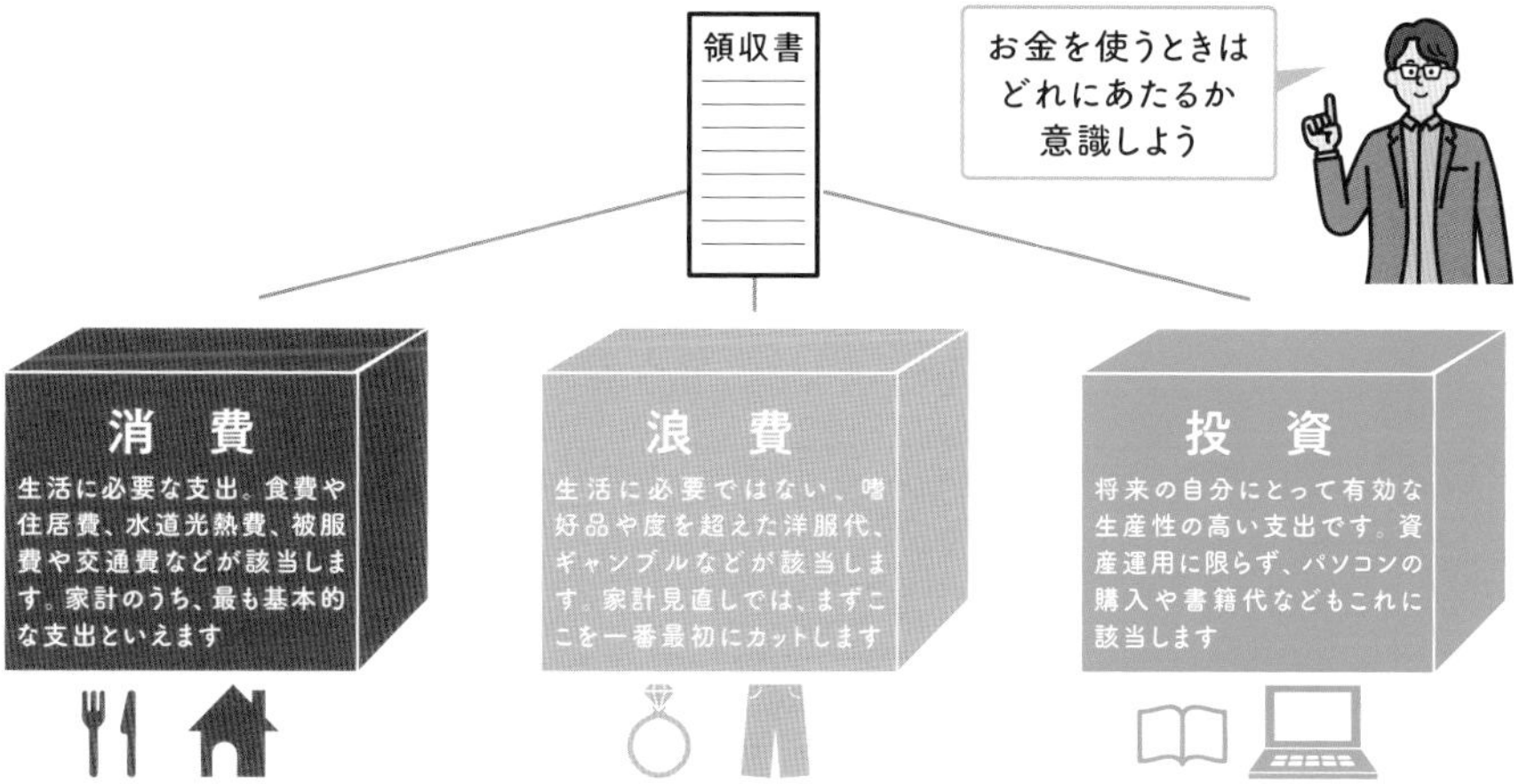
領収書
お金を使うときは
どれにあたるか
意識しよう
消費
生活に必要な支出。食費や住居費、水道光熱費、被服費や交通費などが該当します。家計のうち、最も基本的な支出といえます
浪費
生活に必要ではない、嗜好品や度を超えた洋服代、ギャンブルなどが該当します。家計見直しでは、まずここを一番最初にカットします
投資
将来の自分にとって有効な生産性の高い支出です。資産運用に限らず、パソコンの購入や書籍代などもこれに該当します

まずは家計簿を簡単につけて、支出を消費・浪費・投資（ショウ・ロウ・トウ）の3つに分類。金融商品の購入に限らず、自分の価値を高めるための支出なら投資に含めます。

「ショウ・ロウ・トウ」とは……消費・浪費・投資をまとめた呼び方。家計管理の重要な分類方法として、横山光昭が提唱している。お金の流れを把握できる基本の分類。

STEP
1-5
投資でお金に働いてもらおう

無理のない金額で投資をはじめよう

家計をチェックすれば毎月投資に回せるお金が見えてくるはず。ただ、その前に生活防衛資金を確保して、無理なく続けられる金額を計画しましょう。

家計簿をつけてみれば、投資に回せるお金が見えてくることは理解してもらえたかな。

ええ。支出以外はすべて投資に回す、ということですよね。

そこなんだけど、まずは**臨時支出に備えた生活費として、いつもの生活費の1・5カ月分と、それとは別に最低6カ月分、貯蓄を作ることからはじめてほしいんだ。**これは病気や事故で働けなくなったときなど、何かあったときに生活を守るためのお金としてあてるため。人生には一時的に収入が途絶える可能性が誰にだってあるからね。

なるほど。老後の安心だけでなく、現役時代の安心も確保しておく、ということですね。

いいこと言うじゃない、そのとおり。貯蓄のない人は、いきなり投資ではなく、まずは最低7・5カ月分を目標に貯蓄からはじめてみること。

投資スタートはそのあと？

そうだね。家計のうち余った金額をすべて投資する、というのも間違いではないけど、大切なのは続けること。「今月は1万円余ったから」「今月は3000円だけ」と金額に変動があるのは避けたい。**「消費・浪費・投資」の3つを意識して、無理のない金額で、まずは手取り月収の約6分の1を投資に回すことを目標にしよう。**

「生活防衛資金」とは……病気や事故、リストラといった不測の事態に備えた貯蓄のこと。投資をはじめる前に、しっかりと準備しておき、このお金は投資には回さない。

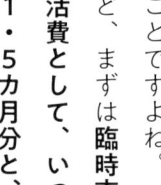

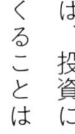

やること 01 最低限手取り7.5カ月分を貯める

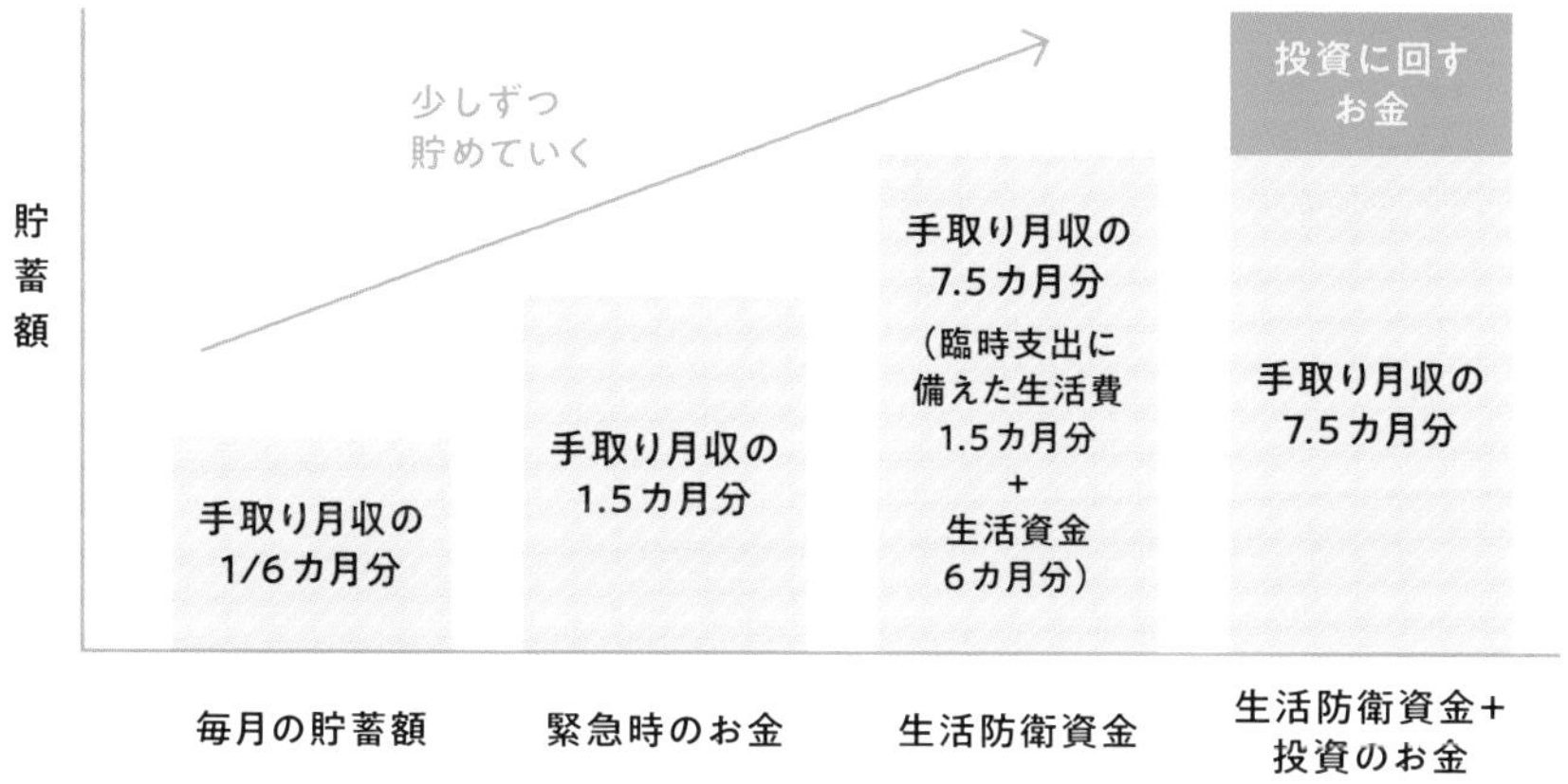

長く投資するためにも足元をしっかり固めておくこと。結婚祝いなどのイレギュラーな出費に備え、生活防衛のために7.5カ月分の手取り収入を確保してから投資を開始しましょう。

やること 02 手取り月収の約6分の1を投資に回す

ココもPOINT

浪費を減らして投資に回す

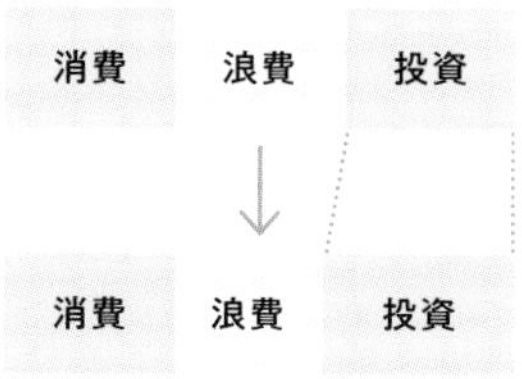

生活費である消費より、浪費を削減して投資に回す。

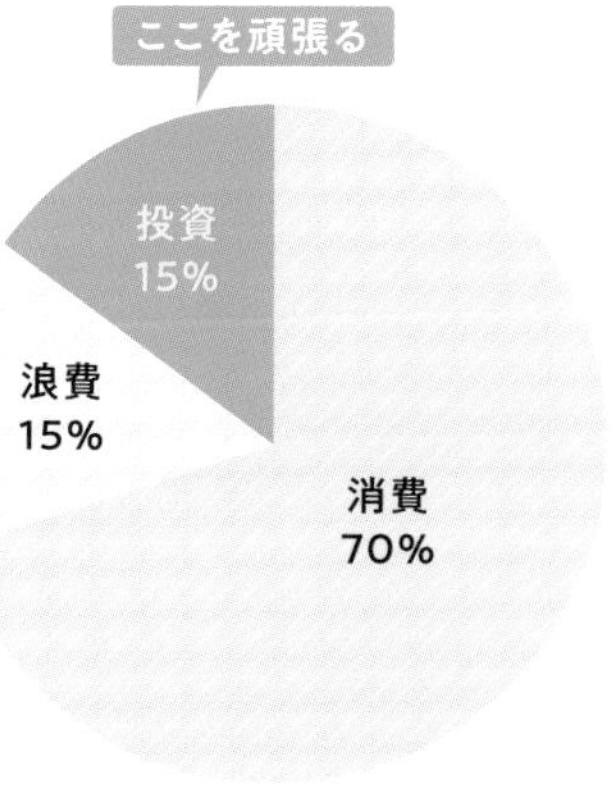

いきなり手取り月収の半分を投資に回す、というような無理はしなくてOK。コツコツ投資を継続するために、少額でもいいので無理のない金額からはじめましょう。

「手取り月収」とは……会社から支給される給与の総額である「額面給与」から、各種税金、社会保険料が差し引かれた金額のこと。会社から実際に受け取る金額を指す。

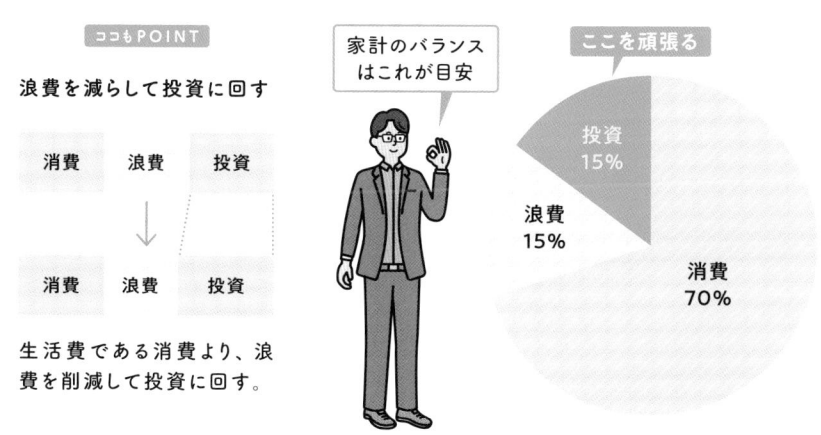

投資の種類を知ろう

投資と一口に言っても、世の中にはいろいろな金融商品があり、その特徴もさまざまです。何に投資するかによって、お金の増え方は大きく変わります。

でも先生、投資って株式とか債券とかいろいろあるじゃないですか。ぼくみたいな初心者は何からはじめればいいですか？

まず投資の対象となる**金融商品は、それぞれ仕組みや特徴がまったく異なる**ことを理解しておこう。例えば不動産投資は一般的に大きな金額をローンで借りて物件を購入して、賃料や売却によってリターンを得る。期待できる利益も相応に大きいけど、入居者がいなかったり、家賃を滞納されたり、修繕などで損失するリスクも大きい。

儲けも損も大きい。

そうだね。一方で投資ではないけど、銀行預金は損をする心配がない代わりに、さっきも言ったとおり長く預けていても今はほとんどお金が増えない。

リスクもリターンも小さい。

そうそう。またあとで説明するけど、**投資初心者にとってちょうどいい投資対象となるのが、「投資信託」と呼ばれる商品。リスクとリターンのバランスが大きすぎず、小さすぎず、長い時間をかけて資産を積み上げていくのにピッタリだよ。**

ふーん。極端な大儲けは狙えないけど、手堅く地道に少しずつ増やしていくのに適していると。

いずれにせよ、ハイリターンでローリスク、というのを狙うのは非現実的と覚えておこうね。

「不動産投資」とは……アパートなどを購入して家賃収入を得たり、購入物件の価値が上がったときに売却したりして、その差額で利益を得る。一般的に中長期間の投資となる。

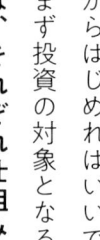

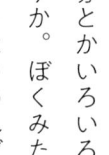

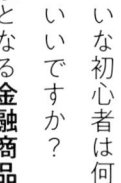

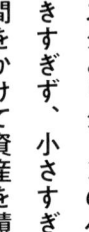

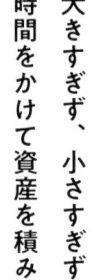

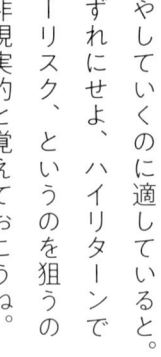

知ること 01 投資にもさまざまな種類がある

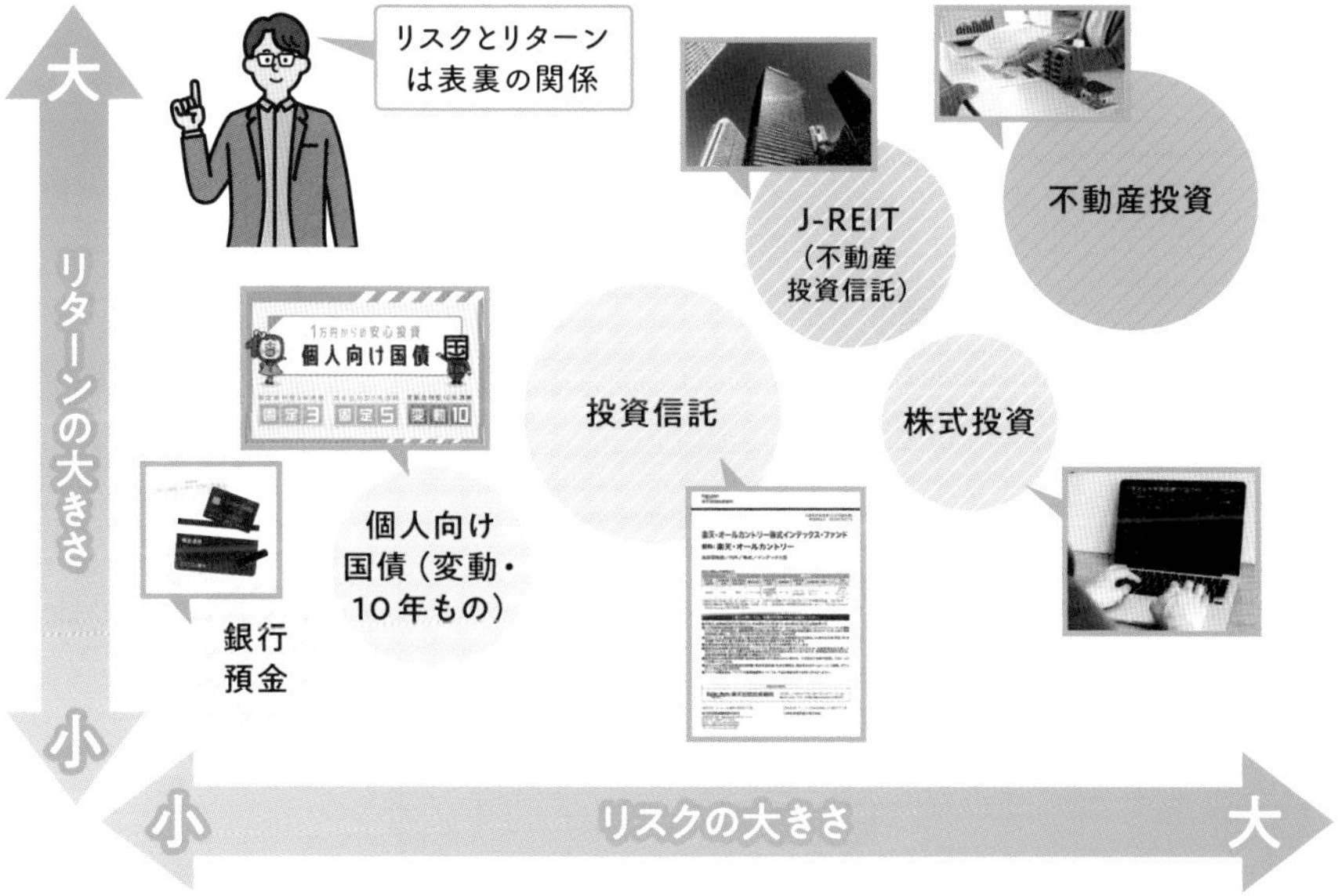

個人向け国債や銀行預金は元本が減る心配がない一方で、リターンは小さい。不動産投資は投資するお金が大きく元本が減るリスクはあるけど、期待できるリターンも大きいのが特徴。

知ること 02 ハイリターンな投資はリスクも大きい

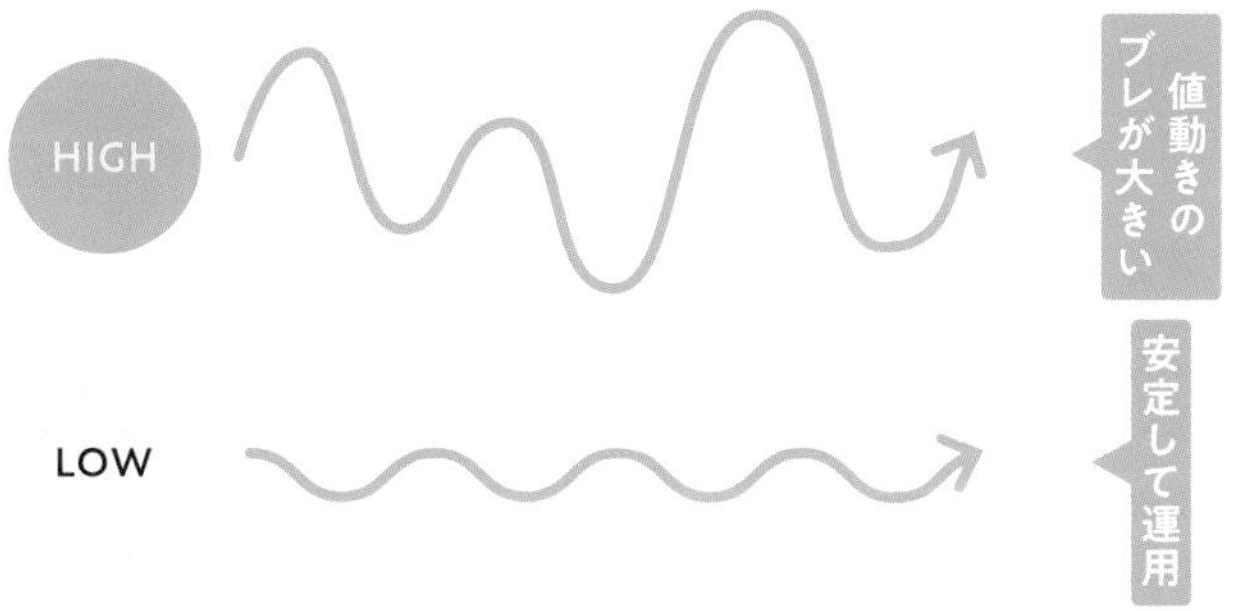

資産の値動きが激しく上下する投資は、勝つときも負けるときも振れ幅が大きい。一方で、値動きが安定している商品への投資は、短期間で大きく増やすことはできないものの、着実に資産を積み上げていきたい人と好相性。

「個人向け国債」とは……国が発行する個人が対象の債券。満期まで3、5、10年の3種類があり、年0.05％（税引前）の最低金利が保証される。発行後1年で中途換金できる。

早くはじめたほうがメリットは大きい

コツコツ時間をかけることが大切なのは、複利効果が期待できるからという理由もあります。そしてもう1つ重要なのが、「何もしない」ことです。

投資はなぜ長く続けることが大切なのか、もう少し詳しく説明しておくね。

そりゃあ単純に積み立てていく期間が長いほうが、上乗せされる金額は大きくなりますよね。

それも理由の1つ。ただここで紹介しておきたいのは、**複利効果が期待できることなんだ。**

複利効果？

うん。**複利効果とは、運用で得た利益を再び運用して得られる効果のこと。**投資元本に利息を組み入れるので、当初は小さな利息でも、時間をかけて積み重ねていくことで利息が利息を生み、どんどん資産は大きくなる。

うーん。ちょっと難しい……。

国債などの単利と比べるとわかりやすいよ。単利は最初に投資した「元本にだけ」利息がつくこと。なので、資産は増えていくけど、複利のような効果はないんだ。

利息がつく対象が違うから、年数が長くなるほど差も開く！

そう。**投資信託は複利式なので雪だるまのように資産増加がどんどん加速していく。**あとは慌てず、ほったらかしでいい。

ほったらかし？

そう。相場を気にせず、淡々と心を平静にして投資する。ゴールはずっと先なので、一喜一憂していては長く走り続けられないからね。

「利息・利子」とは……利息と利子は基本的に同じ意味。利息はお金を貸した際（預金）に銀行から受け取る対価。利子は銀行からの融資返済でお金を借りた際に支払う対価。

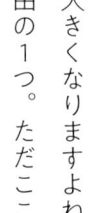

やること 01 複利効果を期待して長く続ける

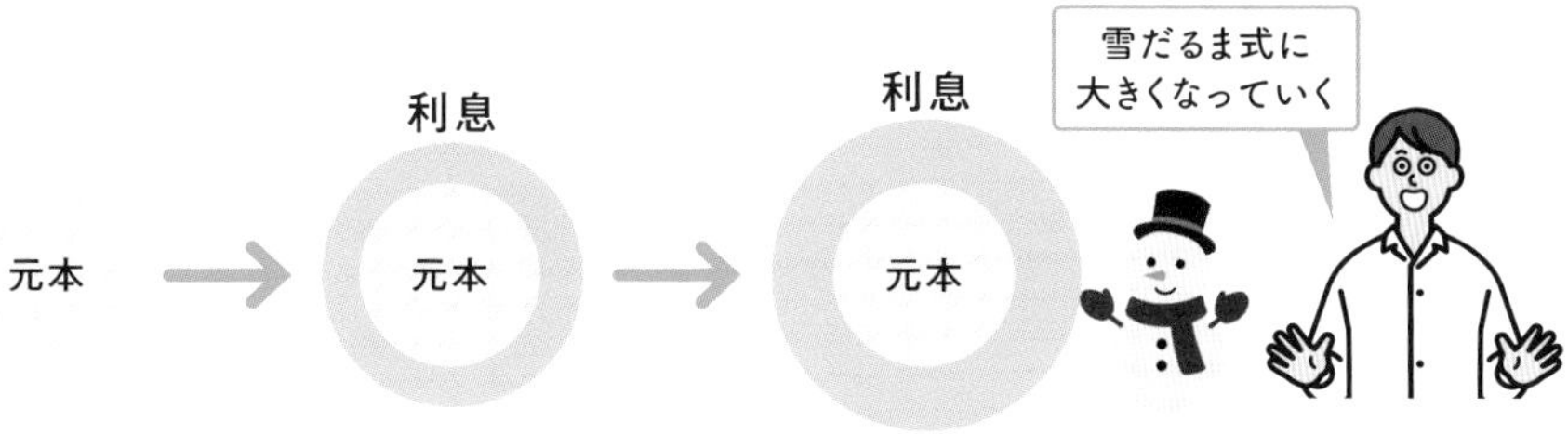

同じ利回り10％で100万円の元本での運用でも、複利は元本に利息が組み込まれるので増え方は加速していきます。3年目にはすでに複利の運用のほうが3万円多くなっています。

やること 02 長く続けることが大切

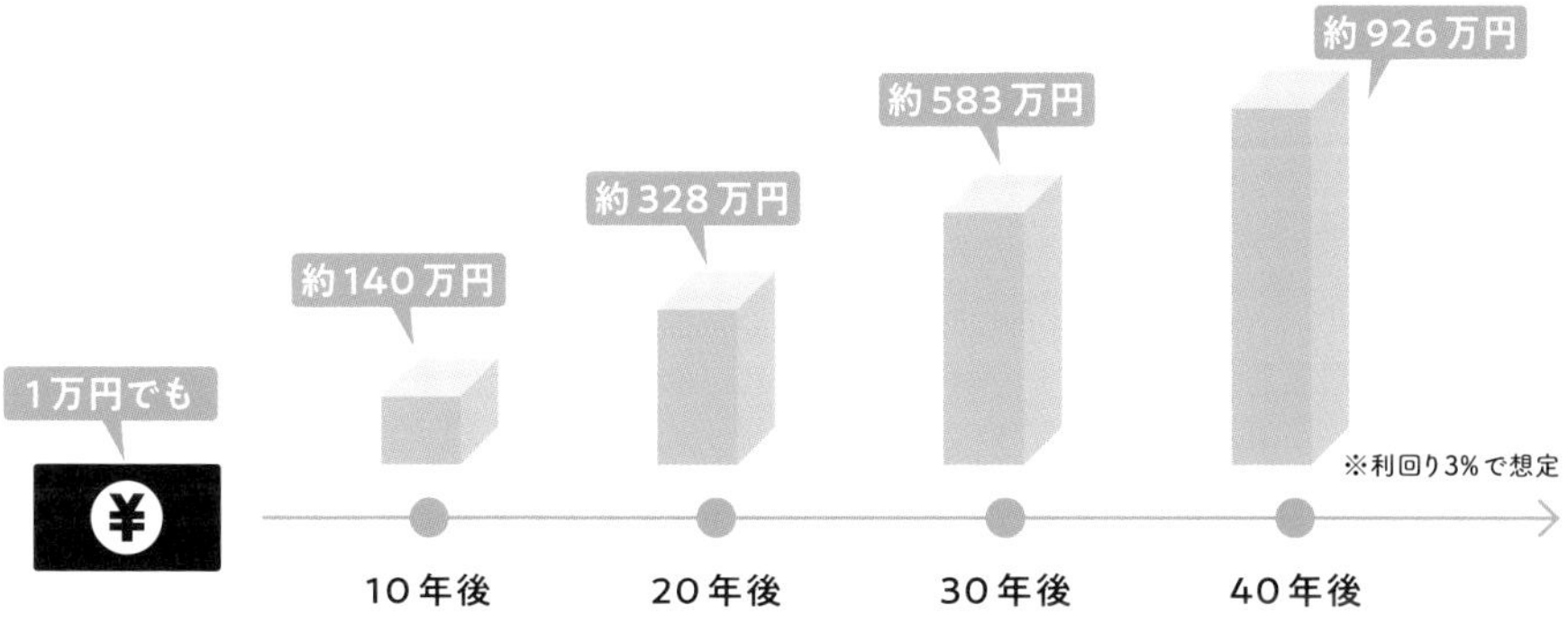

毎月1万円投資していくと、年利3％の運用で10年で約140万円（投資金額累計120万円）、30年で約583万円（投資金額累計360万円）と資産は増えていきます。

「利回り」とは……投資金額に対する利子も含めた年単位の収益の割合。「利率」は、債券や預金などに用いることが多く、投資金額（元本）に対する利息（利子）の割合を指す。

新NISAとiDeCoを選ぶ理由

いきなり大金を預けて投資するのではなく、無理のない金額からコツコツはじめましょう。新NISAやiDeCoで投資すれば、利益に税金がかかりません。

投資をはじめる前の流れをおさらいしよう。まずは**目標金額をざっくりイメージ**しておく。

次に、生活防衛資金を準備するため、**自分の家計を見つめ直すことからはじめる**、ですよね？

そうだね。余ったお金で投資する、短期間で10倍に増やす、という投機的なスタンスはNG。あとは、「長く続けて複利効果を期待する」「目先の相場に一喜一憂しない」など、**長く続ける信条や原則も押さえておこう。**

なるほど。それを知らないと、たまたま相場が値上がりしたときに「もう儲かったからいいや」と途中でやめちゃうかも。

定年退職までを1つの区切りとして、**中長期の視点で投資のゴールを見据えよう。**

よーし！これでNISAやiDeCoをはじめられるぞ！……そういえば、そもそもこの2つってなんですか？

普通、投資で得た利益には約20％の税金がかかるけど、**NISAやiDeCoといった制度を利用して投資をすれば、利益に税金がかからない**んだ。

え！それってむしろ、やらなきゃ損なんじゃ……。

そのとおり。それぞれ投資可能額や引き出せる時期が違うから、まずは**毎月コツコツ無理なくはじめられる新NISAの「つみたて投資枠」からはじめよう。**

「投機」とは……「機会に投じる」ことで、売買のタイミングで一攫千金を狙う姿勢を表す。投資と違いギャンブルなどとセットで用いられ、マイナスの印象を持たれがち。

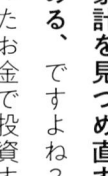

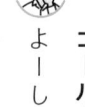

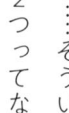

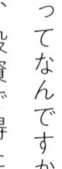

知ること 01　どうしてNISA・iDeCoがいいの？

■ NISA・iDeCoを"使わない"場合

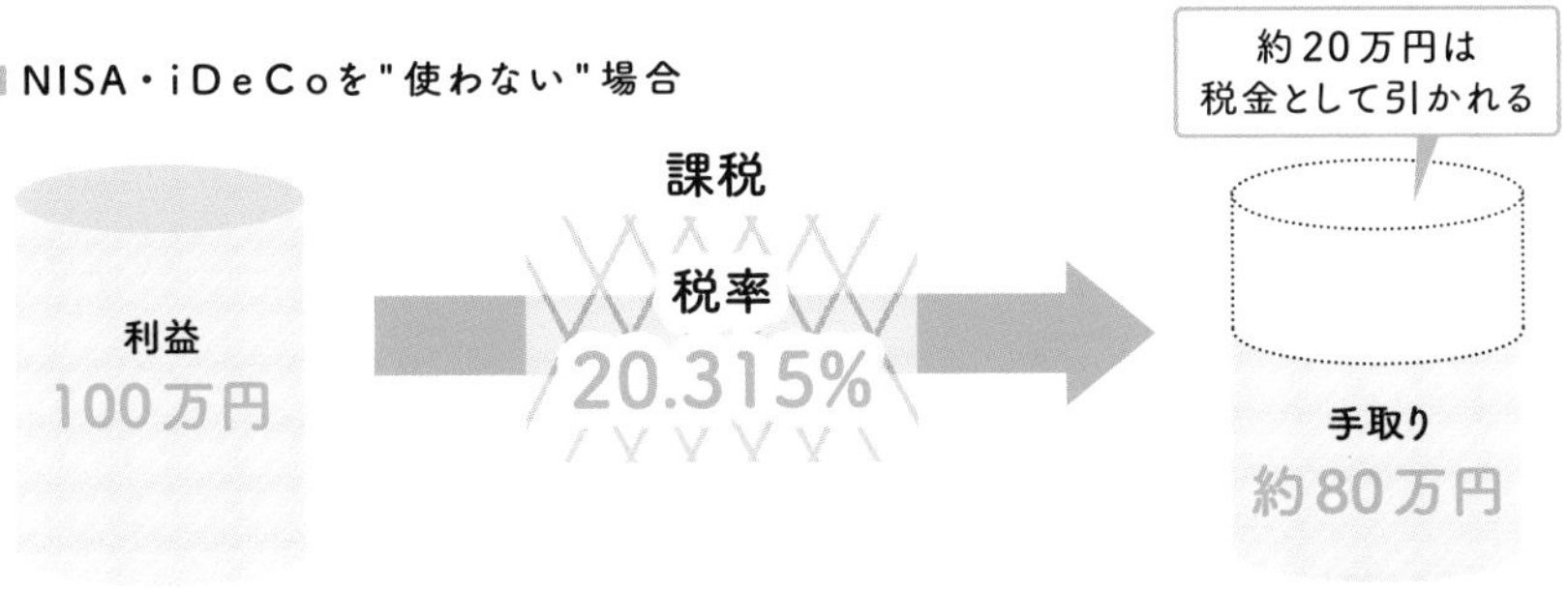

■ NISA・iDeCoで投資する場合

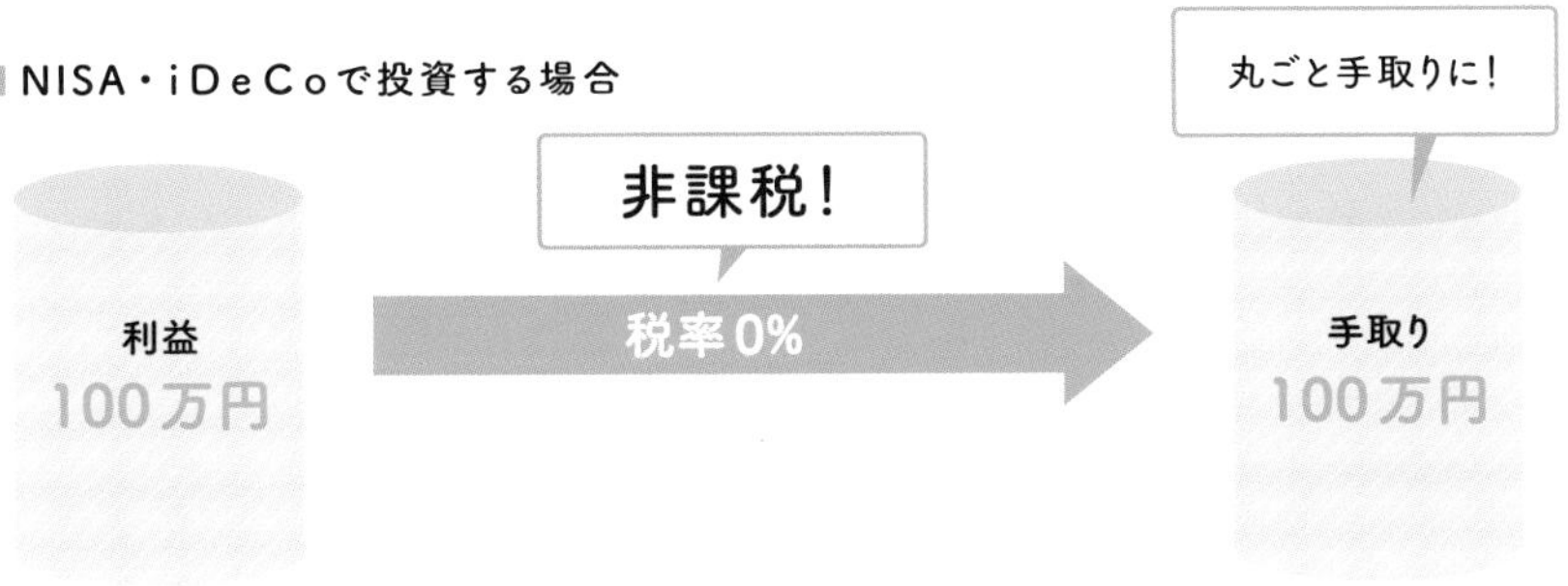

値上がり益や分配金、配当金には通常20.315%の税金がかかります。しかし、NISAやiDeCoで投資して得た利益は非課税に。丸ごと手元に残ります。

知ること 02　まずは新NISAからはじめればOK

新NISA	iDeCo
●投資期間に制限なし ●積立投資専用の「つみたて投資枠」と、より自由に使える「成長投資枠」がある	●60歳までの出金制限あり 貯蓄が苦手でも安心 ●拠出時・運用時・受取時に節税効果がある

まずは新NISAの「つみたて投資枠」から！

新NISAは18歳以上ならいつまでも投資可能で、出金も自由。まずは毎月コツコツと一定額を積み立てる「つみたて投資枠」の利用がオススメ。iDeCoは60歳まで原則出金できないので、いわば「じぶん年金」です。

「中長期投資」とは……明確な定義はないが、短期投資は1日で完結する取引から数日程度を指し、中期投資は「数カ月から数年」、長期投資は「数年から数十年」が目安。

気になるトコロを1分で解決
サクッとわかるQ&A
～投資のきほん編～

Q 投資で借金することってあるの？

A 預けた金額以上のマイナスはない

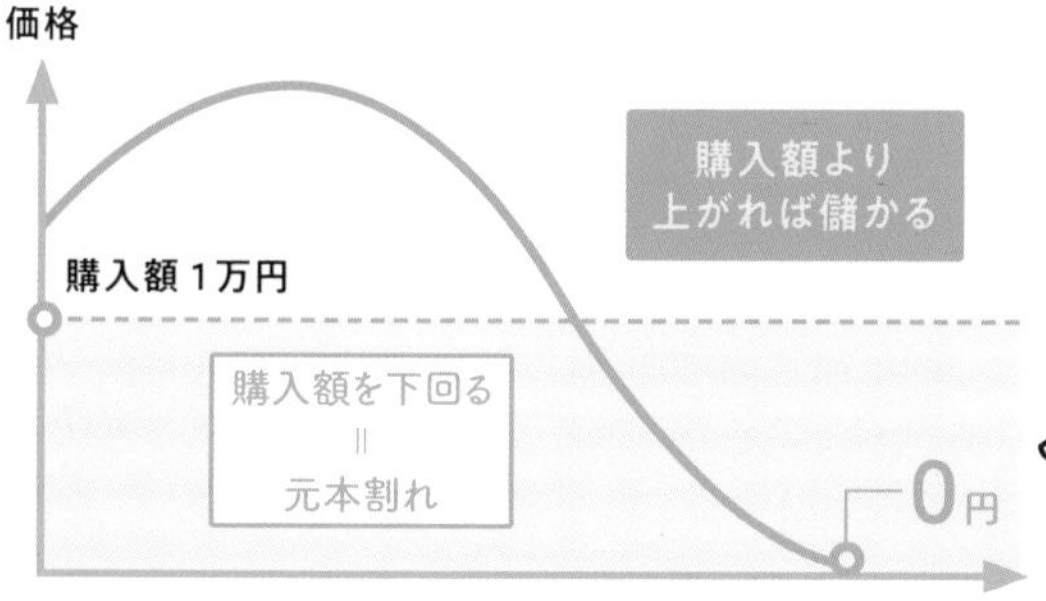

相場は日々変動しており、購入した金額を下回れば元本割れとなる。ただ、投資した購入金額が損失の結果ゼロになる可能性はあっても、それ以上の損をすることはない。

Q 景気が回復しないけど、今はじめても大丈夫？

A 相場の良し悪しは基本的に循環する

◎日経平均株価の推移

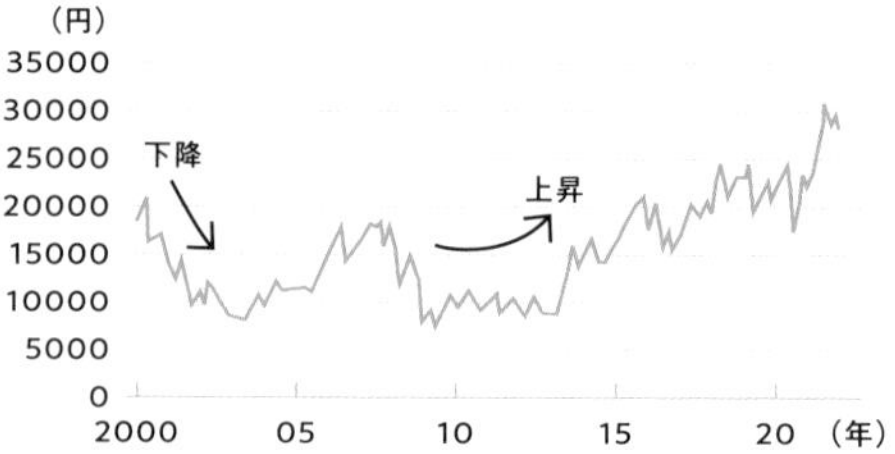

一方的に上昇を続けることはなく、多くの場合は上下動を繰り返しながら値動きする。インデックスファンド（P84）への積立投資ならタイミングを見ず、いつはじめてもOK。

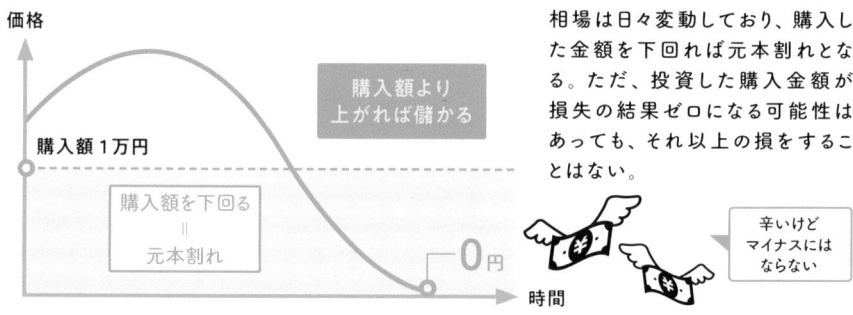

Q そもそも何で低金利なの？

A 物価が上昇せずお金の需要が高まらないから

◎日本の金利の推移　※日本国債10年ものの利回り（月次、月中平均）

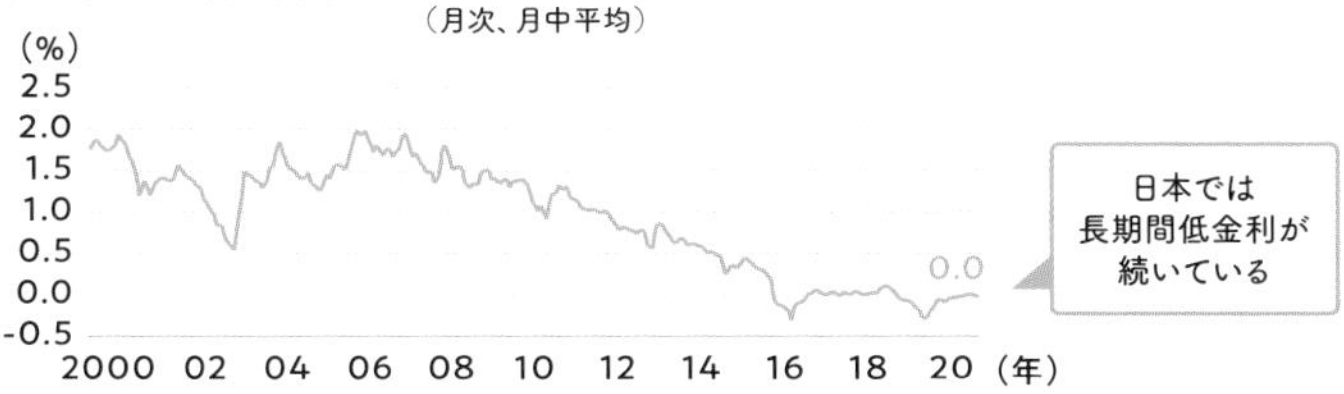

好景気　消費　高 ▶ 企業の設備投資　高 ▶ 物価　高 ▶ 資金需要　高 ▶ 金利上昇

不景気　消費　低 ▶ 企業の設備投資　低 ▶ 物価　低 ▶ 資金需要　低 ▶ 金利下降

お金を借りたい人が増えれば資金需要が増え、お金の使用料といえる金利は上昇する。しかし日本では長年、低金利の状況が続いている。背景には、日本銀行による低金利政策のほか、景気停滞ムードが続いて消費が冷えこみ、物価が上がらないことから資金需要も低いままで、なかなか金利も上昇しないという悪循環がある。

Q 50歳からはじめても大丈夫？

A 10年、15年だけでも投資の意味はある

◎毎月3万円積み立てた場合（3%利回り）

5年	10年	15年
約194万円	約419万円	約680万円

投資は長く続けたほうが複利効果が期待できる分、メリットも大きくなる。その期間は5年でも10年でも、銀行預金と比べれば十分に大きなリターンを期待できるだろう。50歳を過ぎてからでも、決して遅くはない。

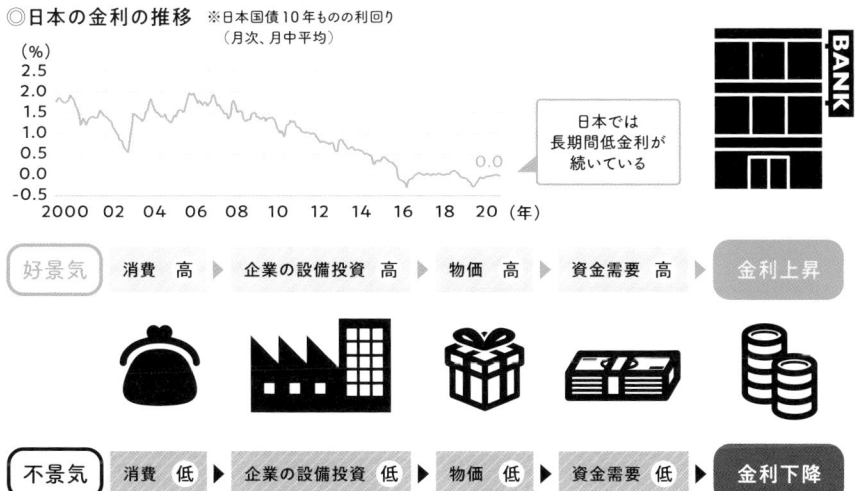

STEP 1 まとめ

(1) 老後資金の準備は
現役時代になるべく早く進めておく（P12）

(2) 老後の生活は20年間で
約1500万円の貯蓄が欲しい　（P12）

(3) 投資できる期間は
「定年退職の年齢－現在の年齢」（P16）

(4) 投資に回せるお金は
家計を見てから決める　（P18）

(5) 手取り月収7.5ヵ月分は
生活防衛資金として確保しておく（P20）

(6) 新NISAとiDeCoは
投資の利益が非課税になる制度　（P26）

少ない金額でも
10年、20年後には
しっかり増える！

STEP

2

新NISA or iDeCoを選ぼう

～投資の第一歩はこの２択でOK～

STEP
2 - 1
新 NISA or iDeCo
を選ぼう

新NISAとiDeCoってどう違うの？

投資をはじめる前に知っておきたいのが、新NISAやiDeCoといった税制優遇制度。まずは2つの違いを見比べて、それぞれの特徴を確認しましょう。

投資が大切というのはわかったんですが、何からはじめていいかわかりません……。株式を買えばいいんでしょうか？

確かに投資といえば株式のイメージがあるよね。ただ、STEP1でも話したように**初心者なら投資信託がオススメ**。投資信託は、ある特定の企業の株式だけではなく、複数の株式や債券が組み合わさった商品なんだ。投資対象を分散させると大きな損失になりにくい。**しかも、投資信託の購入には「NISA」や「iDeCo」といった税制優遇制度も使えるよ。**

NISAとiDeCo、名前はよく聞くので教えてほしいと思っていました！税制優遇ってことは、税金が安くなるんですか？

簡単にいうと、どちらも一定の投資額以内で得た利益が非課税になる制度だね。**iDeCoは老後資金に、NISAはあらゆる出費に備えられる**といった違いがあるんだ。

じゃあ、いつでも引き出せるNISAがいいですか？

必ずしもそうとはいえないよ。iDeCoは60歳まで引き出せないからこそ老後資金がしっかり確保できるし、節税効果も大きい。**年齢要件や上限額も違うから、自分に合うほうを利用するのが大切なんだ。**

「株式」とは……株式会社が資金を出資してもらった人に対して発行する証券のこと。企業が事業を行うための資金調達の手段として発行される。

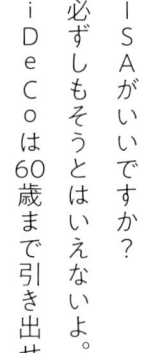

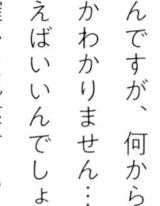

知ること 新NISAとiDeCoの違い

新NISA

例えばこんな目的にピッタリ

- 教育資金
- 住宅資金
- 老後資金

iDeCo

例えばこんな目的にピッタリ

- 老後資金

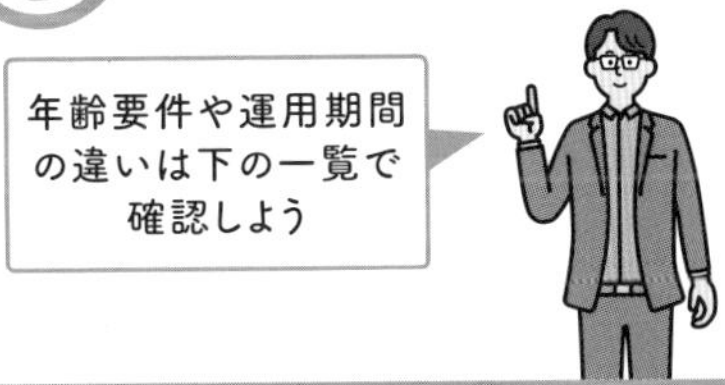
年齢要件や運用期間
の違いは下の一覧で
確認しよう

新NISA			iDeCo
成長投資枠	つみたて投資枠		
18歳以上		加入条件	20歳以上65歳未満
年間240万円	年間120万円	年間投資上限	年間14万4000円～81万6000円（働き方などにより異なる）
1800万円（成長投資枠のみの場合は1200万円）		生涯投資上限	上限なし
無期限		運用期間	加入から75歳まで
運用益：○		税優遇	掛金、運用益、受取時：○
上場株式、投資信託、ETFなど	一定条件を満たす投資信託、ETF	投資商品	投資信託、定期預金、保険商品
運用時に発生（信託報酬など）		手数料	加入時、運用時、受取時に発生（口座管理手数料、信託報酬など）
スポット購入、積立購入	積立購入	投資方法	毎月一定額を積立（事前申請でまとめ払いも可）
いつでも可能		出金	原則60歳まで不可

「投資信託」とは……投資家から集めたお金を1つの資産としてまとめ、運用会社が複数の株式や債券に投資する商品のこと。長期間の積立に適している。

STEP
2-2
新NISA or iDeCoを選ぼう

一発診断！新NISA or iDeCoの選択

新NISAとiDeCoはどちらも節税メリットのある制度ですが内容は異なります。どちらが自分に合っている制度なのか、チェックリストで確認してみましょう。

NISAとiDeCoの違い、なんとなくわかりました！でも、どちらにすればいいか迷います……。

どちらか迷っている人は、まずは新NISAのつみたて投資枠を少額からはじめてみて、投資に慣れて家計にも余裕が生まれたら、拠出中でも節税メリットがあるiDeCoを検討するといいかもしれないね。新NISAは上限額の枠内で、生涯にわたって非課税での投資が可能だけど、**iDeCoで掛金を拠出できる年齢は65歳まで。**より長期の資産形成を行うなら、新NISAのほうが誰にとってもはじめやすいといえるよ。

より長く続けるなら、新NISAのほうが良さそうですね。

資金を貯める目的も選ぶときのポイントだね。年金だけじゃ老後が不安だから貯蓄をしたいとか、将来子どもが生まれたときに備えて教育費を蓄えたいとか。

老後の備えならiDeCoを活用できるし、教育資金などの支出に備えたいなら、新NISAが向いているってことですね。

そのとおり。ほかには、**投資上限額もポイントになるね。**例えば、新NISAの投資上限額は年間360万円。iDeCoは加入者の職業（国民年金の被保険者区分）にもよるけど、年間81万6000円が上限なんだ。

「企業型確定拠出年金」とは……企業が毎月、従業員の年金口座に資金を積み立て、従業員自ら資産の運用を行う制度のこと。資産は60歳以降に受け取れる。

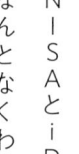

やること
当てはまる項目にチェック

A

- □ 5000円未満からはじめたい
- □ 企業型確定拠出年金に加入している
- □ 現在50歳を超えている
- □ 教育費やマイカー購入など必要に応じて引き出したい
- □ 厳選された商品を買いたい

B

- □ 所得控除などの節税を重視したい
- □ ボーナスなどでまとめて払いたい
- □ 自営業・フリーランスだ
- □ 老後まで手をつけない貯蓄を用意したい
- □ 20年以上積み立てる予定だ

Aにチェックが多いあなたは……

新NISA

Bにチェックが多いあなたは……

iDeCo

それぞれどんな人が向いているか次のページで見てみよう！

「所得控除」とは……収入から必要経費を引いたものを所得といい、所得金額に応じた税金が課される。要件を満たすと所得から一定額を差し引く（控除する）ことができる。

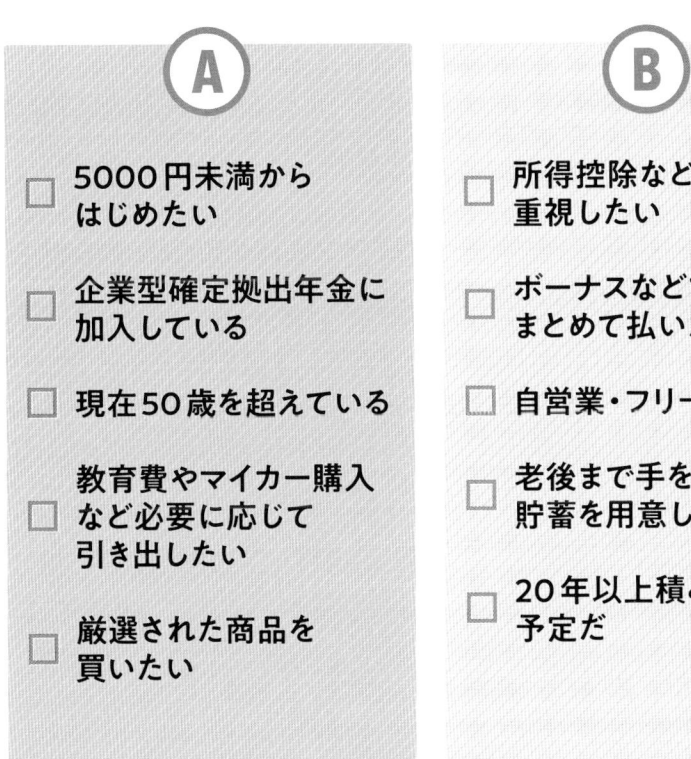

セレクト 01

新NISAに向いている人

60歳で退職予定の50代前半の会社員

Aさん

iDeCoでは65歳以降の投資ができず投資可能年数が少なくなる

iDeCoでの投資は65歳になるまでのため、10年間しか投資できません。また、受取には加入期間が10年以上必要となるため、受取時期も63歳以降となります。新NISAなら今からはじめても一生涯投資可能です。

プロフィール	
職業	会社員
年齢・性別	54歳・男性
年収	600万円
家族	妻1人、子ども2人
積立可能額	毎月4万円程度
企業年金	確定給付企業年金加入

子育てと家計のやりくりで余裕資金が少ない主婦

Bさん

新NISAなら100円からでも投資をはじめられる

iDeCoは投資額が所得から差し引かれるため所得税が軽減されますが、収入がない人にとっては、所得控除はメリットになりにくいです。また、投資に回せる余裕資金が少ない人は、100円から投資できる新NISAが向いています。

プロフィール	
職業	専業主婦
年齢・性別	32歳・女性
年収	0円
家族	夫1人、子ども3人
積立可能額	毎月3000円程度

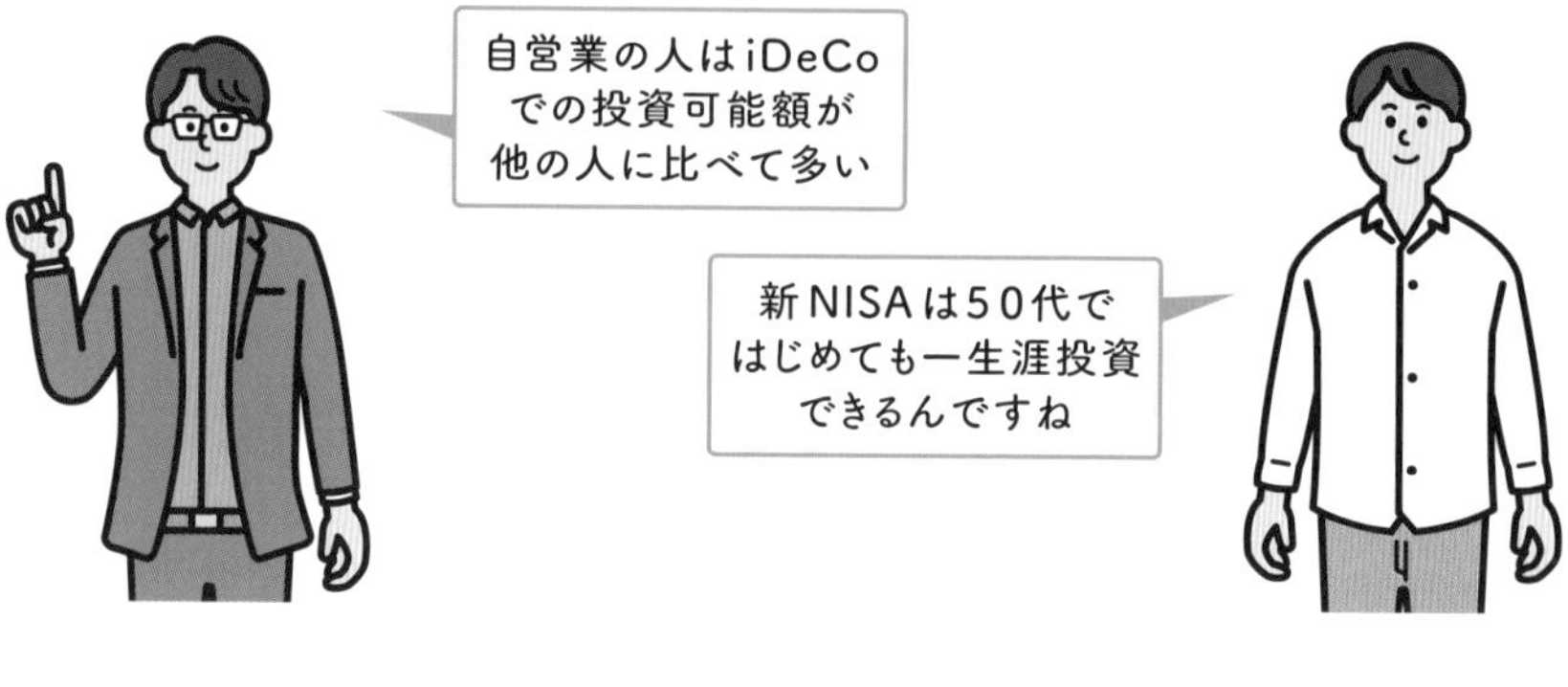

「確定給付企業年金」とは……従業員への給付額があらかじめ「確定」されている企業年金制度。会社が運用の責任を負い、運用結果が悪ければ会社が不足分を補填する。

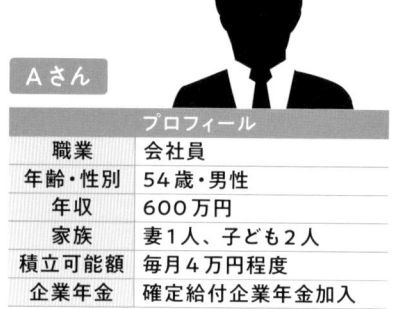

セレクト 02 iDeCoに向いている人

老後が心配だが 運用資産の管理に不安のある会社員

Cさん

老後まで手をつけることのない マイ年金を作ろう

老後が不安で投資をはじめたいけど、運用中の資産の管理が心配な人であれば、原則60歳まで引き出しできないiDeCoで老後資金を作るのが1つの手。収入が上がり投資資金に余裕が生まれたら、新NISAと併用していきましょう。

プロフィール	
職業	会社員
年齢・性別	31歳・男性
年収	410万円
家族	独身
積立可能額	毎月3万円程度
企業年金	なし

フリーで稼いでいる 30代の独身ブロガー

Dさん

年間約81万円投資できるうえ 所得控除の効果も大きい

フリーランスの人は毎月6万8000円まで投資可能。扶養家族がいなければ、所得控除のメリットはさらに大きく、1年の税制優遇額は16万円超になる計算です。限度額以上に投資できる余裕ができたら、新NISAの活用も視野に入れましょう。

プロフィール	
職業	ブロガー
年齢・性別	33歳・男性
年収	700万円
家族	独身
積立可能額	毎月5万円程度

ココもPOINT

どちらがいいかわからない…… そんな人は新NISAから検討!

まずは新NISAで少額から投資をはじめ、投資に慣れて家計にも余裕がありそうならiDeCoを活用してみると良い。

「扶養家族」とは……自分の収入で養っている家族のこと。条件を満たした家族がいる場合、扶養家族1人につき38万円から63万円を扶養者の所得から控除できる。

新NISAのきほんをチェック

「NISA」は運用中に得た利益が非課税になる制度です。新NISAの投資枠には、成長投資枠とつみたて投資枠の2種類があるので、違いについても簡単に解説します。

新NISAとiDeCoの違いがわかったら、それぞれのメリットやデメリットを見ていこう。まずは新NISAから。

新NISAもiDeCoも、投資で得た利益が非課税になる制度でしたよね。

そうだね。投資で得られる利益は、売却益と分配金の2つに分けられるんだけど、普通の証券口座で投資すると利益にも税金がかかる。**NISA口座で投資すれば、いくら利益が出ても税金はかからないんだ。**

投資枠が2つありますが、それぞれの違いはなんですか?

「つみたて投資枠」と「成長投資枠」の2つのことだね。つみたて投資枠の場合、**年間で120万円まで投資できる。成長投資枠は年間の投資上限額が240万円。それと、投資枠によって、購入できる商品にも違いがあるんだ。**

結構違うものですね。どっちがオススメですか?

投資の上級者が新NISAを個別株式の投資に利用したいのなら、成長投資枠を選ぶしかないけど、**投資初心者の場合は、長い期間コツコツ投資するつみたて投資枠を選ぶのがオススメだね。**40ページで解説するけど、つみたて投資枠で購入できる商品が限定されているのは初心者にとってメリットになるんだよ。

（「売却益」とは……金融商品や不動産を売ったときに得られる利益。購入時よりも売却（解約）時の価額が上がっていればその差が収益となり、NISA口座では非課税。）

きほん 01 「新NISA」の投資枠は2種類

	つみたて投資枠	成長投資枠
加入条件	18歳以上	18歳以上
投資額上限	年間120万円	年間240万円
生涯投資枠	1800万円	
		内数1200万円
運用期間	無期限	無期限
投資商品	条件を満たす投資信託、ETF	個別株、投資信託、ETF
投資方法	定期の積立購入	スポット購入、定期の積立購入
税優遇	運用益が非課税	運用益が非課税
出金	いつでも可能	いつでも可能
手数料	運用時に発生	運用時に発生

つみたて投資枠と成長投資枠は、加入できる年齢や税優遇などの大部分の条件は共通していますが、購入できる商品や年間で投資可能な上限額などに違いがあります。

きほん 02 2つの投資枠を使い分けて投資する

投資枠の使い分けの例

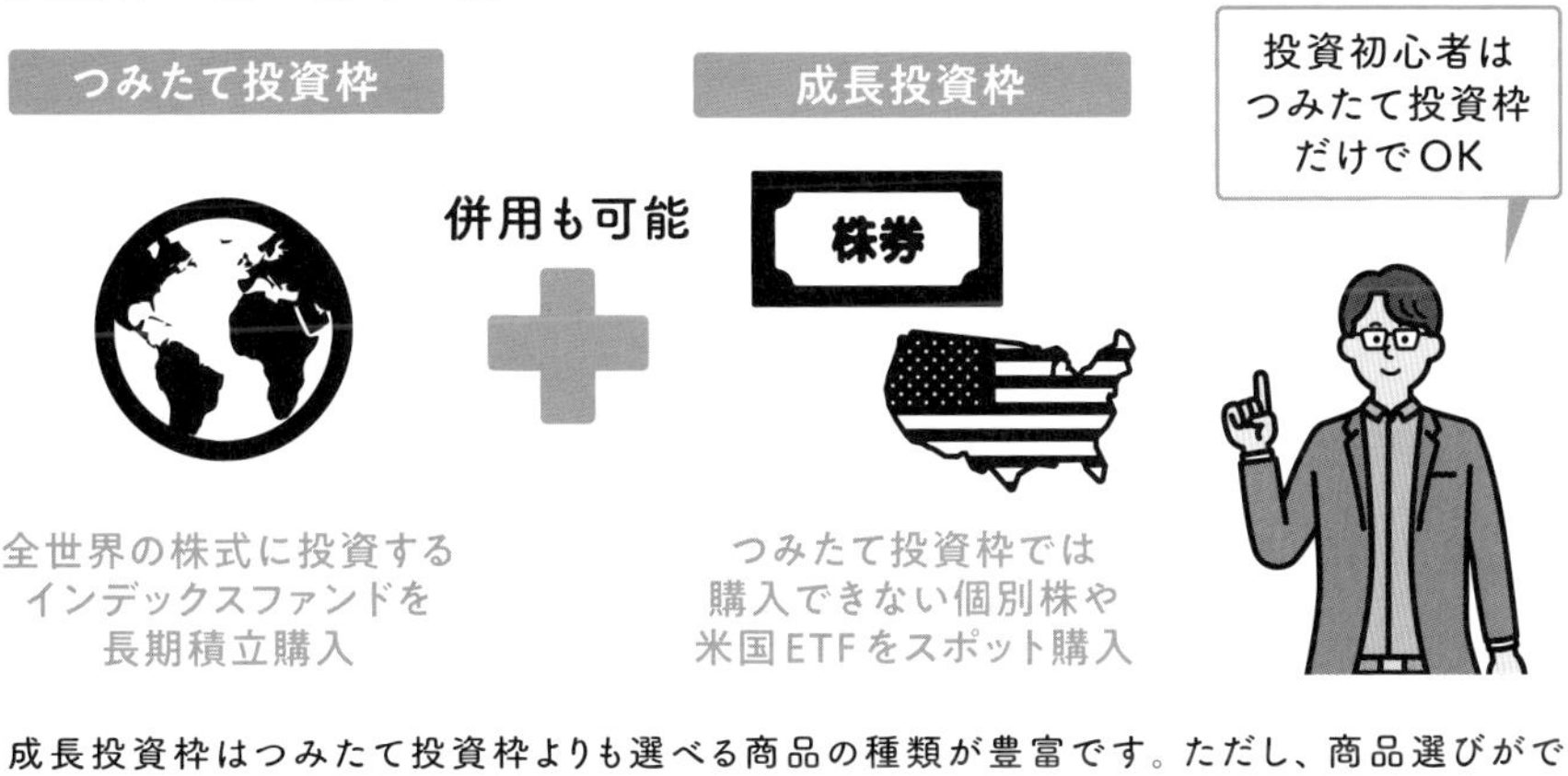
つみたて投資枠
成長投資枠
投資初心者は
つみたて投資枠
だけでOK
併用も可能
株券
全世界の株式に投資する
インデックスファンドを
長期積立購入
つみたて投資枠では
購入できない個別株や
米国ETFをスポット購入

成長投資枠はつみたて投資枠よりも選べる商品の種類が豊富です。ただし、商品選びができるほど投資の知識や経験がない間は、つみたて投資枠からはじめるのが無難。つみたて投資枠と成長投資枠を併用して2つの枠で同じ商品を積立購入することも可能です。

「分配金」とは……投資信託の運用によって得られた収益のうち、決算時に投資家（投資信託の購入者）に分配される利益のこと。運用成績によっては支払われない。

STEP 2-4
新NISA or iDeCoを選ぼう

新NISAの3大メリット

新NISAの基本がわかったところで、具体的にどんなメリットがあるか見ていきましょう。主な3つのメリットについて詳しく解説します。

新NISAのメリットは、なんといっても投資で得た利益が非課税という点だね。2024年のNISAの制度改正では、それまであった購入商品の非課税保有期間が撤廃されて、無期限になったからますます有益になったよ。

通常の投資だと約20%も税金として引かれてしまうから、これはありがたい変更ですね。ほかにはどんなメリットがあるんですか?

つみたて投資枠の場合、投資できる商品がすでに絞られている点もメリットだね。

でも、それって、好きな商品を買えない場合があるってことですよね?

確かに選択肢は少なくなるね。でも、リスクが高い商品や、手数料が高い商品もあるなかで、どうやって自分で商品を選んだらいいと思う?

う……、それはちょっと、ぼくには難しそうです……。

これまでの運用実績や手数料の低い商品を基準に金融庁が商品を厳選しているから、初心者にとっては選びやすいよ。

金融庁が選んでいるなら安心感がありますね!

iDeCoと違っていつでも引き出せる点もメリットといえるね。教育費や介護費などあらゆる備えとして活用できるんだ。

「課税口座」とは……投資の利益に20.315%の税金がかかる口座のこと。自分で確定申告をする一般口座と、証券会社が課税対象額の計算を行う特定口座の2種類がある。

やること 01 購入した商品をずっと非課税で保有できる

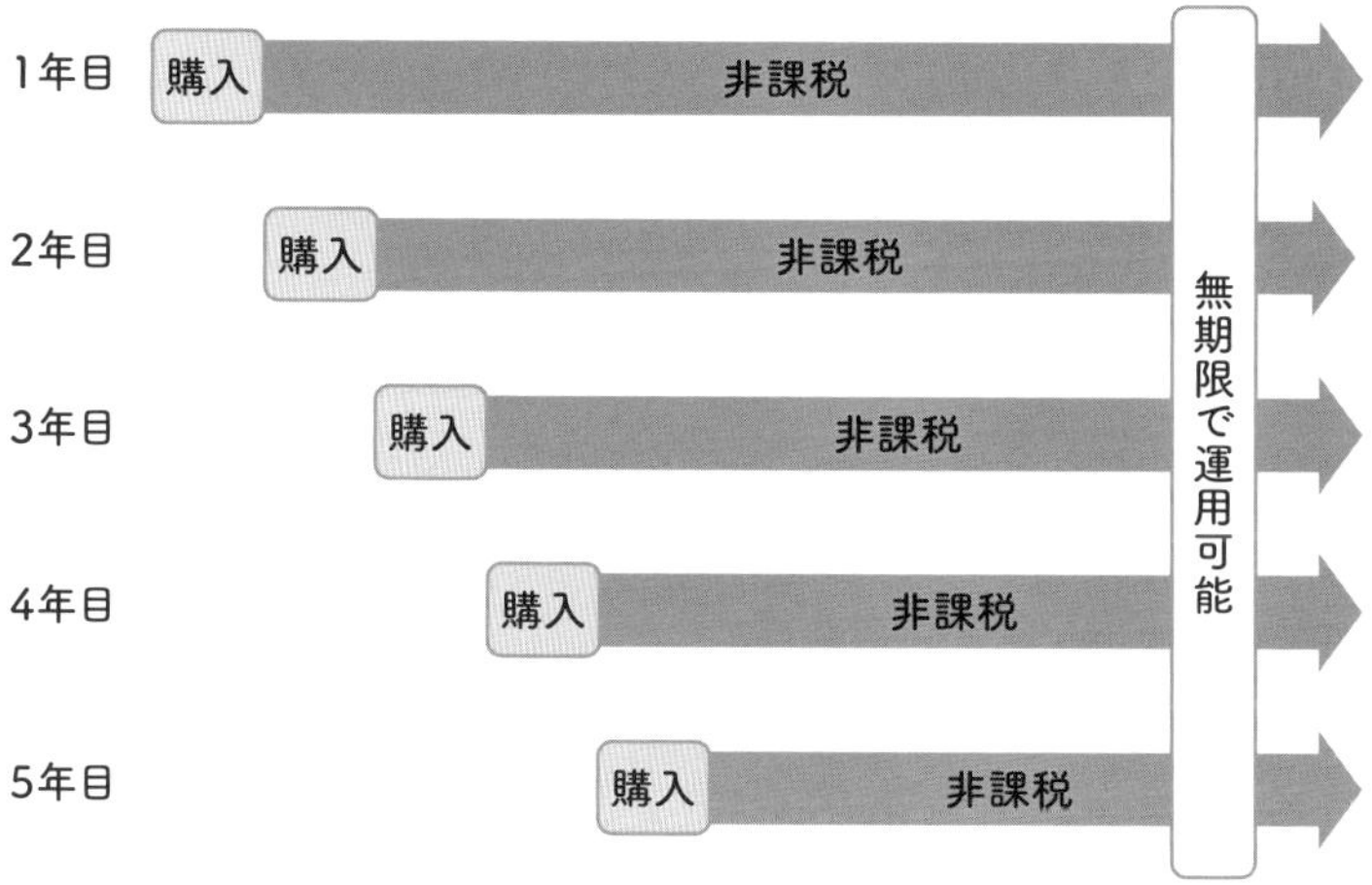

運用益・分配金が非課税になるのが新NISA最大のメリットです。非課税期間には制限がないので、ライフプランに応じた柔軟な運用ができます。

ココもPOINT

旧NISAは非課税保有期間に制限があった

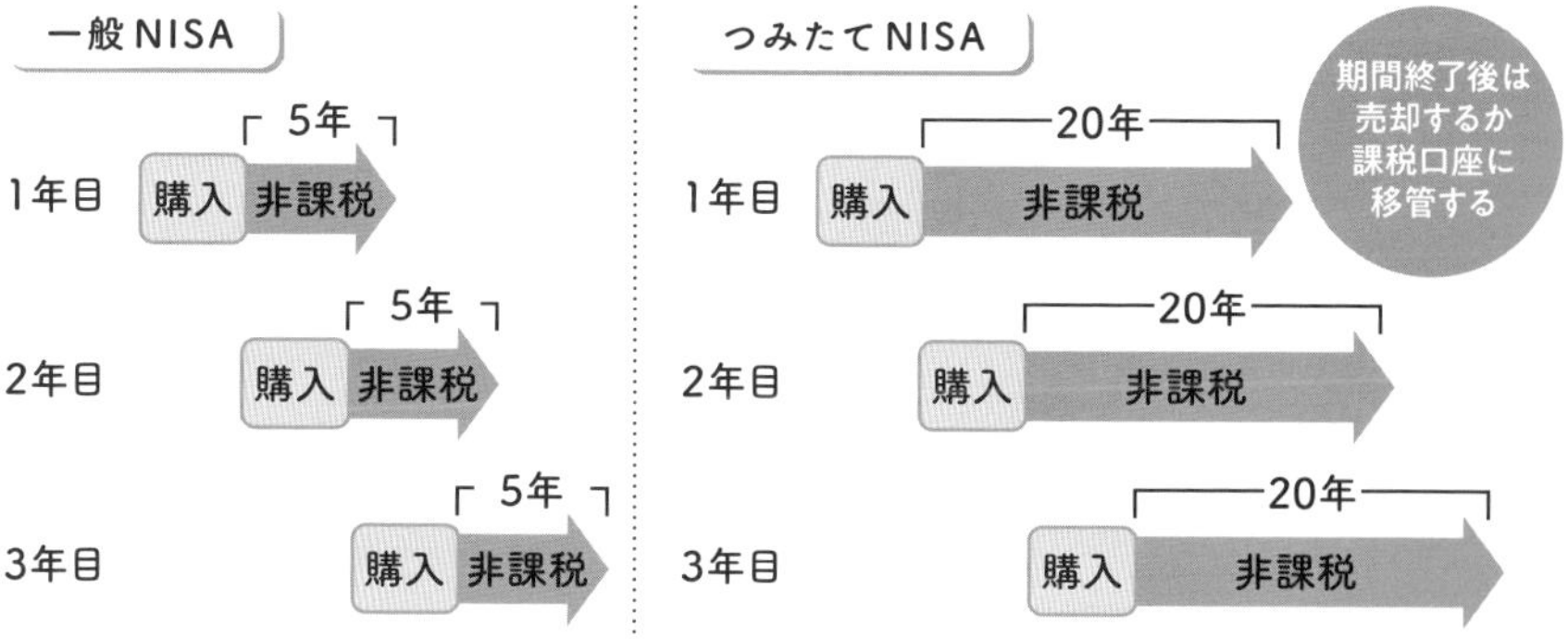

旧NISA制度では、「一般NISA」は購入から5年、「つみたてNISA」は購入後20年までと、それぞれ非課税保有期間に期限が設定されていた。旧NISAで購入した商品は、新NISA開始後も非課税期間終了までそのまま保有できる。非課税保有期間が終了するタイミングになったら、売却して現金化するか、課税口座へ移管するかのいずれかを選択しよう。売却しない場合は自動的に課税口座に移管される。

「運用益」とは……金融商品などの資産を運用することで得られる収益のこと。投資信託の場合は、値上がり益や分配金が該当。運用益を分配せずに、再投資する商品もある。

メリット 02 つみたて投資枠は長期保有に適した商品のみ

つみたて投資枠の対象商品

金融庁の条件をクリアする商品のみ	投資信託		ETF
	株式型	資産複合型	
国内型	50本	5本	3本
内外型	27本	113本	-
海外型	75本	2本	5本

※2024年1月4日時点。金融庁データより

つみたて投資枠の商品は、金融庁が定める条件をクリアする投資信託のみ。長期投資に適した商品でなければ条件を満たせないので、商品選びで失敗しづらい仕組みです。

こんな商品が選ばれている

- ☑ 販売手数料が0円
- ☑ 運用中の手数料（信託報酬）が低い
- ☑ リスクの高い運用をしていない
- ☑ 十分な運用実績がある

「ETF」とは……金融商品取引所で取引される投資信託。上場投資信託ともいわれる。投資対象は投資信託と同様で、1つの商品に複数の株式や債券などが組み込まれている。

メリット 03 いつでも引き出せる!

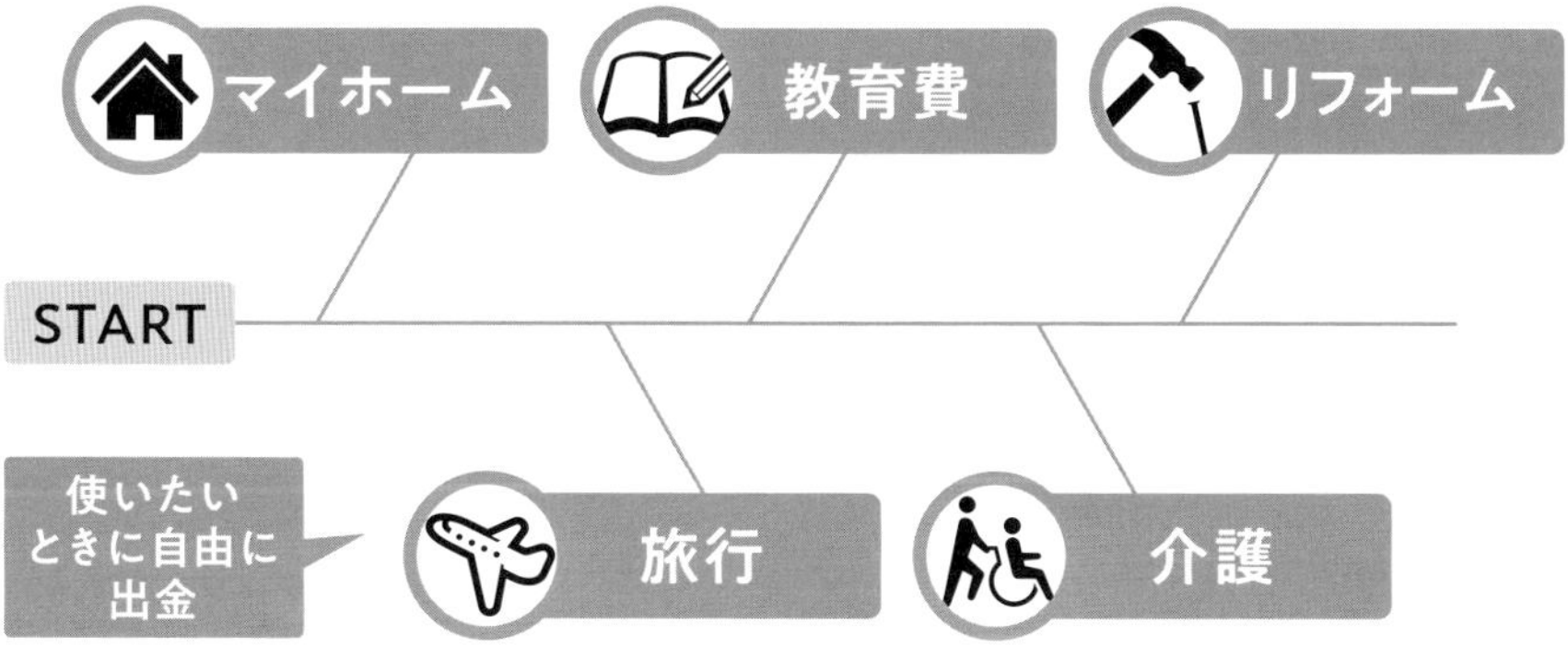

マイホームの購入や子どもの教育費など、ライフイベントには何かとお金がかかるもの。老後を待たずにいつでもお金を引き出せるので、突然の介護などにも備えられます。

ココもPOINT

iDeCoは60歳まで引き出せない

60歳まで出金できないiDeCoは、老後資金を蓄えるうえでは効果的。しかし、教育や介護など自分の老後までにかかる費用には備えられない。

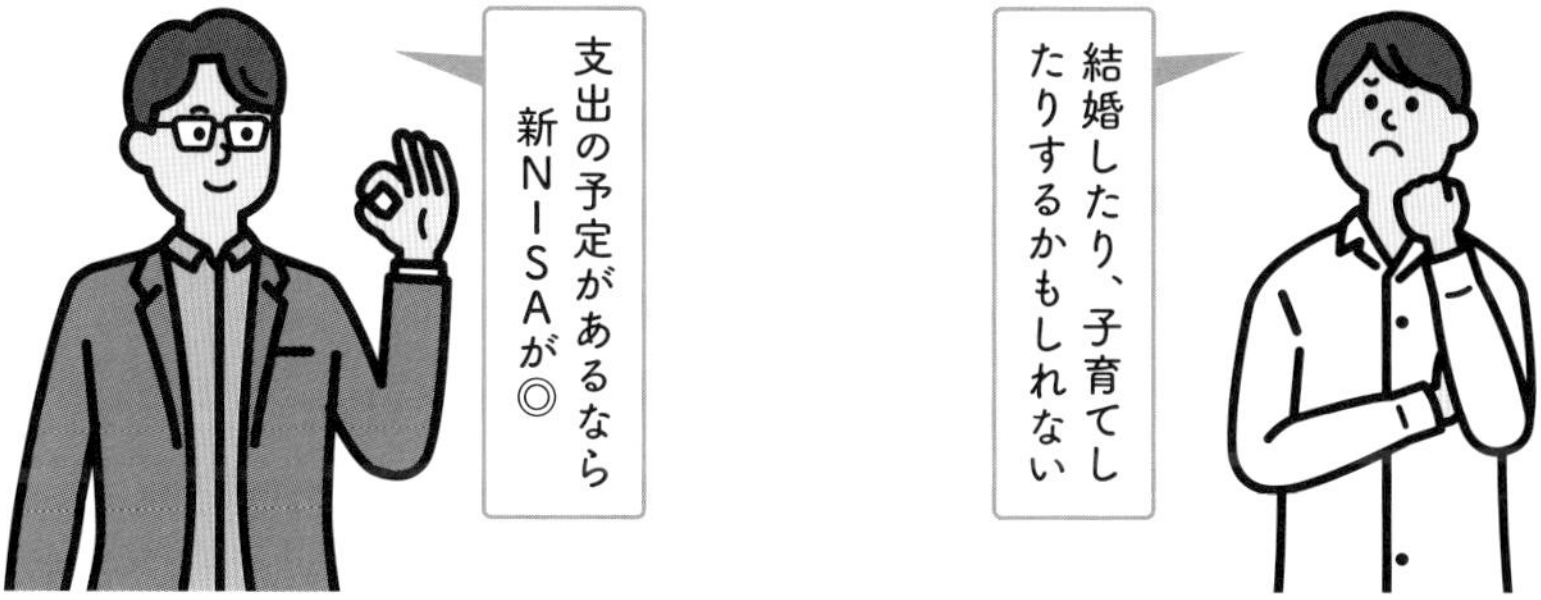

「信託報酬」とは……投資信託の運用や管理にかかる手数料のこと。どこの販売会社で購入しても、同じ商品であれば信託報酬も同じ。商品価格にあらかじめ含まれている。

新NISAの要注意ポイント

新NISAのつみたて投資枠は商品が限定されていたり、いつでも引き出せたりといったメリットがありますが、ここでは、注意しておきたいポイントについても解説します。

メリットはよくわかったんですけど、逆に注意しておいたほうがいいことってありますか？

新NISAの生涯投資枠は1800万円が上限だけど、**成長投資枠のみを利用する場合は1200万円が上限になるよ。1800万円まで使い切るためには、必ずつみたて投資枠を利用しなければならないんだ。**

上限があるとはいえ、かなり高額まで利用できますね。

そうだね。しかも、**保有している商品を売却したら、翌年にその商品を購入した金額分の投資枠が復活するよ。**だから、生涯投資枠はそんなに意識しなくても大丈夫かもね。ただし、年間で投資できる金額にも上限があるから注意しよう。年間の投資枠に余った分があっても、翌年に繰り越すことはできないんだ。

なるほど。つみたて投資枠は年120万円、成長投資枠は年240万円という上限は毎年変わらないということですね。

ほかにも、**損失が出たときは非課税メリットが活かせない点も要注意だね。**例えば、一般口座で投資している商品Aに損失が出た場合、商品Bの利益と合わせて損失をカバーできるけど、一般口座とNISA口座の損益は合わせることができないんだ。

税金の優遇があるのは利益が出たときだけということですね。

「生涯投資枠の復活」とは……新NISAで運用中の商品を売却すると、その商品を購入した金額分の投資枠が復活する。枠の復活は、売却した翌年になる点は注意が必要。

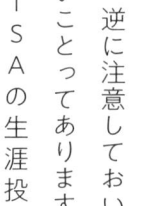

要注意 01 生涯投資枠の上限は1800万円

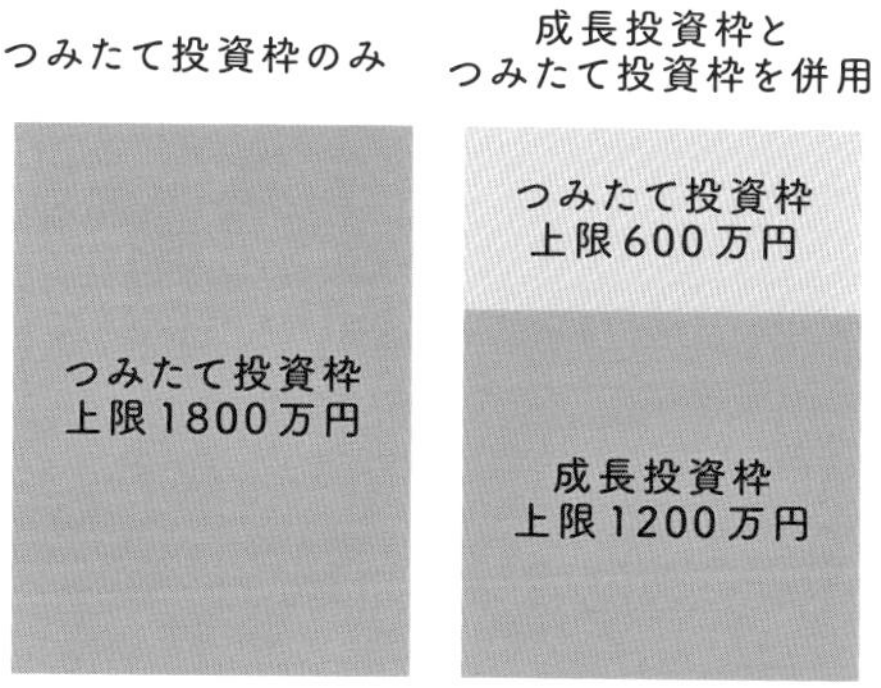

新NISAで投資できる金額は、1800万円が上限です。ただし、成長投資枠のみで投資する場合は1200万円までしか利用できません。上限の1800万円まで投資するには、少なくともつみたて投資枠を600万円分利用する必要があります。つみたて投資枠のみで1800万円まで投資することは可能です。

要注意 02 非課税枠は繰り越せない

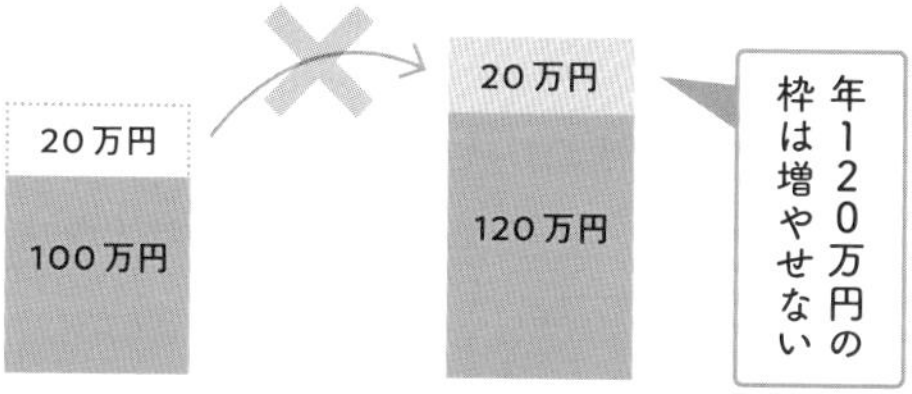

新NISAの年間投資上限額は1年の使い切りとなるため、余った非課税枠を翌年に繰り越すことはできません。保有している商品を売却した場合は、商品の購入金額分の生涯投資枠が復活します。

要注意 03 損をしても損益通算できない

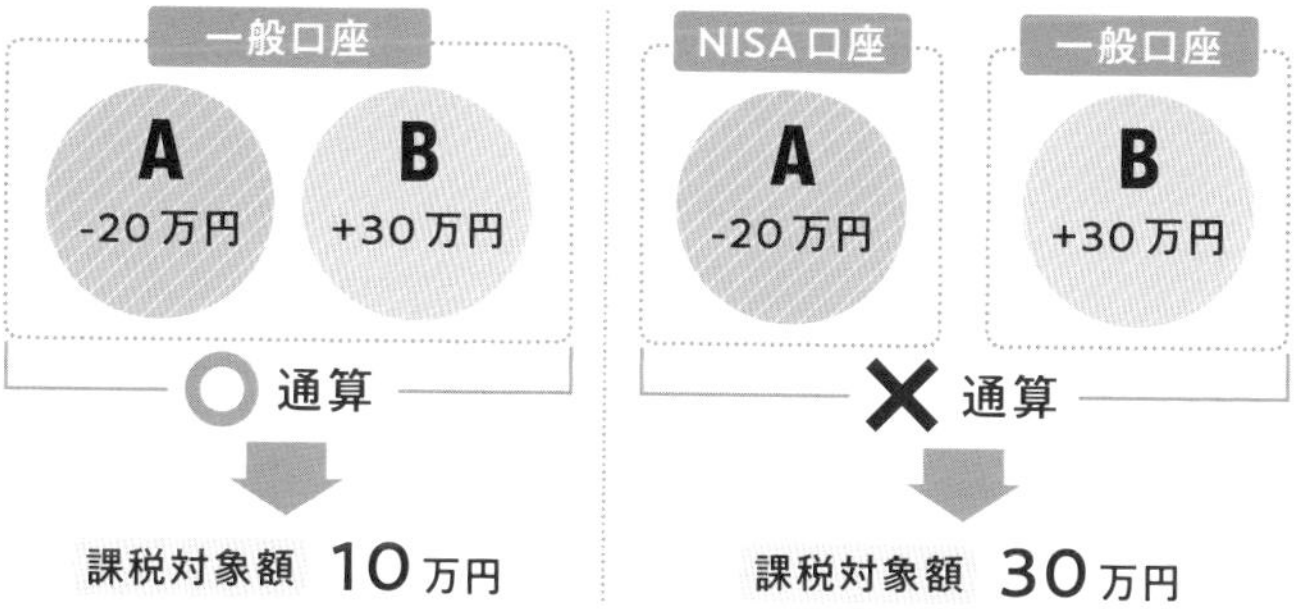

一般口座では商品Aで出た損失を、商品Bの利益と合算する「損益通算」ができます。しかし、NISA口座と一般口座の損益は合算できないため、一般口座だけの運用よりも課税額が高くなるケースもあります。

「損益通算」とは……各種所得のうち、一定の条件を満たすものについては利益と損失を通算（合算）できる。損失分を所得から差し引けるため、課税対象額が少なくなる。

iDeCoのきほんをチェック

「じぶん年金」ともいわれるiDeCo。公的年金にプラスして老後資金を確保するのに適した制度です。まずはどんな特徴があるのか、基本を確認していきましょう。

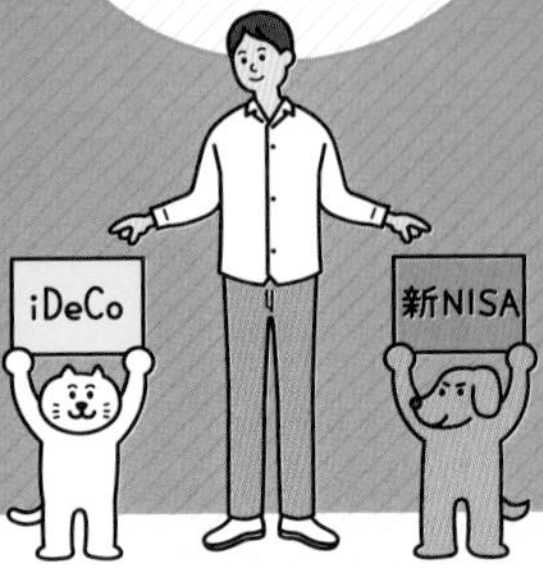

ここからはiDeCoの基本をチェックしていこう。

iDeCoは、老後資金を蓄えるのが目的なんですよね？

そのとおり。iDeCoは「個人型確定拠出年金」の愛称で、**自分で掛金を拠出（投資）し、投資信託などの金融商品を運用して老後の資産を形成する年金制度なんだ。**公的年金だけでは足りない部分を補う「じぶん年金」ともいえるね。

公的年金だけじゃやっぱり足りないんですか？

それは人にもよるかな。老齢基礎年金・厚生年金を合計した平均受給額は月額約15万円だよ。例えば、マイホームのローンが支払い終わっていて毎月の生活費が10万円で済むなら、年金は15万円で足りるよね。**大切なのは、自分がもらえる年金の範囲内で生活できるかどうか。**

なるほど。それなら老後の生活費はまかなえそうです。ただ、少し心もとない気もします……。

このまま定年まで企業に勤めて厚生年金保険に加入し続けるとも限らないし、じぶん年金があると安心感があるよね。**60歳までは原則引き出せないけど、だからこそしっかりと老後に備えて貯蓄できる。**投資信託を購入すれば、運用次第で投資した元本を上回る金額が年金として受け取れるよ。

「拠出」とは……特定の目的のために金銭を出し合うことを意味する言葉。年金や保険商品においては、加入者が運営者に対して掛金を支払うことを指す。

きほん 01 「iDeCo」は個人で加入する年金

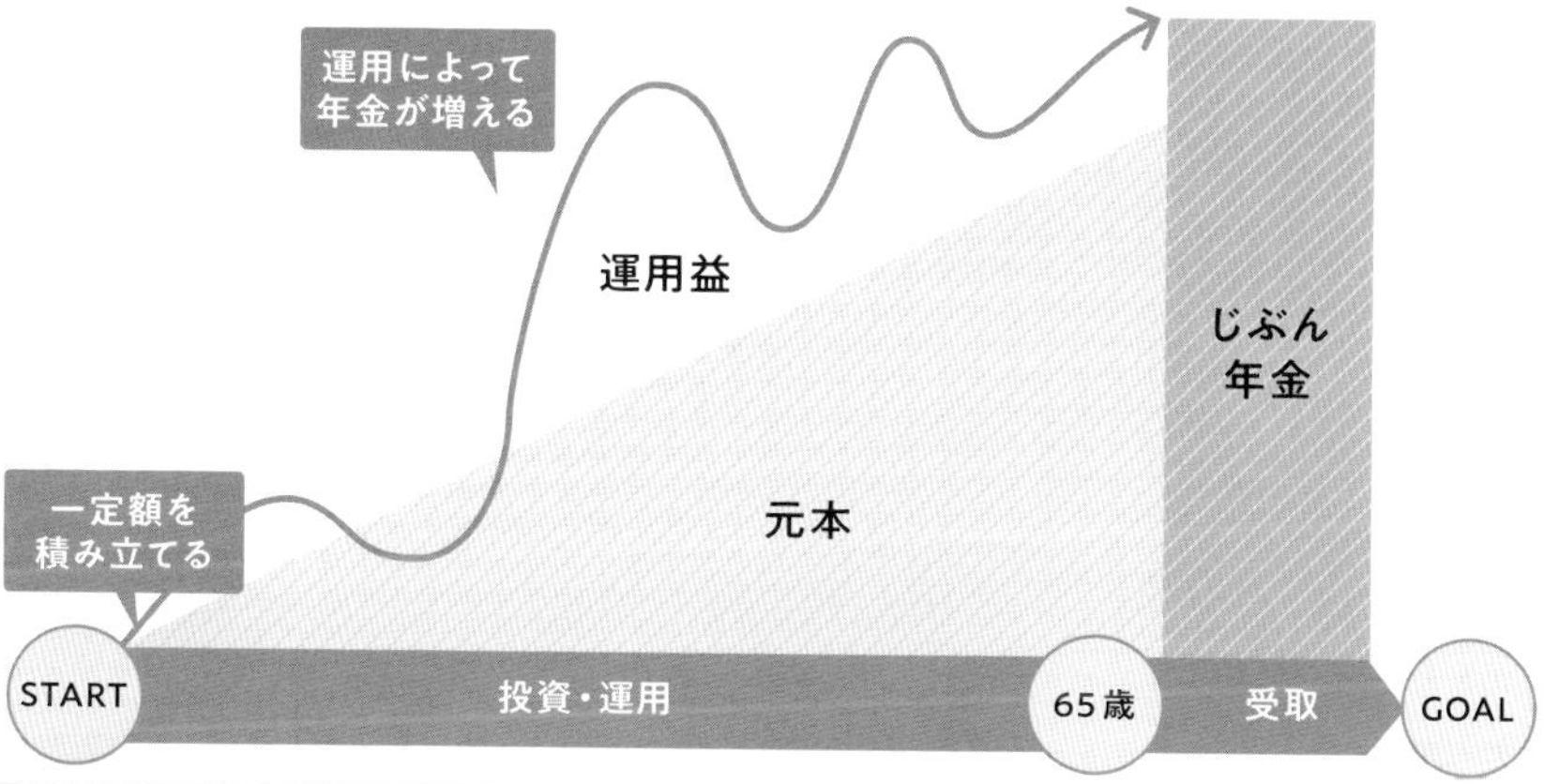

加入条件	第1・3号被保険者：20歳以上60歳未満（国民年金の任意加入被保険者は65歳未満まで）第2号被保険者：65歳未満	税優遇	掛金：所得控除 運用益：非課税 受取時：退職所得控除・公的年金等控除
投資額上限	年間14万4000円～81万6000円（加入区分によって異なる）	投資商品	投資信託、定期預金、保険商品
投資方法	毎月一定額を積立（事前申請でまとめ払いも可）	受取開始年齢	60～75歳
		手数料	加入時、運用時、受取時に発生

65歳まで投資、75歳まで運用できます。受取方法には年金形式と一時金形式があります。投資信託には元本保証がなく、運用成績次第で受取金額が変わるのが特徴です。

きほん 02 公的年金はどのくらいもらえる？

公的年金平均受給額（月額）

国民年金	厚生年金
約6万円	約15万円

※参照：令和3年度厚生年金保険・国民年金事業の概況

国民年金の平均受給額は約6万円、厚生年金では約15万円（国民年金含む）です。生活費を試算して、公的年金では足りない金額を把握しておくと、投資額の目安にもなります。

「公的年金」とは……国が運営する年金全体を指す。20歳以上60歳未満のすべての国民が加入する「国民年金」と会社員が加入する「厚生年金」がある。

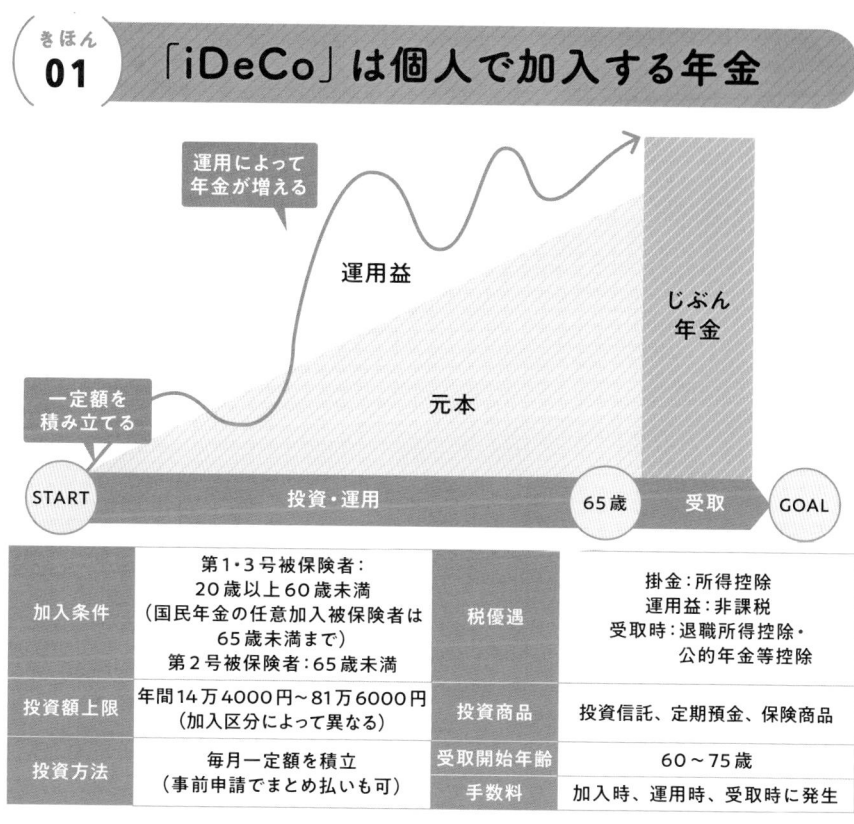

STEP 2-7
新NISA or iDeCoを選ぼう

iDeCoの3大メリット

iDeCoの基本がわかったところで、具体的にどんなメリットがあるか確認していきましょう。ここでは、3つの主なメリットについて詳しく解説します。

先生、iDeCoにはどんなメリットがあるんでしょうか？

とにかく節税効果が高いってことだね。NISAは投資で得た利益が非課税になる制度だけど、**iDeCoは「積み立てるとき」「持っているとき」「受け取るとき」に節税できるんだ。**

どうしてそんなに節税できるんですか？

iDeCoでは運用中の利益が非課税になるだけじゃなくて、**積み立てるときの掛金が所得から控除できる。**所得が少なくなれば、自ずと所得税や住民税も少なくなるよね。

なるほど。税金がかかる部分を減らせるんですね！

受け取ったお金も一定額まで非課税になるよ。iDeCoは65歳になるまで積み立てできるから、早くはじめるほど節税できる金額は大きくなるね。

ぼくは今33歳だから、31年間も節税できますね。

そう。あとは、**自営業やフリーランスの投資上限額が多いのもメリットの1つだよ。**

どうして職業ごとに投資上限額が違うんですか？

自営業やフリーランスは厚生年金未加入で、公的年金の受給額が少なくなる分を自分たちで補えるようにするためだね。

起業や独立するなら、とくに検討するようにしたいですね。

「退職所得控除」とは……勤続年数に応じて一定額が所得から差し引かれ、さらに控除後の金額の2分の1が課税対象額となる。iDeCoを一時金で受け取るときに適用できる。

メリット 01 とにかく税金がグッと安くなる!

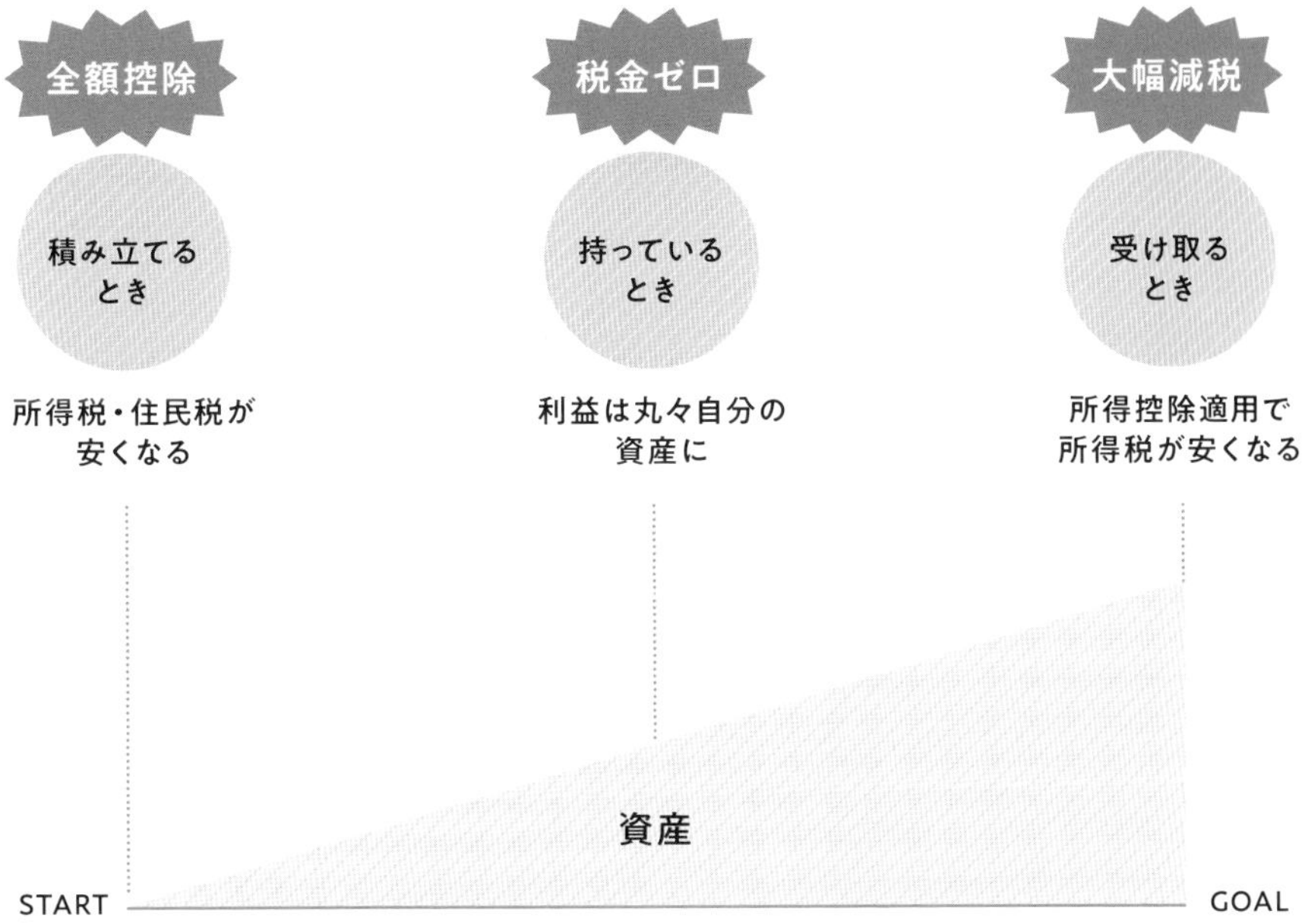

投資した金額は所得から全額控除でき、運用中に発生した利益は非課税です。また、受取時には退職所得控除や公的年金等控除が適用され、一定額まで非課税となります。

ココもPOINT

新NISAに掛金控除はない

控除なし　積み立てるとき

税金ゼロ　持っているとき

NISAでは利益に税金はかからないものの、投資した金額を所得から差し引くことはできないため、積立時の所得税軽減効果はない。

「公的年金等控除」とは……国民年金や厚生年金の受給額には税金がかかるものの、年齢や受給額に応じて一定額が控除される。iDeCoを年金形式でもらうときに適用できる。

メリット 02 自営業は年間約81万円まで投資可能！

投資上限額

自営業・フリーランス		年間 81万6000円（月6万8000円）
会社員	企業年金なし	年間 27万6000円（月2万3000円）
	企業型確定拠出年金あり	年間 24万円（月2万円）
	確定給付企業年金あり	年間 14万4000円（月1万2000円） ※2024年12月以降は年間24万円（月2万円）
公務員		年間 14万4000円（月1万2000円） ※2024年12月以降は年間24万円（月2万円）
専業主婦（夫）		年間 27万6000円（月2万3000円）

会社員でも企業年金の加入状況によって拠出上限額が異なります。企業型確定拠出年金や確定給付企業年金がある会社員、公務員は低めに設定されています。

ココもPOINT

自営業・フリーランスは「じぶん年金」がとくに重要

「じぶん年金」	iDeCo				
3階	国民年金基金	厚生年金基金	確定給付企業年金（DB）	企業型確定拠出年金（企業型DC）	
2階		厚生年金			
1階	国民年金				
	自営業・フリーランス	会社員・公務員			専業主婦（夫）

会社員や公務員の年金制度は、国民年金・厚生年金・私的年金の「3階建て」だが、自営業やフリーランスは厚生年金未加入の分、自分での準備がより重要。

（「フリーランス」とは……企業などに所属せず、個人で独立して事業を行う働き方や雇用形態を指す。雇用契約ではなく、仕事ごとに請け負いの契約を結ぶ。）

メリット 03 65歳までずっと続けられる!

積み立てるとき

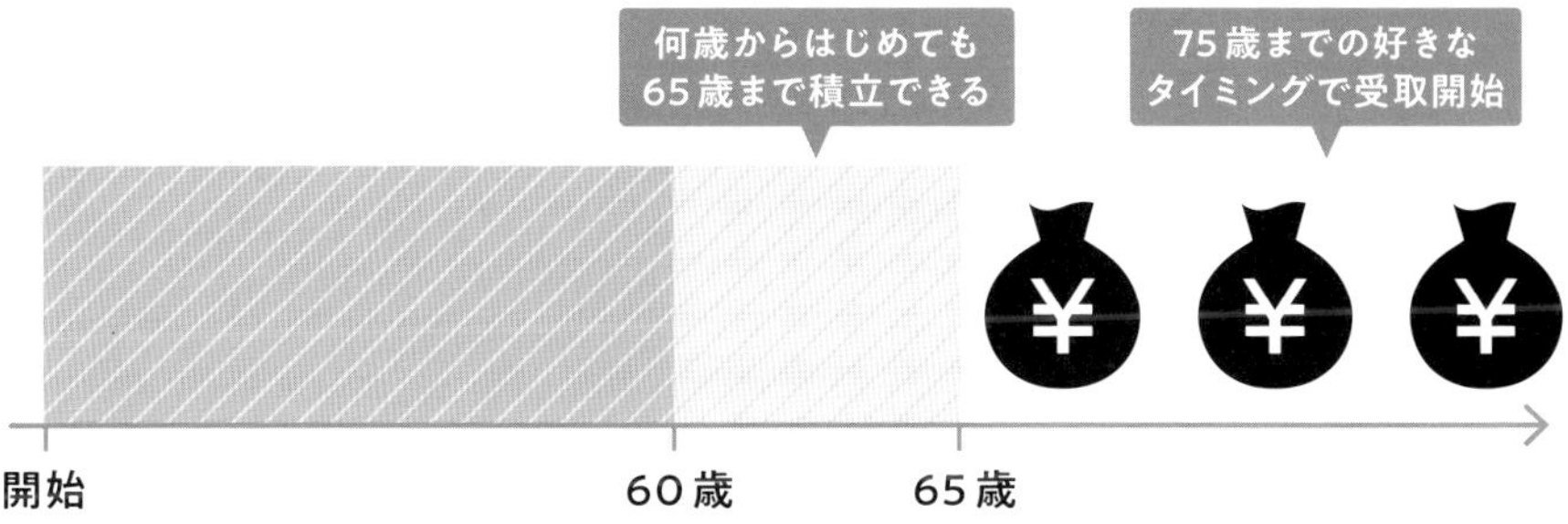
何歳からはじめても
65歳まで積立できる
75歳までの好きな
タイミングで受取開始
開始
60歳
65歳

50歳までに加入した場合、資産を引き出せるようになるのは60歳から。途中で引き出してしまう心配がないので、「老後資金」専用の口座として運用できます。

受け取るとき

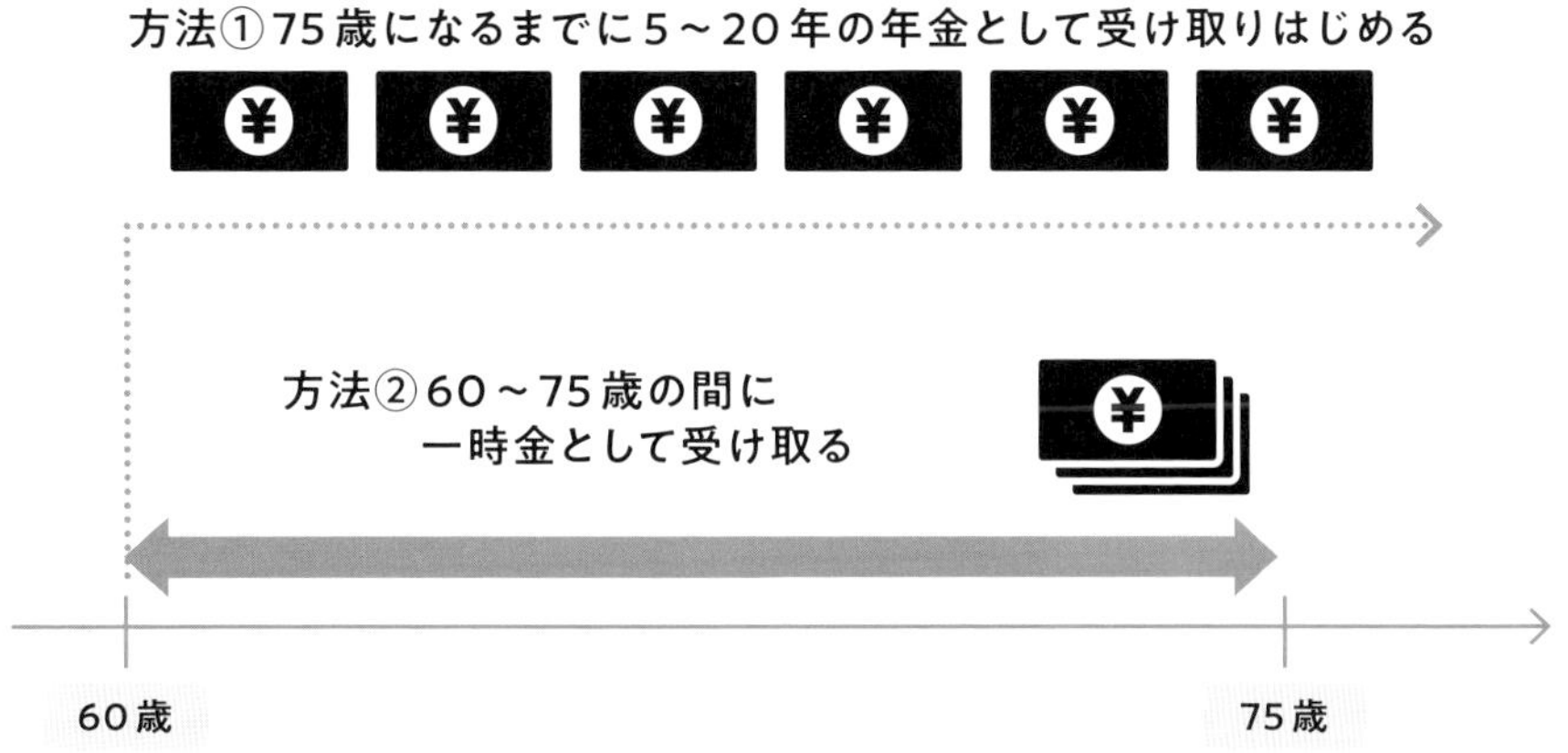
方法①75歳になるまでに5～20年の年金として受け取りはじめる
方法②60～75歳の間に
一時金として受け取る
60歳
75歳

積み立てたお金は60歳以降に受け取れます。受取方法は、75歳までに5年以上20年以下の任意の期間に年金方式で受け取る方法と、75歳までに一時金として受け取る方法があります。金融機関によっては年金と一時金を組み合わせて受け取ることも可能です。

「国民年金基金」とは……自営業やフリーランスなど第1号被保険者が加入できる公的年金の制度。国民年金に上乗せして保険料を納めることで、公的年金を上乗せできる。

iDeCoでいくら節税できる？

「積み立てるとき」「持っているとき」「受け取るとき」に節税の効果があるiDeCo。実際にどのくらいの金額が節税できるのか、「積み立てるとき」の例を紹介します。

節税効果が大きいのがiDeCoの特徴っていうのはわかったんですが、どれだけ税金が減るんでしょうか？

実際に節税できる金額を試算してみようか。例えば、企業年金がない企業に勤めている場合で考えてみよう。所得にかかる税金は収入によって変わるけど、年収から各種控除を引いた課税所得が500万円だとすると、所得には所得税20％、住民税10％で計30％の税金がかかる。**投資上限額の27万6000円を積み立てた場合、年間で8万2800円の節税になるね。**

それを20年間続けたら……、165万6000円！

早くはじめたほうがメリットが大きい理由、わかったでしょ？**課税所得が200万円だと年間の節税額は5万5200円だけど、20年間続けると約110万円にもなる。**積み立てるときだけでもこれだけの節税効果があるんだ。

年収が高い人ほど高い税率がかかるんですよね？ということは、年収が高い人ほど節税効果も高くなりますね。

そのとおり。所得税は超過累進課税だからね。投資した分だけ所得控除になるってことは、**投資限度額が多い自営業やフリーランスの人は、他の人より控除できる金額も多くなるよ。**

「超過累進課税」とは……所得の多さに応じて税率が高くなる仕組みのこと。貧富の格差を減らし、公共サービスなどを通して、財産の少ない人へ所得を再分配する機能がある。

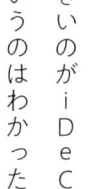

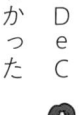

ケース01 会社員・課税所得500万円

	企業年金がある	企業年金がない
年間投資額	14万4000円	27万6000円
	×	×
	(所得税率20%+住民税率10%)	(所得税率20%+住民税率10%)
	＝	＝
節税効果	4万3200円	8万2800円

企業年金のある企業に勤めているかどうかで投資上限額は変わってきます。収入から基礎控除や配偶者控除を適用したあとの課税所得が500万円なら、税率は30%です。

ケース02 自営業・課税所得500万円

年間投資額 81万6000円

×

(所得税率20%+住民税率10%)

＝

節税効果 24万4800円

自営業・フリーランスの投資上限額は約81万円。上限まで投資するなら、年間で約24万円もの節税になります。10年続ければ約240万円と大きな節税効果が得られます。

ケース03 パート・課税所得200万円

年間投資額 27万6000円

×

(所得税率10%+住民税率10%)

＝

節税効果 5万5200円

課税所得が200万円程で限度額まで投資した場合、年間で5万円程度の節税が期待できます。ただし、控除する所得がない専業主婦(夫)などには節税効果がありません。

「所得税率」とは……所得税にかかる税率のこと。超過累進課税が採用されており、所得に応じて段階的に税率が増加する。住民税率は基本的に所得の10%となっている。

iDeCoの要注意ポイント

節税効果が大きく、老後資産の形成に最適なiDeCoですが、60歳まで出金できないなど事前に知っておくべきポイントについても確認しておきましょう。

iDeCoの利用で気をつけることも教えてください！

そうだね。まず、**iDeCoは加入時、運用時、受取時のいずれにも手数料がかかる**というのは覚えておこう。収納手数料や事務委託手数料は一律だけど、口座管理料（運営管理機関手数料）は金融機関ごとに違うから、事前に確認したほうがいいね。

毎月かかるなら、なるべく安い金融機関で運用したいです。

楽天証券なら口座管理料が0円だからはじめやすいと思うよ。ほかに注意しておきたいのは、預金や保険など、元本確保型商品の使い方だね。**元本確保型商品で期待される利回りは、投資信託よりも低い傾向**なんだ。とくに今は金利が低いから、物価が上昇していくと実質的に元本が目減りしてしまう可能性がある。さらに、保険商品を途中解約すると積立金から解約控除が差し引かれるから、元本割れを起こす可能性もあるんだ。

元本確保型も、ノーリスクってわけじゃないんですね。ほかに気をつけることはありますか？

60歳で受け取るには加入期間が10年以上必要な点にも注意。50代で加入した場合は、加入期間に応じて受取可能な年齢が変わってくるから、何歳で受け取れるようになるか確認しよう。

「収納手数料」とは……iDeCoを実施している国民年金基金連合会に支払う手数料。どこの金融機関を利用しても金額は変わらず、掛金を支払うごとに105円の費用がかかる。

要注意 01　加入時や運用時に手数料がかかる

iDeCoでかかる手数料

加入時	運用時			受取時
	収納手数料	事務委託手数料	口座管理料	
2829円	105円/月	66円/月	0～500円程度/月	440円

金融機関によって変わる

運用時には毎月収納手数料、事務委託手数料、口座管理料がかかります。加入時、受取時にも手数料がかかりますが、どこの金融機関で購入しても費用は一定です。

要注意 02　元本確保型商品にもリスクはある

リスク①インフレ

適用金利　0.02%　<　物価の上昇率　2.5%

実質的に資産が目減り

リスク②中途解約

保険　元本割れの可能性

定期預金　受取額減

元本確保型商品は期待されるリターンが投資信託よりも低い傾向があり、物価上昇時は資産価値が実質的に目減りする可能性があります。また、中途解約した場合に、当初の想定よりも受取額が少なくなったり、元本割れしたりすることもあります。

要注意 03　開始が50代だと60歳で受け取れない

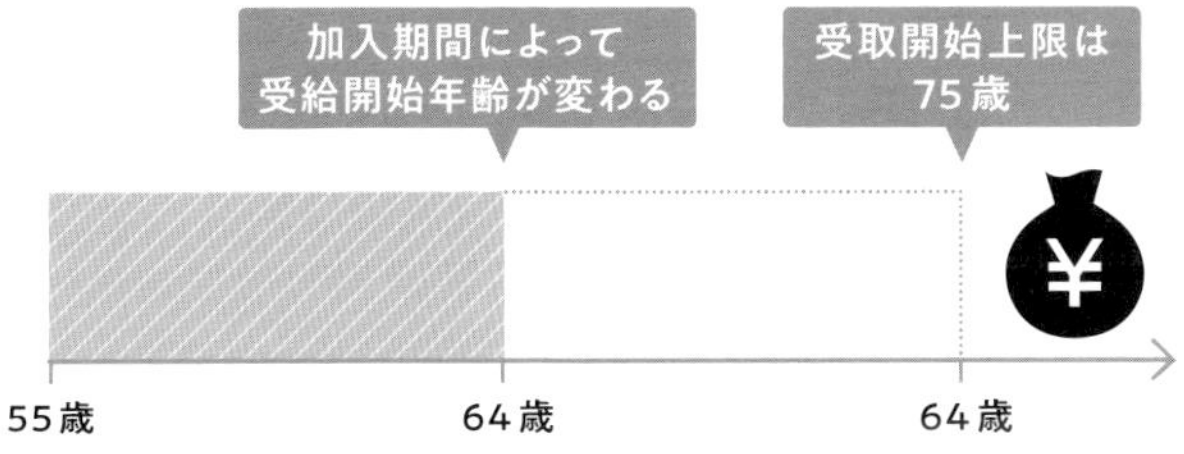

60歳で年金を受け取るには、iDeCoの加入期間が10年以上必要です。50代ではじめた場合は、加入期間に応じて受取時期も変わります。詳しくはP118で解説します。

「口座管理料」とは……掛金の運用・管理を行う金融機関に支払う手数料のこと。金融機関によって0円から500円程度と金額が異なる。毎月かかるためよく確認しておきたい。

＼ 気になるトコロを1分で解決 ／

サクッとわかるQ&A

～制度選び編～

Q 新NISA、iDeCoは途中解約できる?

A 新NISAは解約可、iDeCoは原則不可

新NISA

解約可

「非課税口座廃止届出書」を取り寄せる

↓

本人確認書類等と一緒に返送

iDeCo

解約不可

例外　死亡・高度障害になった人や国民年金納付免除者は一時金・給付金を受け取れる

掛金が支払えないときは

減額 or 支払い停止

減額：ただし、最低でも月5000円

支払い停止：投資をやめて運用だけ行う。事務委託手数料や口座管理料がかかる

新NISAは届出書を提出すれば解約できる。一方、iDeCoは原則解約できない。例外として、加入者が死亡または高度障害になった場合や、国民年金保険料の納付が免除(猶予)されているなど一定の条件に該当する場合には、一時金・給付金を受け取れる。

Q すでに保有している投資信託はNISA口座に移せる?

A 一般口座・特定口座からの移管はできない

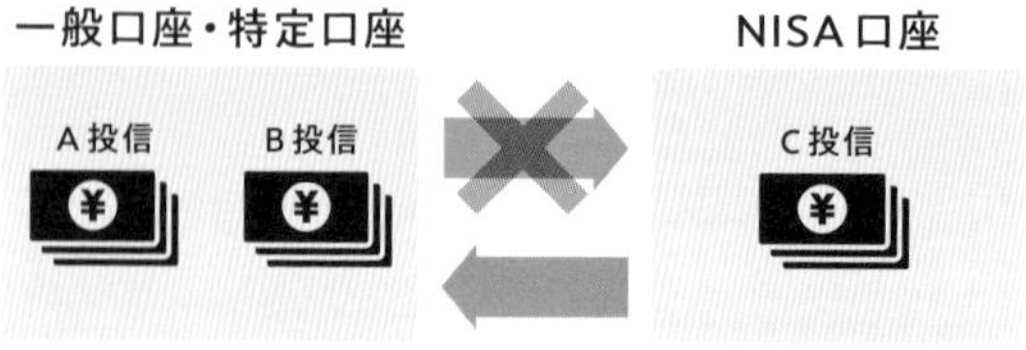

一般口座や特定口座ですでに保有している商品をNISA口座に移すことはできない。また、他の口座の利益から、NISA口座で出た損失を差し引くこと(損益通算)もできない点に注意。

Q 新NISAの成長投資枠で買える商品は？

A 投資信託やETF、個別株を購入できる

つみたて投資枠	成長投資枠	
金融庁の要件を満たす投資信託・ETF	金融庁の要件を満たす投資信託・ETF	個別株
	その他の投資信託 / その他のETF	ETFやその他の投資信託、個別株も購入できる

ココもPOINT

一部の投資信託は成長投資枠でも買えない

新NISAは長期の安定運用が前提の制度なので、右のような株式や投資信託は成長投資枠でも除外されている。

- 整理銘柄や監理銘柄
- 信託期間20年未満の投資信託など
- 毎月分配型の投資信託など
- デリバティブ取引を用いた一定の投資信託など

余裕ができたら
検討してもいい

新NISAの成長投資枠では、投資信託やETFだけではなく個別株などさまざまな商品に投資できる。ETFのスポット購入（P126）にも非課税で挑戦可能だ。もちろん、つみたて投資枠の投資可能商品も買えるため、無理にETFや個別株投資しなくても問題ない。

Q 専業主婦（夫）でもiDeCoを利用するメリットはある？

A 持っているときと受け取るときにメリットがある

専業主婦（夫）でも変わらないメリット

- メリット 01 65歳まで投資可能で受取まで運用益は非課税
- メリット 02 受け取った金額も一定額まで非課税になる
- メリット 03 職場復帰した際に所得控除が受けられる

節税メリットは
十分ある

投資時の所得控除メリットは受けられないが、運用中の利益は非課税なうえ、年金には所得控除が適用されて一定額まで税金がかからない。

STEP 2 まとめ

(1) 新NISAはさまざまな出費に、
iDeCoは老後資金に備える制度 （P32）

(2) 柔軟に運用するなら新NISA、
節税効果重視ならiDeCoを使う （P34）

(3) 新NISAはつみたて投資枠と
成長投資枠の２つを併用できる （P38）

(4) 新NISAは非課税保有期間の
制限なく運用できる （P40）

(5) iDeCoは60歳から受け取れる
「じぶん年金」のようなもの （P46）

(6) iDeCoは加入時や運用時に
手数料がかかる （P54）

2つの特徴を比べて
自分に合った
選択をしよう！

STEP 3

口座を開設しよう

～ネットでサクッと15分で完結～

新NISA編

STEP 3-1

口座を開設しよう

口座開設までの流れを知ろう

新NISAをはじめるには、証券会社の口座開設や税務署の審査書類の記入などが必要になります。ここでは大まかな流れを3ステップで解説します。

さて、新NISAの基礎知識の次は、申込み手続きの方法について話そうか。

何からはじめればいいですか？

新NISAをはじめるにはサービスを提供している**銀行や証券会社など金融機関の口座開設が必要なんだ。**申込み手続きはWebサイトからできるよ。

手続きはどのような流れになるんですか？

まずは本人確認書類のアップロードが必要になるよ。**運転免許証かマイナンバーカードがあるなら、その場ですぐにスマホで撮影し、アップロードできる。**その後、スマホのインカメラで顔写真を撮影すれば本人確認完了だ。

スマホだけで申し込めるなんて手軽ですね！

次は、納税方法を選ぼう。オススメは「特定口座（源泉徴収なし）」だよ。ここまで来たら審査を待つだけ。

審査ってことは……けっこう時間がかかりますよね？

最短で翌営業日にはログインIDが発行されて、すぐに取引できるんだ。ただし、マイナンバーカードか運転免許証以外の本人確認書類がある場合や、スマホではなくパソコンからアップロードした場合にはIDが郵送されるから、だいたい5営業日くらいはかかるかな。

「証券会社」とは……株式や投資信託、債券などの有価証券の売買を仲介する会社のこと。現在はインターネット上で取引ができるネット証券が人気を博している。

知ること 01

3ステップで口座が開ける

ステップ1　金融機関で口座開設を申込み　（P62）

※金融機関によって画面は異なります

NISAを提供している金融機関で口座開設するため、Webサイトから申込みをしましょう。

すぐ!

ステップ2　スマホで本人確認　（P64）

運転免許証かマイナンバーカードがあれば、スマホで撮影してアップロードできます。

約5~10分

ステップ3　利用する口座を選択　（P66）

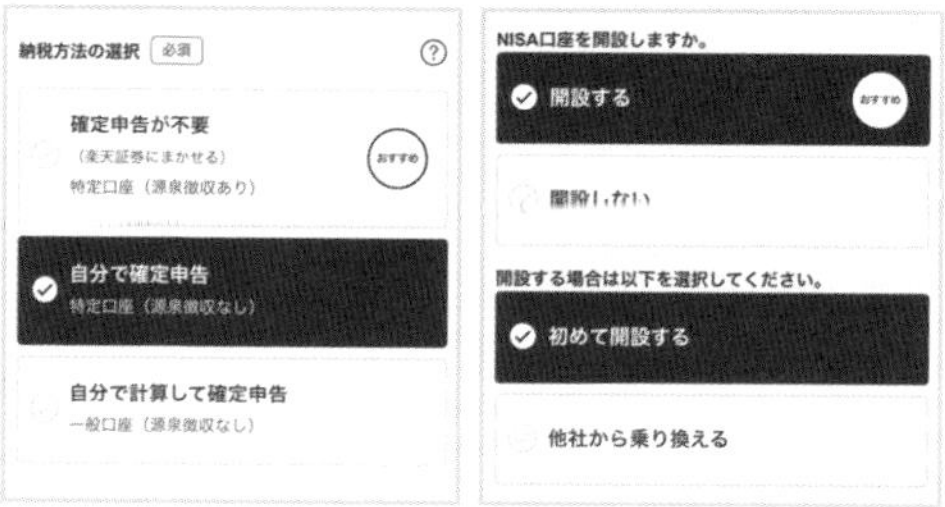

加入者情報を入力します。納税方法の選択画面で、課税口座の種類を選びます。迷ったら「特定口座（源泉徴収なし）」がオススメです。

約5~10分

口座開設

審査が完了すると、ログインIDが送付されます。メールの場合は最短翌営業日、郵送の場合は約5営業日で届きます。

「審査」とは……非課税口座はすべての金融機関を含めて1人1口座までしか開設することができないので、主に口座の二重開設を防ぐため税務署で行われる審査。

STEP 3-2
口座を開設しよう

楽天証券の口座を開こう

利用する金融機関は、商品の購入代金にポイントがつく楽天証券がオススメです。まずは口座開設の申込み方法を見ていきましょう。

大まかな口座開設の流れはわかりました。金融機関はどこを選べばいいんですか？

まずは取り扱い商品が圧倒的に多い、**ネット証券から検討すれば間違いはないよ。**

そうなんですか！普段使っている銀行のほうが馴染みがあるんですが……。

主要なネット証券なら申込み手続きもインターネットに特化しているから、簡単に済ませられて便利だよ。

なるほど。ネット証券は何社もありますが、オススメの証券会社はありますか？

どのネット証券も、NISAで利用できる独自のサービスを提供していて魅力的なんだけど、**初心者の藤田さんには楽天証券がイチオシだね。**

楽天って……ネット通販で有名な、あの楽天ですか？

そうだよ。グループ内には証券会社もあり、ショッピングで使える楽天ポイントのシステムが積立投資にも導入されているんだ。

具体的にはどんなものですか？

投資信託の購入をポイントで決済できるうえ、積立額に応じてポイントがもらえるんだ。還元率分の投資利益を得ているようなものだから、運用成果を考えるうえでも、このサービスはすごくお得なんだよ。

「楽天証券」とは……「楽天市場」などさまざまなインターネットサービスを展開する楽天グループが運営しているネット証券。楽天ポイントを投資で使えるのが大きな特徴の1つ。

やること 01 証券会社は楽天証券を選ぶ

証券会社	特徴
楽天証券	楽天ポイントを貯めたり、積立代金として使用したりできる
SBI証券	積立管理ができるスマホアプリでこまめにチェック可能
マネックス証券	節税効果が算出されるシミュレーションが利用できる
auカブコム証券	au PAYカードの決済で積立額の1％がPontaポイントとして還元

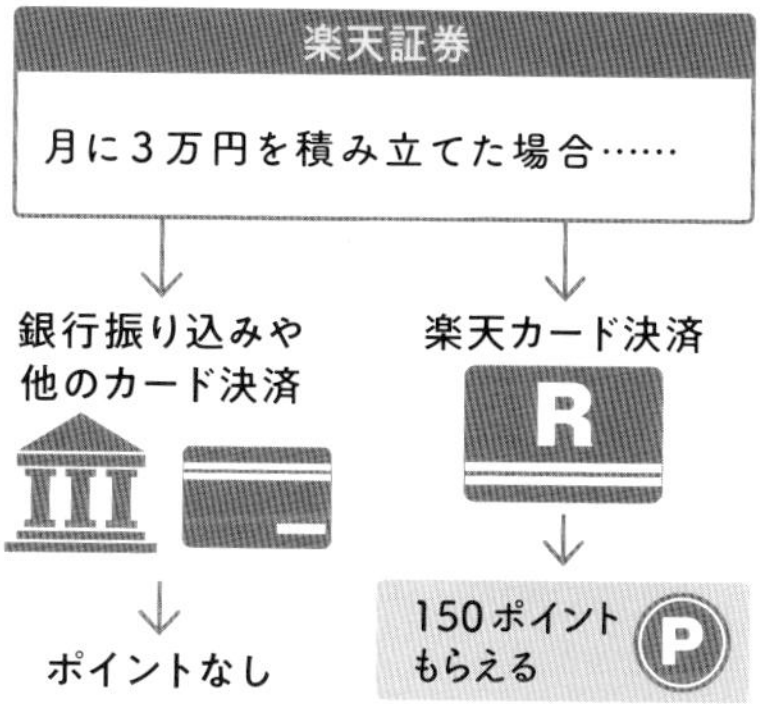

証券会社によって、新NISAの利用に関する独自サービスが存在します。なかでも楽天証券は楽天カード決済で0.5％のポイントが貯まり、支払いにも利用できてオススメです。

やること 02 ネットで総合口座開設の申込みを行う

❶ 楽天証券のトップ画面から「NISA口座申込」をクリック

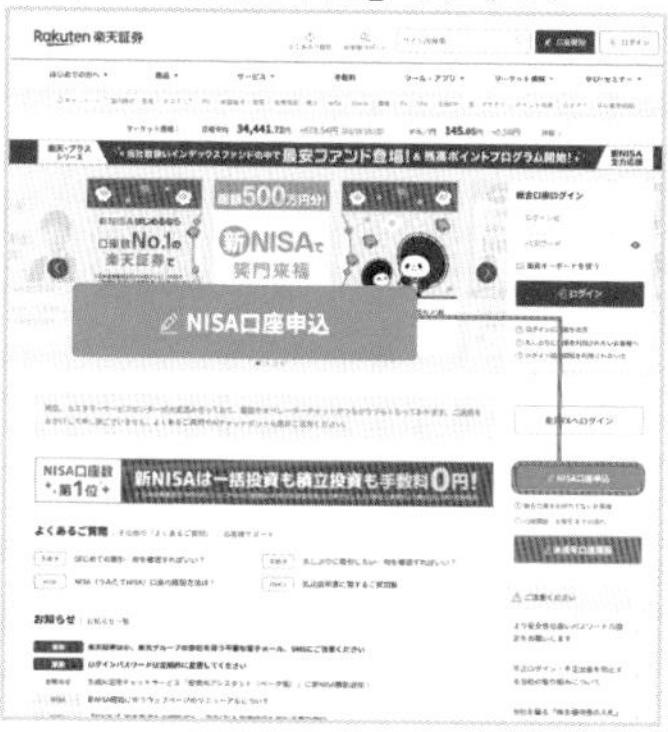

トップ画面右側の「口座開設」ボタンから申込み画面へ。

❷ メールアドレスを登録

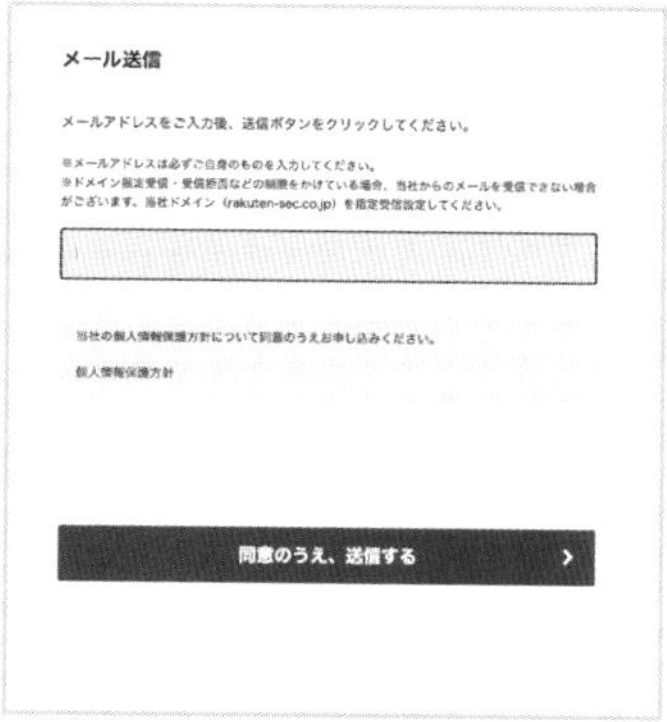

メールアドレスを記入し、届いたメールのURLから登録を続ける。

NISAを利用するには、証券会社の「証券総合口座」を開設する必要があります。トップ画面から手順に従って、申込みをしましょう。

「証券総合口座」とは……株式や投資信託、債券の購入や配当金の受取を行うために証券会社で開設する口座のこと。そのなかの１つにNISA口座がある。

STEP 3-3
口座を開設しよう

本人確認書類をアップロードしよう

届いたメールに記載されたURLから手続きを進めましょう。運転免許証かマイナンバーカードがあれば、本人確認はスマホのカメラで撮影するだけで完了します。

手続き用のURLがメールで送られてきました!

そしたら、本人確認だね。**運転免許証かマイナンバーカードがあれば、スマホですぐに撮影して手続きを進められるよ。**

どちらの本人確認書類も持っていない場合はどうすればいいですか?

健康保険証や住民票の写し、パスポートなどでも大丈夫。その場合は、あらかじめ書類を撮影するなどして画像として保存しておき、「上記以外の本人確認書類での提出はこちら」からアップロードするよ。

なるほど、いずれにしてもWeb上だけで完結できるんですね。

スマホだけじゃなくパソコンからでも手続きできるよ。すべての手続きをパソコンで行う場合は、運転免許証かマイナンバーカードも画像として保存してからアップしよう。

免許証があるので、これで進めます。**表面と裏面だけじゃなく厚みも撮影する**んですね。

しっかりと撮影できるようにガイドの表示もあるから、それに合わせて撮ろう。

次は、顔写真ですね。インカメラで撮ればいいのか。なんか照れますね。

でも簡単でしょ? これで本人確認は完了。そのまま「お客様情報の入力」に進むよ。

(「マイナンバー」とは……住民票を持つ国民のそれぞれに付与された個人番号。2016年から証券会社の口座開設に際してマイナンバーの申告が必要になった。)

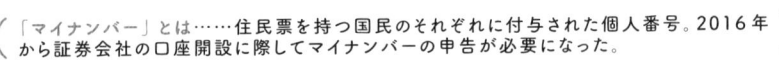

やること 01 本人確認書類を選択する

運転免許証かマイナンバーカードならすぐ撮影

運転免許証
個人番号カード
※通知カードは不可

パソコンから手続きした場合でも
表示される二次元コードを読めばスマホで撮影できる

その他の本人確認書類は画像でアップ

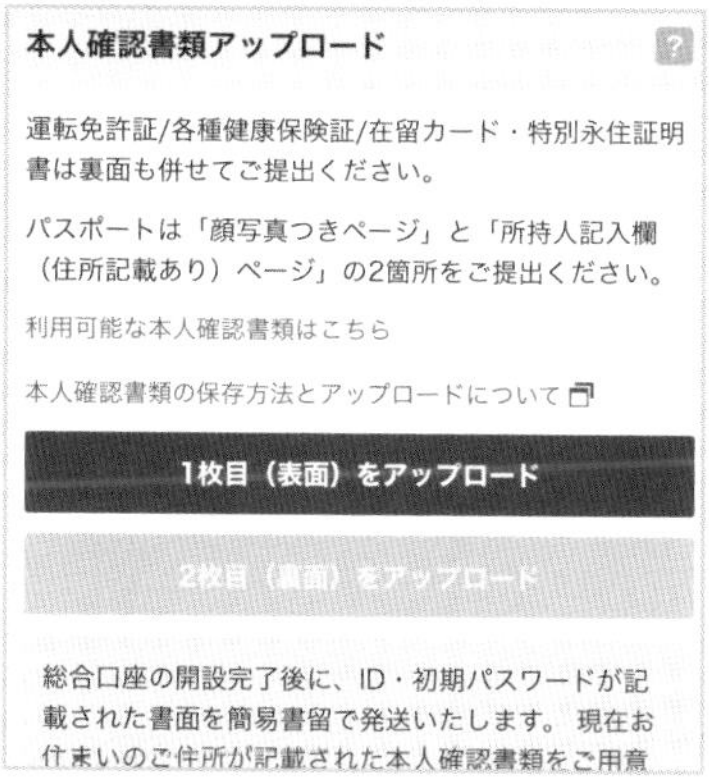
本人確認書類アップロード
運転免許証/各種健康保険証/在留カード・特別永住証明書は裏面も併せてご提出ください。
パスポートは「顔写真つきページ」と「所持人記入欄（住所記載あり）ページ」の2箇所をご提出ください。
利用可能な本人確認書類はこちら
本人確認書類の保存方法とアップロードについて
1枚目（表面）をアップロード
2枚目（裏面）をアップロード
総合口座の開設完了後に、ID・初期パスワードが記載された書面を簡易書留で発送いたします。現在お

運転免許証かマイナンバーカードがあれば、その場ですぐに撮影してアップロードできます。それ以外の本人確認書類（健康保険証や住民票の写しなど）は画像にしてからアップします。

やること 02 本人確認書類と顔写真を撮影

本人確認書類と顔写真の撮影

本人確認
Rakuten 楽天証券
顔写真と本人確認書類の撮影だけで
ご本人確認を行っていただけます。
STEP 1
本人確認書類の撮影
表面・厚み・裏面の3種類撮影します
STEP 2
顔写真の撮影
※取得した画像情報は
本人確認以外で使用しません

表面・厚み・裏面を撮影

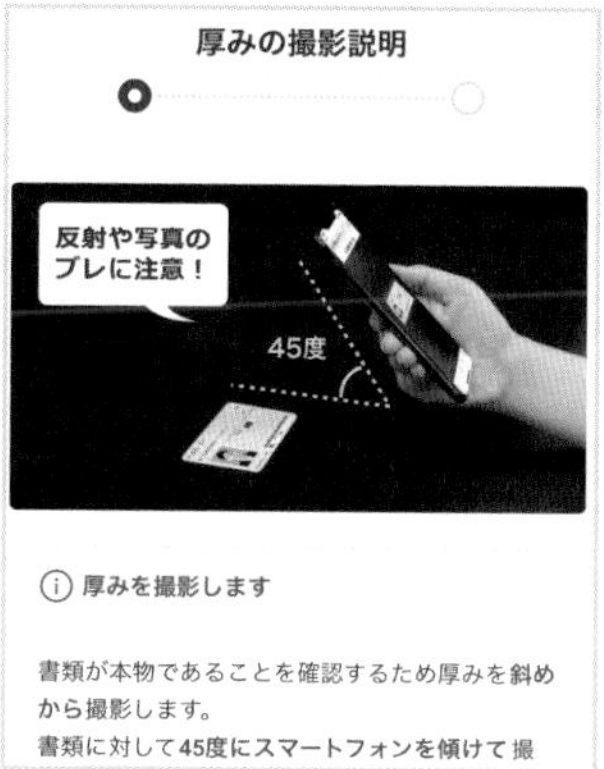
厚みの撮影説明
反射や写真のブレに注意！
45度
厚みを撮影します
書類が本物であることを確認するため厚みを斜めから撮影します。
書類に対して45度にスマートフォンを傾けて撮

スマホだけで完結

運転免許証かマイナンバーカードの場合は、スマホで表面・厚み・裏面の3種類の写真を撮ればOKです。その後、インカメラで顔写真を撮影すれば、本人確認完了となります。

「本人確認書類」とは……口座開設にあたって名前や住所を確認するための書類。楽天証券では上記書類のほか、パスポート、在留カード、住民基本台帳カードも使用可能。

NISA口座を選択しよう

証券会社の口座にはいろいろな種類があります。申込み手続きで口座を選択する際、初心者のうちは「特定口座（源泉徴収なし）」を選ぶようにしましょう。

「納税方法の選択」は、どれにすればいいんですか？

そもそもNISA口座の開設には「特定口座」か「一般口座」のどちらかを同時に開設する必要があるんだ。その種類を選ぶ項目だね。確定申告の必要があるかどうかの違いがあるよ。

確定申告って面倒くさそう……。やっぱり「確定申告が不要」がいいですよね？

特定口座が2つあるけれど、「源泉徴収あり」は納税が必要かどうかにかかわらず、利益が出たら常に源泉徴収されるもの。だから確定申告がいらないんだ。でもNISAだけなら税はかからないし、課税される投資でも**初心者のうちは、確定申告が必要になる年間20万円超えの利益は出ないだろうから、常に徴収される税金がもったいない。**だから**最初は「特定口座（源泉徴収なし）」がオススメ**だよ。

「自分で確定申告」にしても、年間20万円以上の利益が出なければ確定申告はいらないのか！

あとは忘れずにNISA口座を「開設する」を選択。そしたら他のサービスの加入案内になるけど、これは登録しなくても大丈夫。iDeCoも同時にはじめるなら、ここでチェックできるよ。最短で翌営業日にログインIDが送られてくるから、これでNISAがはじめられるね。

（「確定申告」とは……年間の所得に対する税金を精算する手続き。年間20万円以上の利益が出なければ確定申告は不要。ただし、基本的に住民税の申告は必要。）

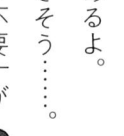

やること 01 申込み画面で納税方法を選択

申込みの流れ

❶氏名など基本情報入力

❷納税方法（課税口座）の選択

❸NISA（非課税）口座の選択

❹その他商品の選択（FX、海外先物取引など）

後から申込みできるので気にしなくてOK

迷ったら「特定口座（源泉徴収なし）」で

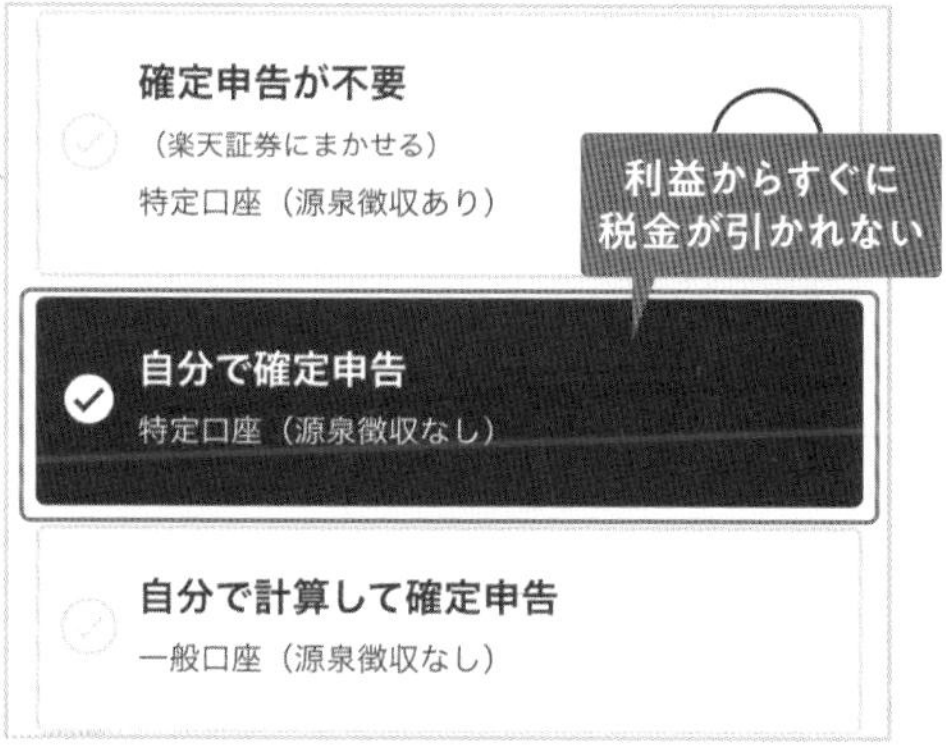

納税方法の選択で迷ったら「自分で確定申告」で問題ありません。「NISA口座を開設しますか」の項目では必ず「開設する」を選択しましょう。

やること 02 他の口座との違いを知る

主な口座の種類	課税口座		非課税口座
	一般口座	特定口座	NISA口座
特徴	・投資家自身が年間の損益計算を行って確定申告する口座。 ・納税する手間がかかるので、利用者は限られている。	・金融機関が1年間の損益計算をする口座。 ・源泉徴収ありと源泉徴収なしの2種類がある。 ・源泉徴収ありなら金融機関が代行で納付するので確定申告が不要。	・投資で得た利益に税金がかからない口座。 ・つみたて投資枠は年間120万円、成長投資枠は年間240万円まで投資できる。 ・生涯の非課税枠は1800万円まで（なお成長投資枠は1200万円まで）。

証券総合口座は納税方法や取り扱う有価証券の種類によって大きく3種類の口座に分類されます。NISA口座開設の際には、一般口座・特定口座のいずれかを同時に開設します。

「有価証券」とは……債券や株式、投資信託といった財産権を表すもの。権利を行使できるほか、譲渡もできるので証券市場において投資対象となっているものがある。

STEP 3-5 口座を開設しよう

iDeCo編

口座開設までの流れを知ろう

会社員などはiDeCoの申込みで加入者の基本情報を入力したあと、職場で書類を書いてもらって提出する必要があります。大まかな流れを2ステップで解説します。

さて、次はiDeCoの申込みの流れについて押さえていこう。

まずは何からはじめればいいんですか？

最初に**iDeCoの運営管理機関となる金融機関に申込みを行う。**そして案内に従って、国民年金の加入区分を申告するために職業区分を選んだり、氏名・住所などの基本情報を入力したりするんだ。

そのあたりは、自分ですぐにできそうですね。

ところが君みたいな会社勤めのサラリーマンや公務員に関しては、**関係法令に基づいて勤務先に加入資格の有無を確認してもらう決まりがあるんだ。**

えっ、それじゃあぼくの場合は、会社に対して何か提出する書類があるということですか？

そういうこと。ネットで必要事項を記入したら、申込書類が送られてくるよ。そのなかの「事業主の証明書」は勤務先に書いてもらうんだ。

勤務先に書いてもらったあとはどうするんですか？

記入した書類は同封されてきた返送用封筒に入れてポストに投函しよう。そのあとはiDeCoの運営主体となる国民年金基金連合会による加入者資格の審査があるから、だいたい1カ月〜2カ月程度で口座開設が完了することになるよ。

「国民年金の加入区分」とは……就労状況などによって第1号被保険者、第2号被保険者、第3号被保険者に区分されるもの。iDeCoに関しては、掛金の投資上限額が異なる。

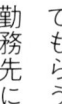

知ること 01
2ステップで口座が開ける

ステップ1 金融機関で申込みをする　（P70）

すぐ！

※金融機関によって画面は異なります

金融機関のWebサイトから、iDeCoの新規加入申込みをしましょう。

ステップ2 必要書類を記入・提出　（P72）

約1～2カ月

会社員や公務員（第2号被保険者）の場合は、必要情報を入力したあと、申込書が届きます。同封されている4つの必要書類を、返信用封筒に入れて返送しましょう。事業主に記入してもらう「事業主の証明書」も必要です。自営業者や学生など（第1号、第3号被保険者）の場合は、郵送手続きは不要です。ネット上で書類をアップロードできます。

※「事業主の証明書」は2024年12月に廃止になる見込みです。

口座開設

国民年金基金連合会の審査などを経て、iDeCoが利用できるようになります。申込み期間は1～2カ月程度をみておきましょう。

（「国民年金基金連合会」とは……iDeCoの運営主体で、加入資格の確認や投資限度額の管理を行っている。掛金の支払いは国民年金基金連合会へ行われる。）

STEP
3-6
口座を
開設しよう

楽天証券の口座を開こう

iDeCoは年金制度であることから、申込み時には職業区分（国民年金の加入区分）や基礎年金番号を申告する必要があります。手順を見ていきましょう。

大まかな申込みの流れについてわかったところで、まず金融機関で申込みをしよう。

いろいろな金融機関が受付をしているみたいですけど……どこがいいんでしょうか？

口座管理手数料といった利用コストは、だいたいどこも安く抑えているから甲乙つけがたいね。でも、利便性で考えるならiDeCoも楽天証券かな。

利便性って、具体的にはどんなところですか？

商品ラインナップが豊富だったり、Webサイト内で商品の比較ツールが利用できたりするから便利なんだ。NISAと同じIDで資産管理できるところも魅力だね。

そうなんですね！　楽天証券の申込みは、どこからはじめればいいんでしょうか？

専用のWebサイトがあるから、そこから手順に従って手続きすれば大丈夫だよ。**まず、職業区分を選択しよう。**これは職業によって国民年金の加入区分が違い、掛金の上限も異なるからだよ。

ぼくの場合は「会社員など」に当てはまりますね。

その後は氏名・性別・生年月日など基本情報を記入していく。基礎年金番号も入力する必要があるから、年金手帳などを参考に正しく入力しよう。

「基礎年金番号」とは……国民年金、厚生年金といった公的年金におけるすべての制度において、共通して使用する加入者管理のための番号。

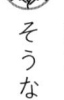

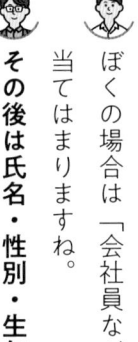

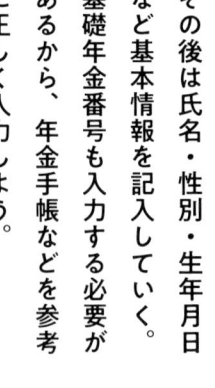

やること 01 申込み画面で職業を選択する

この4種類から選ぶ

❶自営業・無職・学生など

❷会社員など

❸公務員・教職員など

❹専業主婦（夫）

楽天証券のWebサイトからiDeCoの新規加入申込みを行いましょう。申込み画面では職業区分（年金の加入区分）を聞かれるため、自分に当てはまるものを選択します。

やること 02 加入者情報を入力

入力すること

❶氏名・性別・生年月日

❷住所・連絡先　❸基礎年金番号

ココもPOINT

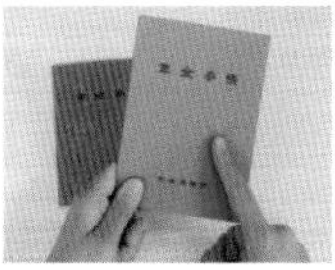

年金番号の確認方法

・ねんきんネット
・基礎年金番号通知書
・青色の年金手帳
・納付書、領収書　など

基礎年金番号は上記のものでチェックできるので、手元にあるか確認しよう。

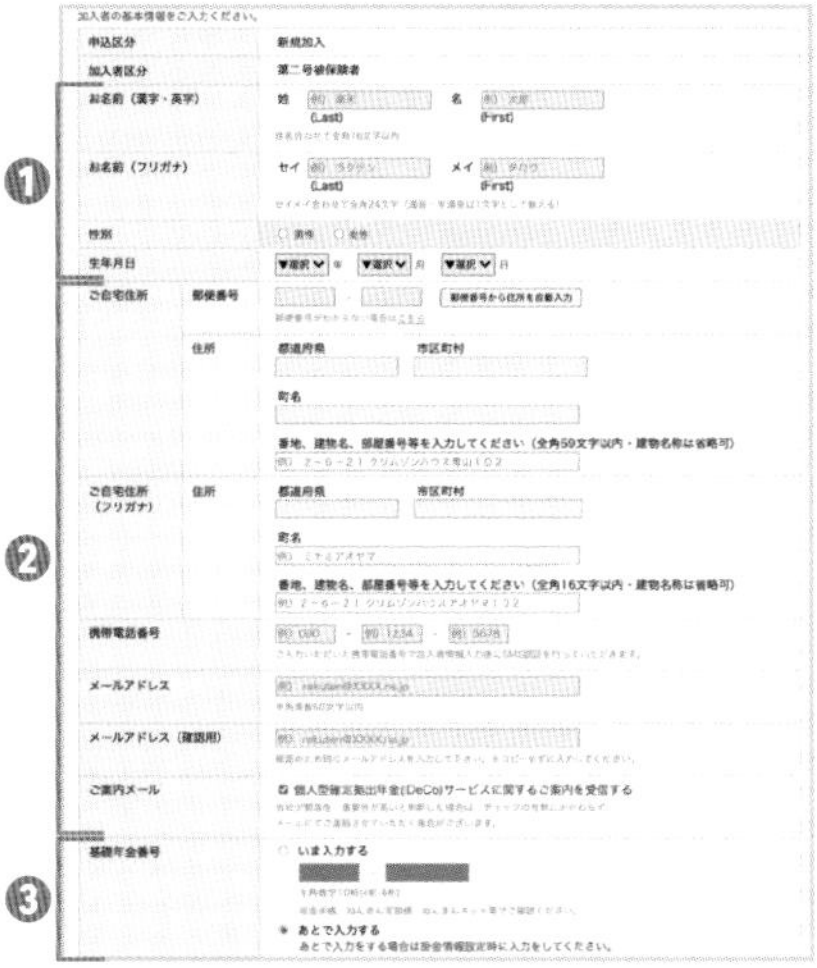

職業区分を選んだら住所・氏名など個人情報を入力します。

「年金手帳」とは……公的年金の加入者に交付される手帳。被保険者資格の取得時期や制度によって手帳の色が違う。2022年4月以降は、基礎年金番号通知書に変更された。

事業主の証明書などを返送しよう

会社員・公務員が行うiDeCoの申込み手続きでは、勤務先に書いてもらう「事業主の証明書」が必要です。具体的にどんな項目を会社に書いてもらうか見てみましょう。

※「事業主の証明書」は2024年12月に廃止になる見込みです。

加入者情報が入力できたら、その後、必要書類が届くよ。中には、**事業主に記入してもらう「事業主の証明書」もあるから、勤務先に提出しよう。**

ちなみにどの部署へ提出すればいいんですか？

基本的に総務や人事系の部署に提出すればいいはずだよ。社員が少なくて部署が細かく分かれていない小さな会社だったら、直接代表者に提出することになるだろうね。

「事業主の証明書」には大きなフローチャートもありますけど、ここも会社に書いてもらうんですよね？

そうだよ。申込者に関して、個人型年金の加入資格や他の企業年金制度の加入状況を確認するためのものなんだ。

ほかにもいくつか、記入する書類がありますね。

「個人型年金加入申出書」では、事業主の証明書を参照して、事業所名称、企業年金等の加入状況、登録事業所番号の3つを転記しよう。

全部記入できたら、書類はどうするんですか？

返信用封筒が入っていると思うから、それに入れてポストに投函しよう。**1カ月～2カ月程度の審査が完了したら、パスワードなどが記載されている書類が届く**から、必ず確認しよう。

（「厚生年金」とは……国民年金に上乗せして給付される公的年金。国民年金と違い国民全員が加入するものではなく、基本的に企業の会社員や公務員しか加入できない。）

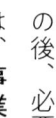

やること 01 事業主と協力して証明書を記入

申込者が記入

❶～❸

掛金の納付方法や金額は任意なので自分で記入

事業主が記入

❹～❿

勤務先の情報をすべて記入

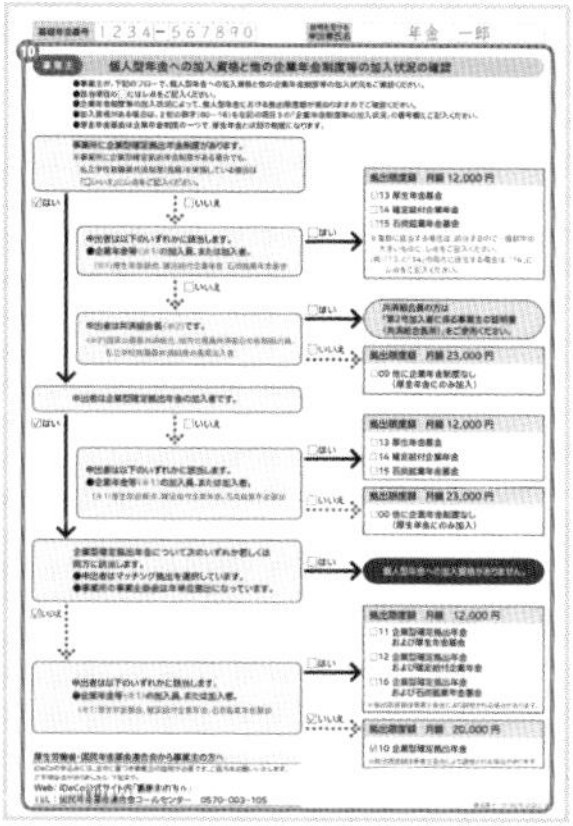

「事業主の証明書（事業所登録申請書 兼 第2号加入者に係る事業主の証明書）」を勤務先に提出します。第1号、第2号被保険者の場合は不要です。

やること 02 必要書類を返送する

記入漏れがないか
よく確認してから
返送しよう

返送書類

❶個人型年金加入申出書

❷預金口座振替依頼書 兼 自動払込利用申込書

❸事業所登録申請書
兼 第2号加入者に係る事業主の証明書

❹加入者月別掛金額登録・変更届
（掛金額区分で「月ごとに金額を指定」を選択した場合）

記入が終わった事業主の証明書と各種書類を、同封されてきた返信用封筒に入れて返送しましょう。

「事業主の証明書」とは……他の企業年金制度への加入状況や共済組合員の資格の有無などにより掛金額の上限が異なるため、限度額の確認のために必要な証明書。

＼ 気になるトコロを1分で解決 ／

サクッとわかるQ&A

～口座開設編～

安心して開設できる！

Q 金融機関は何度でも変えることができる？

A 可能ですがデメリットが多く、あまりオススメできない

✕ 新NISA

- 年に一度しか変更できない
- 一度でも取引していると年内変更不可

✕ iDeCo

- 運用実績がリセットされる
- 今までの資産を一度売却する必要がある

運用実績がわからなくなってしまう

途中から金融機関を変えることはデメリットが多いので、商品のラインナップに不満があるなど特別な理由がないなら避けたほうがいい。

Q 夫婦で運用するならどちらかが口座開設すれば十分？

A 投資上限額が増えるので夫婦で2口座がオススメ

夫（会社員）のみ口座開設する場合…

つみたて投資枠
最大120万円／年

iDeCo
最大27万6000円／年

夫と妻（会社員）の2人が開設すれば…

つみたて投資枠
最大240万円／年

iDeCo
最大55万2000円／年

上限額が2倍になる

夫婦で2口座を保有したほうが年間で投資できる金額が増える。たくさん投資できる分、非課税・減税メリットを多く受けられるのでお得。

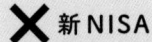

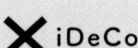

Q 年の途中からはじめたら上限まで投資できない？

A 基本的には上限まで投資できない

新NISA

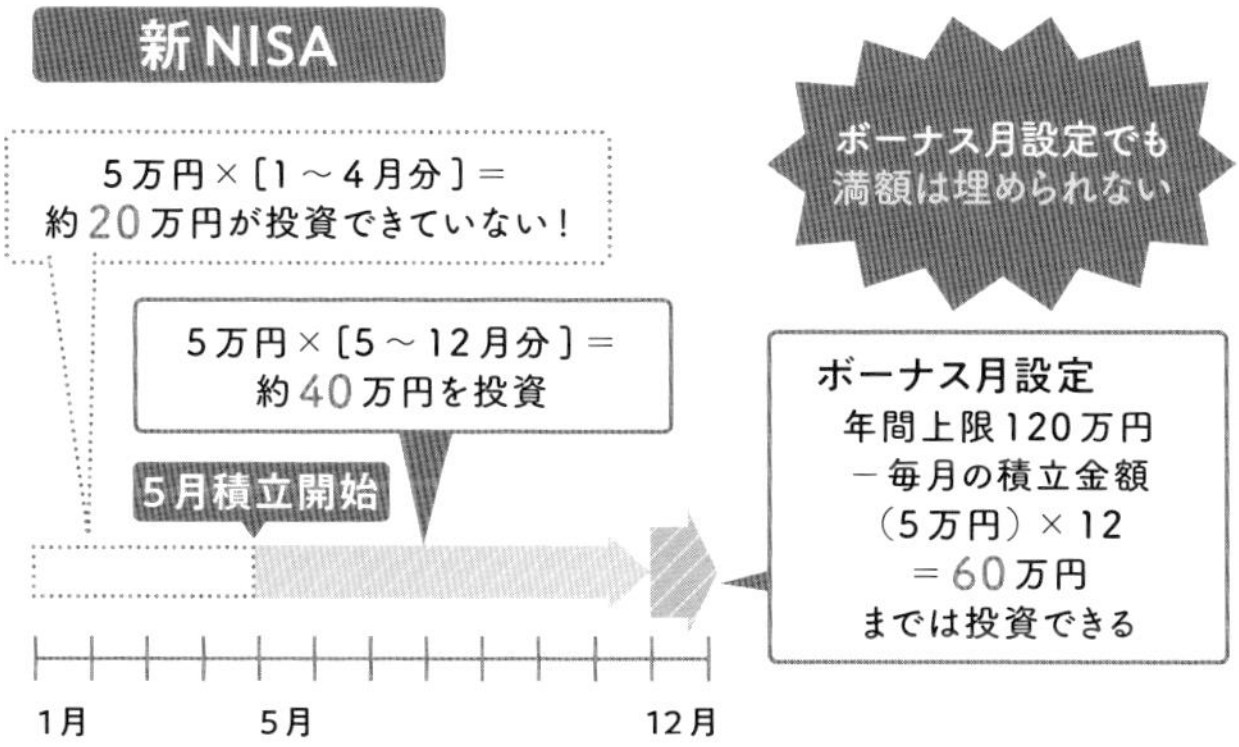

5万円×〔1～4月分〕＝
約20万円が投資できていない！
5万円×〔5～12月分〕＝
約40万円を投資
5月積立開始
ボーナス月設定でも
満額は埋められない

新NISAは金融機関によって「ボーナス月設定」があるが、現状では1月からはじめていないと年間上限額は埋められない仕組みになっている。ただし、投資期間の制限がないため、あまり気にする必要はない。

iDeCo

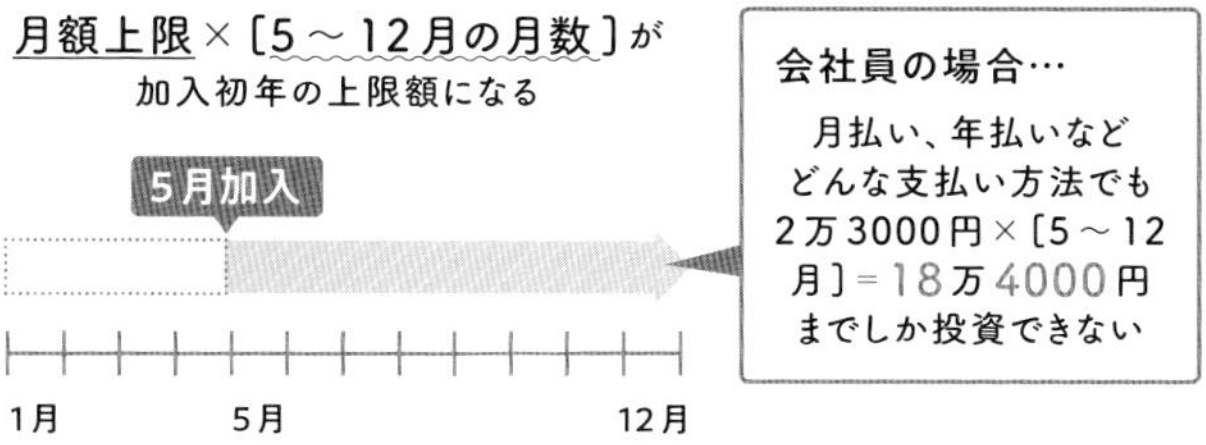

月額上限×〔5～12月の月数〕が
加入初年の上限額になる
5月加入
会社員の場合…
月払い、年払いなど
どんな支払い方法でも
2万3000円×〔5～12月〕＝18万4000円
までしか投資できない

iDeCoの場合は「月額上限×加入月以降の月数」が加入初年の上限額。仮に5月に加入して年末にまとめて1年分を支払おうとしても、5～12月分までの掛金しか支払うことができない。

Q 仕事で海外に住むことになったらどうなる？

A 積立できなくなる場合がある

新NISA	iDeCo	
	日本からの海外駐在	海外企業により雇用
・新規の積立ができなくなる ・金融機関によっては5年まで口座の継続保有可能	・投資と運用の継続は引き続き可能 ・原則として5年以内の赴任に限る	・投資が不可能 ・これまで投資した分の運用指図は可能

運用指図はいずれの場合でも可能

海外に移住する場合、新NISAは新規の積立ができなくなるが、iDeCoは雇用形態や海外在住期間によって投資の可否が分かれるので注意が必要。

年間上限120万円
－毎月の積立金額
（5万円）×12
＝60万円
までは投資できる

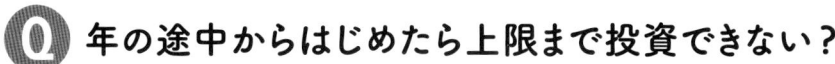

STEP 3 まとめ

新NISA編

(1) 楽天証券のWebサイトで
口座開設の申込みをする （P62）

(2) 本人確認書類と顔写真を
撮影する （P64）

(3) 納税方法のオススメは
「特定口座（源泉徴収なし）」 （P66）

iDeCo編

(4) 楽天証券のWebサイトで
口座開設の申込みをする （P70）

(5) 「事業主の証明書」
などを返信用封筒で返送 （P72）

新NISAは
最短翌営業日から
はじめられる

STEP

4

商品を選ぼう

～あれこれ迷わず
まずはインデックスファンド１本だけ～

STEP 4-1 商品を選ぼう

投資信託の仕組みと特徴を知ろう

新NISAのつみたて投資枠とiDeCoで中心となる金融商品は「投資信託」です。投資信託の仕組みがどのようなものなのか、どんな特徴があるのかを覚えていきましょう。

口座開設の流れがわかったところで、いよいよ商品の選び方に移ろう。

買った商品によって将来もらえるお金が決まるわけですから、失敗したくないですね。

具体的な商品について語る前に、投資信託とはそもそも何かということから話していこうか。

投資といえば株式を買うことだと思ってましたけど、投資信託は何が違うんですか？

投資信託は投資家が株式や債券などを直接買うのではなく、投資信託の購入を通じて運用会社にお金を預けて、運用を代行してもらうもの。運用して出た利益が投資家に還元されるんだ。

どんなメリットがあるんですか？

金融商品の価格は社会や経済情勢によって刻々と変わっていくものだから、状況に応じて商品を売ったり買ったりしなければいけない。しかし**投資信託なら専門家が運用してくれるから管理の手間がかからないんだ。**

下手に売買しない分、ぼくみたいな初心者でも安心ですね。

それから投資資金も少なくて済む。日本の株式を買うには少なくとも数万円は必要だけど、投資信託には数百円から買えるものがあるんだ。ただ、代わりに運用してもらう分の手数料がかかる点には注意が必要だよ。

「債券」とは……国や企業などの発行体が、投資家から資金を借りるために発行する有価証券。返済期限が定められており、期限まで待てば所定の利子がつく。

知ること 01 専門家にお金を預けて運用してもらう

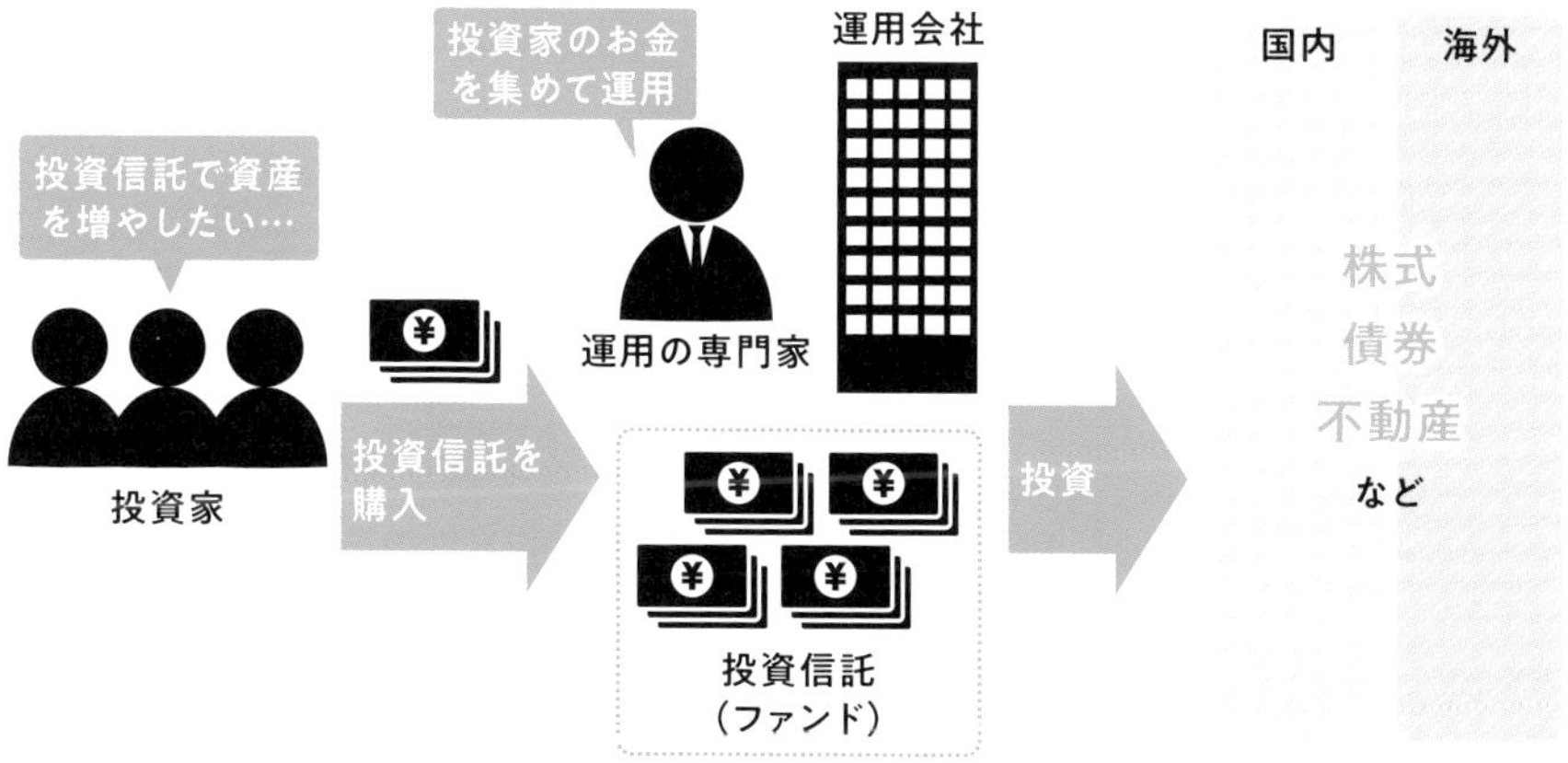

投資信託は「投資信託運用会社」によって作られ、多くの投資家から集めた資金で投資するもの。運用会社はどうやって運用するかを考え、信託銀行を通じて実行します。

知ること 02 少額から手間をかけずに投資できる

投資信託で運用		個別商品で運用
・数百円から投資可能	資金	・数万円から必要になる
・専門家に任せるのでほったらかしでいい	手間	・細かい調整を自分でやる必要がある
・比較的かかる	手数料	・抑えられる

投資信託は比較的少額から投資ができ、基本的に自分で運用資産の管理を行う手間がかかりません。しかし運用会社に管理を任せるための手数料が必要な点に注意しましょう。

「信託銀行」とは……普通の銀行が行う預金業務や貸付業務に加え、個人や企業などが持つ財産を管理運用する信託業務を行っている銀行。

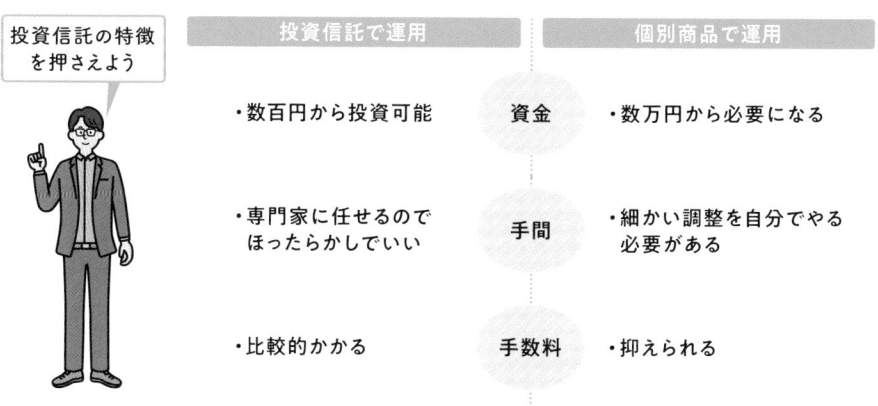

投資の仕組みはこの2つを押さえよう

具体的に利益を得る仕組みに加え、長期投資を行う際に覚えておきたい「分散」「積立」「長期」という考え方について解説していきます。

商品を買うときに覚えておくべきことはなんですか？

1つ目は利益を得る方法について。**投資信託は値段が低いときに買って、高いときに売却すると利益が得られる。商品によって分配金というものもあって、これは運用益を決算ごとに投資家へ分配するものになるよ。**

2つ目はなんですか？

「分散」「積立」「長期」の3セットを心掛けることだね。「分散」は投資先を複数に分けること。日本だけに限らず世界中の国々や地域、そして株式以外に債券や不動産といったさまざまな資産に投資できるように投資信託を購入していくんだよ。そうすれば1つの投資先が値下がりしても損失は少ないからリスクが低くなる。

「積立」は新NISAのつみたて投資枠やiDeCoのように、一定額を定期的に投資することですね！

そのとおり。購入する時期を分ければ短期的な値動きに左右されず、安定したリターンが見込める。そして「長期」とは商品を長く保有すること。金融庁の調査では「分散」「積立」で投資を行った場合、20年という長期で見れば損をするケースは見られなかったんだ。

ちゃんと実証された考え方なんですね。

「投資のリターン・リスク」とは……投資で得られる収益をリターンと呼び、リターンが不確実であることや、その変動の振れ幅のことをリスクという。

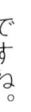

知ること 01 値上がりしたら利益が増える

投資信託の利益はこの2つ

❶売却益

投資信託は購入単価が低いときに買って、購入時より高いときに売ればその差額分の利益を得ることができる

❷分配金

運用によって得られた収益を投資家に還元するため、決算ごとに分配するお金のこと。投資信託の純資産額から投資家に配られる

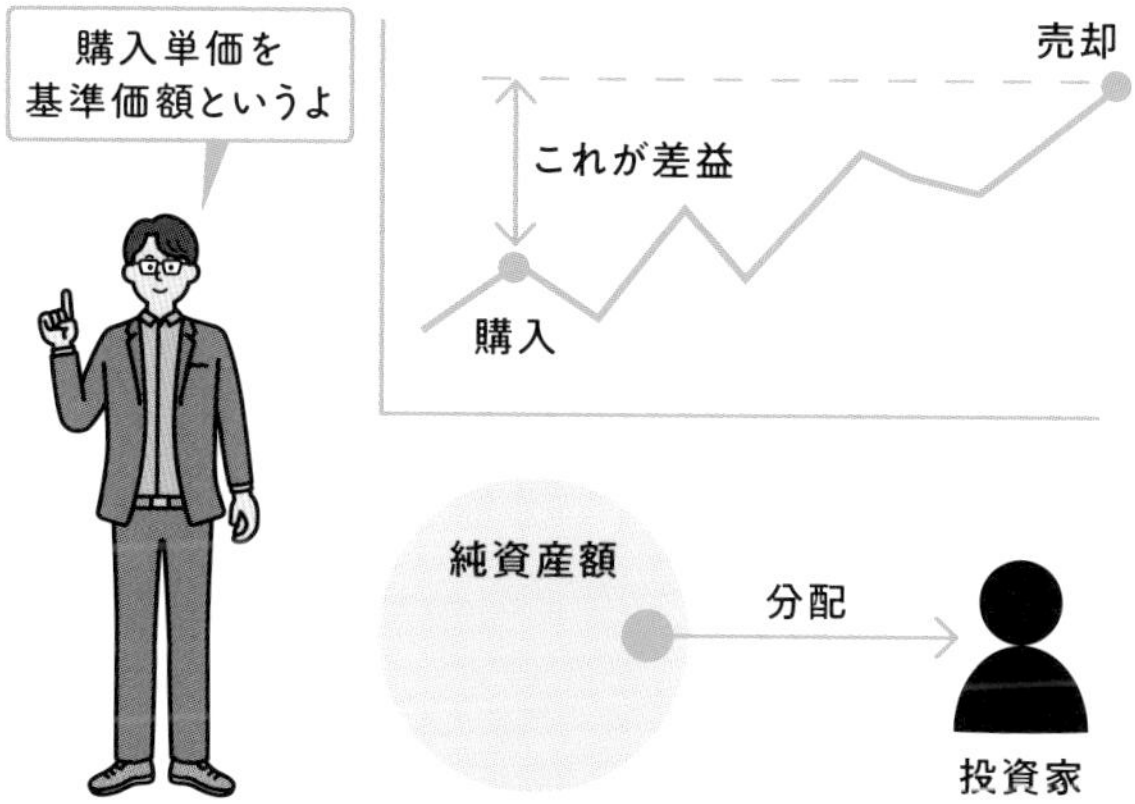

投資信託では基本的に、売買による差益を得る売却益と、決算の時期に運用会社から配られる分配金という2つの方法で利益を得ることが可能です。

知ること 02 分散・積立・長期投資が基本

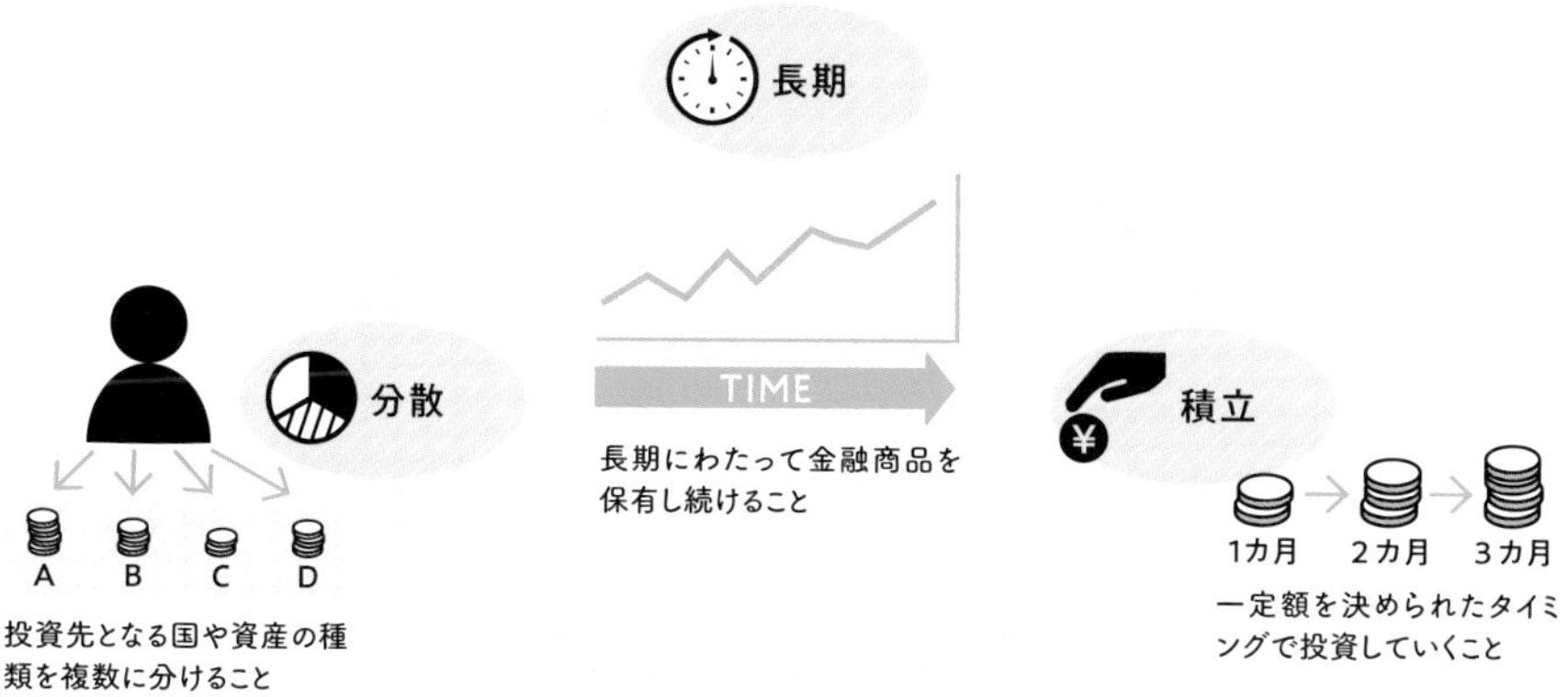

投資を行う際に「分散」「積立」「長期」を意識することによって、時間はかかりますが小さいリスクで安定したリターンを期待することができます。

「純資産額」とは……投資信託の総資産のうち、投資家に帰属される金額のこと。純資産額を投資信託の最小購入単位「口」数で割ると、基準価額が求められる。

商品購入までの流れを知ろう

投資信託を購入する際は、どの商品をいくらで買うのかなどを決めていく必要があります。商品購入までの流れを2つのステップに分けて見ていきましょう。

投資信託の基礎はわかったかな？ それじゃあ具体的な購入の流れについて解説していこう。

いよいよですね。なんだか緊張します。

ははは、そう身構えないで。基本的な流れはインターネットショッピングと同じようなものだよ。まずは金融機関のWebサイトから、新NISAのつみたて投資枠で購入できる対象商品を調べよう。そこから、さっき話した**「分散」「積立」「長期」を行いやすい投資信託に決める。** といっても、つみたて投資枠の対象商品は金融庁が厳選したものだから、行いやすい商品がほとんどだけどね。

商品が決まったらどうするんですか？

その**商品の案内画面から買付の注文をしていく。注文画面では決済方法、積立タイミングや積立指定日、いくら積み立てていくかを設定するんだ。** 一度決めた設定は、それ以後も引き継がれていくから何度も設定し直す必要はないよ。

それは助かります！ あとはほったらかしでいいわけですね。

そのとおりだよ。注文手続きを進めていくと、最後は投資信託の説明書となる交付目論見書を確認する必要がある。それをざっくりと確認したら、注文の確定を行って操作は終了だよ。

「積立タイミング」とは……積立投資の決済を行う頻度のことで、毎月1度行うのが一般的。金融機関によっては毎日や毎週、隔月など幅広く設定できるところもある。

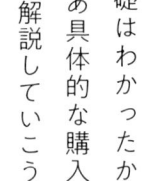

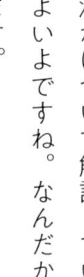

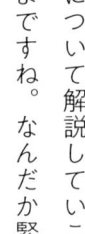

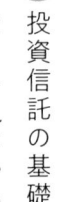

知ること 01 簡単2ステップで商品が買える！

ステップ1 積立を行う商品を決める　（P84）

Rakuten
楽天投信投資顧問

投資信託説明書（交付目論見書）
使用開始日：2023年12月1日

楽天・オールカントリー株式インデックス・ファンド
愛称：楽天・オールカントリー
追加型投信／内外／株式／インデックス型

商品分類および属性区分

商品分類				属性区分					
単位型・追加型	投資対象地域	投資対象資産（収益の源泉）	補足分類	投資対象資産	決算頻度	投資対象地域	投資形態	為替ヘッジ	対象インデックス
追加型	内外	株式	インデックス型	その他資産（投資信託証券（株式））	年1回	グローバル（日本を含む）	ファミリーファンド	なし	その他（MSCIオール・カントリー・ワールド・インデックス）

※属性区分に記載している「為替ヘッジ」は、対円での為替リスクに対するヘッジの有無を記載しております。
※商品分類および属性区分の定義につきましては、一般社団法人投資信託協会のホームページ（https://www.toushin.or.jp/）をご参照ください。

※金融機関によって画面は異なります

金融機関のWebサイトからつみたて投資枠の対象商品を検索し、購入するものを選びます。

ステップ2 買付画面で設定を行う　（P86）

商品の案内画面から買付の注文を行います。積立金額や積立の頻度、決済方法を設定していきましょう。

商品購入

投資信託の説明書となる交付目論見書を確認し、注文を確定すれば、設定した日から積立投資がはじまります。

「積立指定日」とは……積立投資の決済が行われる日で、投資家が設定する。例えば毎月の場合は1〜30日の間で、金融機関の営業日のいずれかを指定することができる。

インデックスファンドを選ぼう

リスクを抑えつつ、しっかりとしたリターンが見込める投資信託のタイプに「インデックスファンド」というものがあります。そのオススメ商品と注文手続きを紹介します。

つみたて投資枠の商品は何を選べばいいですか？

全世界か全米の株式に投資する投資信託がオススメだよ。「全世界株式」や「オールカントリー」という言葉が入っている商品は、世界中の企業の株式が含まれていて分散効果が高い。世界経済を牽引する米国に投資する場合でも、全米に広く投資すれば分散できるんだ。

具体的にはどんな商品がありますか？

優良な商品は多いけど、あえて推すなら**「楽天・オールカントリー株式インデックス・ファンド」か「楽天・S&P500インデックス・ファンド」**かな。

「S&P500」は、米国を代表する約500社の時価総額を加重平均した指数だよ。

「インデックス」ってどういう意味ですか？

インデックスは、市場の動きを表す指数のこと。株式指数への連動を目指す商品だから、運用会社が自分で考えて株式や債券を売買する手間がかからず、手数料が安いんだ。楽天が運用しているものは購入者が多いから、純資産額が大きい。人気がある商品だからある日突然、運用が終了する可能性が低いよ。

それは安心できますね。

投資する商品が定まったら、実際に注文手続きを進めてみよう。

「株式指数」とは……特定の証券取引所や銘柄群における株価の動きを表すもので、指数によってその算出方法は異なる。日本国内の代表的なものとしてTOPIXが挙げられる。

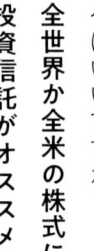

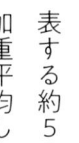

やること 01 商品は「全世界」か「全米」に

選ぶメリット

❶手数料が安い

株式指数の連動を目指すものなので運用の手間がかからず、手数料が安い

❷純資産額が大きい

購入者が多く純資産額が大きいので、繰上償還される可能性が低い

❸投資先を分散できる

投資先が全世界や米国全体に分散されており、特定の原因で大きな損失を被る危険性が低い

右に挙げた2つの投資信託はコスト、継続性、分散の観点で優れています。

楽天・オールカントリー株式インデックス・ファンド
【愛称：楽天・オールカントリー】

楽天・S&P500インデックス・ファンド
【愛称：楽天・S&P500】

やること 02 商品画面から積立注文の手続きへ

注文までの2ステップ

❶ファンド名から検索

ファンド名を入力

❷商品画面から積立注文する

注文手続きへ

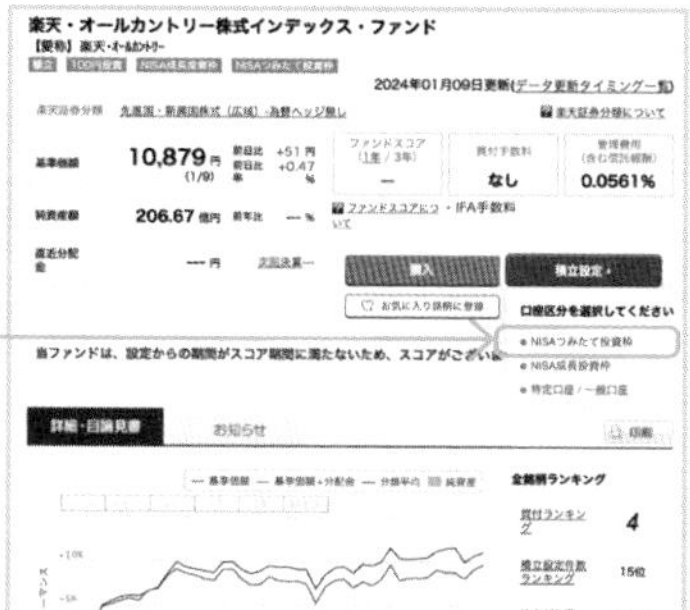

楽天証券のNISA専用画面から、商品名を検索しましょう。目当ての投資信託の案内画面に移ったら、積立注文ボタンをクリックします。

「繰上償還」とは……投資信託で、予定する信託期間の終了日よりも前に運用が終わること。また、信託期間が定まっていない投資信託が運用終了する場合も指す。

買付金額を設定しよう

注文手続きでは積立金額のほかにも、利益となる分配金をどうするかなど、いくつかの設定が必要です。最後に見る交付目論見書についても読むポイントを押さえましょう。

商品の注文画面に移ったら、まずは積立条件を決めていこう。

積立金額や積立の頻度を決めていくんですね。ちなみに「分配金コース」というのは何を設定するのでしょうか……？

これは投資信託による分配金の利益をお金で受け取るか、再び投資に回すかどちらかを選択するものだよ。より良い運用を考えると「再投資型」がいいと思うよ。

わかりました！ 将来のために再投資に回します。

引き落としの方法は証券や銀行口座からの引き落としのほかに、クレジットカードによる決済も選べるよ。注文を確定させるためには、投資信託の説明書となる交付目論見書の確認が必要となる点も押さえておこう。これは投資家の保護を目的とした法律にのっとった、金融機関の義務なんだ。

交付目論見書の内容がよくわからなくて……どうすればいいですか？

目論見書の内容は一から十まで全部理解しなくても大丈夫だよ。ポイントはそのファンドの目的、想定される投資リスク、投資にかかる手数料の3点。3つとも、ざっくりと理解できていれば十分さ。

それじゃあ要点を押さえて読んでみます！

「再投資型」とは……投資信託の分配金を、元本と合わせて再投資に回す方式。多くの金融機関で、分配金を直接受け取る「受取型」との選択制となっている。

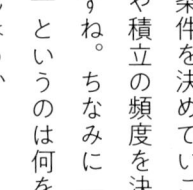

やること 01 注文画面で設定を行う

この3つを決める

❶引落方法 ❷積立設定 ❸分配金コース

ココもPOINT

分配金コースは「再投資型」一択

決算による分配金が自動で再投資されるので、投資額が増えてより良い成果が期待できる。

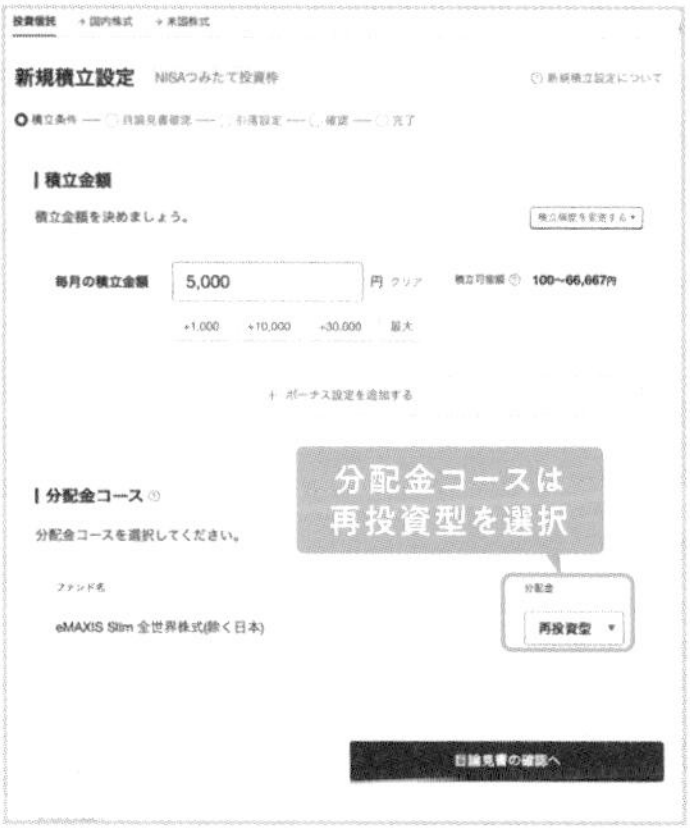

注文画面では投資資金の決済方法や、どのくらいの頻度でいくら投資するか、得られた分配金を再投資するか否かなどを決めていきます。

やること 02 目論見書を読んで注文を確定する

ココをチェック!

❶ファンドの目的

どんな商品に投資し、どれくらいの運用成果を目指しているか

❷投資リスク

元本割れの原因となり得る価格や金利、為替の変動リスクはどの程度か

❸手数料

信託報酬など、投資信託の購入以外にかかるコストはどの程度か

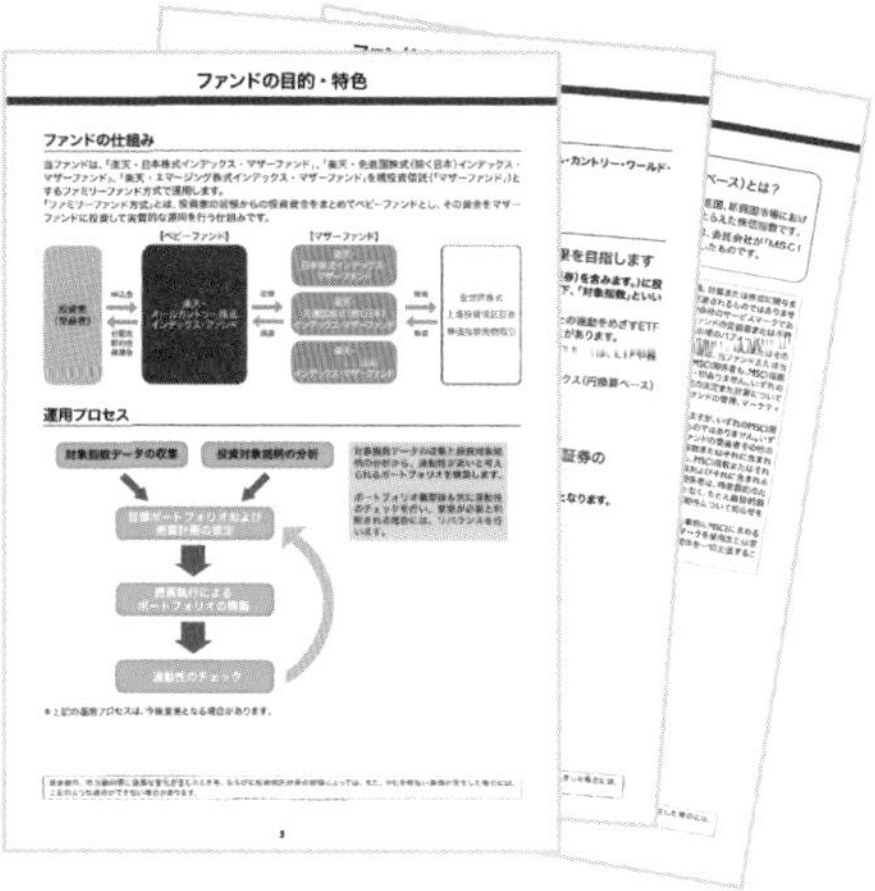

交付目論見書は情報量が多く、投資初心者がすべて理解することは困難。まずは上記の3点に絞って内容をおおよそ把握して、注文を確定しましょう。

「交付目論見書」とは……投資信託の販売に際して交付することが義務づけられている資料。運用方針や手数料など、投資信託に関する基本的な情報が記載されている。

商品購入までの流れを知ろう

商品のタイプや分散投資できるかどうかをしっかりと確認したうえで商品を選び、掛金の配分を行います。その流れを2つの手順で見ていきましょう。

次はiDeCoの商品購入までの流れを話していこう。

商品を選ぶポイントはなんでしょうか?

あとで詳しく説明するけど、iDeCoの商品は資産クラスによって「元本確保型」と「元本変動型」の2タイプに分かれるから、まずはそれぞれの違いを十分に把握する必要があるよ。そのうえで、**大きなリターンが見込める「元本変動型」をぼくはオススメしている。そして、さっき話したとおり投資先が十分に「分散」されている商品を選択するのが基本だね。**

商品が決まったら、そのあとは何を行うんですか?

口座開設した金融機関のWebサイトから、iDeCoの設定画面に移ろう。そこで目当ての投資信託をどれくらい購入するかを決めていく。

購入できる投資信託は1本だけではないんですね!

そうだよ。自分が設定した投資金額のうち、どの商品を何%分購入するかということを入力していくんだ。入力し終わったら、配分状況について最終確認を行おう。

設定して申し込めば、あとは何もしなくていいんですか?

基本的にはそうだね。設定した頻度で、投資されているか確認しておこう。

「資産クラス」とは……投資対象となる資産の種類や分類のことで、アセットクラスとも呼ばれる。主なものには株式や債券といった有価証券や、金や原油などが挙げられる。

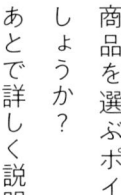

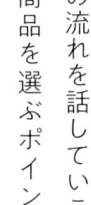

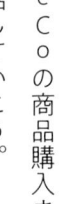

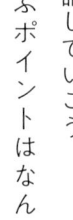

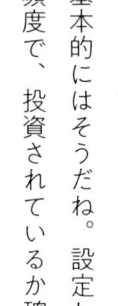

知ること 01

簡単2ステップで商品が買える!

ステップ1 投資を行う商品を決める (P90)

※金融機関によって画面は異なります

Rakuten
楽天投信投資顧問

投資信託説明書(交付目論見書)
使用開始日:2023年12月1日

楽天・S&P500インデックス・ファンド
愛称:楽天・S&P500
追加型投信/海外/株式/インデックス型

商品分類および属性区分

商品分類				属性区分					
単位型・追加型	投資対象地域	投資対象資産(収益の源泉)	補足分類	投資対象資産	決算頻度	投資対象地域	投資形態	為替ヘッジ	対象インデックス
追加型	海外	株式	インデックス型	その他資産(投資信託証券(株式))	年1回	北米	ファミリーファンド	なし	その他(S&P500インデックス)

※属性区分に記載している「為替ヘッジ」は、対円での為替リスクに対するヘッジの有無を記載しております。
※商品分類および属性区分の定義につきましては、一般社団法人投資信託協会のホームページ(https://www.toushin.or.jp/)をご参照ください。

商品のタイプや、投資先が十分に分散されていることを確認したうえで商品を選びましょう。

ステップ2 掛金と配分を設定 (P92)

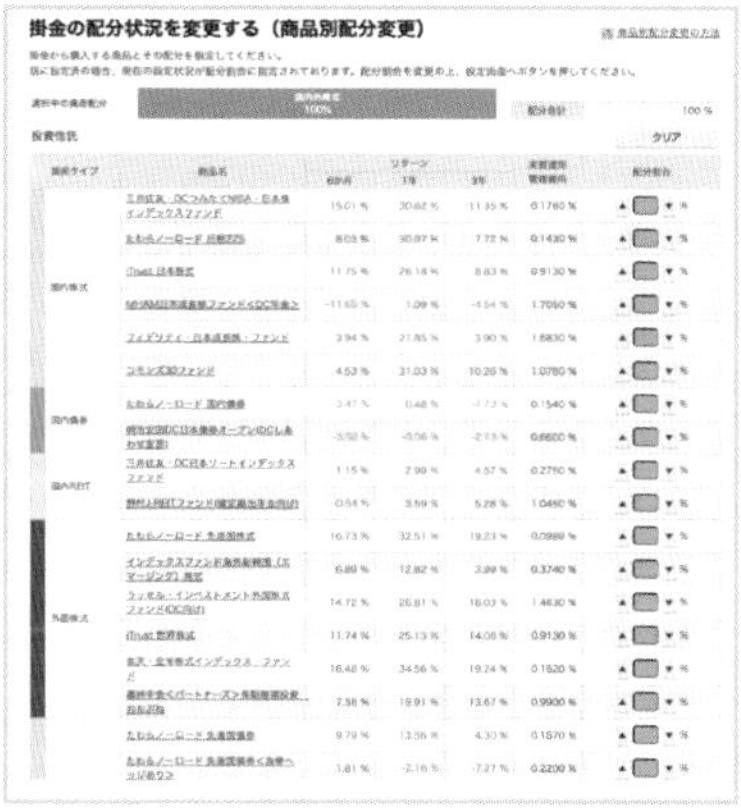

どの投資信託に、設定した金額の何%を配分するかを決めていきます。

商品購入

設定が完了したら、所定の頻度・金額で投資されているかどうかをしっかりと確認しましょう。

「元本変動型」とは……元本が運用結果で変動するiDeCoの商品タイプ。投資信託がこれに当てはまり、元本割れのリスクはあるが、資産が大きく増える可能性もある。

STEP
4-7
商品を選ぼう

iDeCo編

インデックスファンドを選ぼう

iDeCoには大きく分けて2つの商品タイプがあります。それぞれの特性や、それを踏まえて具体的にどの商品を選べばいいのか解説します。

商品には2つのタイプがあると聞きましたけど、それぞれどう違うんですか？

ああそうだったね。今まで投資信託について話してきたけど、**iDeCoの対象商品のなかで投資信託のものを「元本変動型」というんだ。**比較的大きく資産を増やせる可能性がある反面、元本割れのリスクがある商品なんだよ。それに対して「元本確保型」は、定期預金や保険商品といった投資信託より低リスクの資産を運用するもので、元本割れする恐れがないんだ。

だったら「元本確保型」のほうがいいのでは？

しかし低リスクな分、あまり大きなリターンが見込めないんだ。それに**投資信託は「分散」「積立」「長期」を励行すれば元本割れするリスクを大きく抑えられる。だからぼくは「元本変動型」を強く推奨するよ。**

なるほど、そうなんですね。

そのなかでも新NISAと同じく、全世界か全米のインデックスファンド、「楽天・オールカントリー株式インデックス・ファンド」や「楽天・S&P500インデックス・ファンド」といった商品がオススメになるね。

iDeCoでも楽天がオススメなんですね。さっそく調べてみます！

「元本確保型」とは……元本が保証されている金融商品。定期預金や保険などの商品がある。リスクを抑えて運用できるが、積極的にリターンを増やしたい場合は不向きとされる。

やること 01　2つの商品タイプを知る

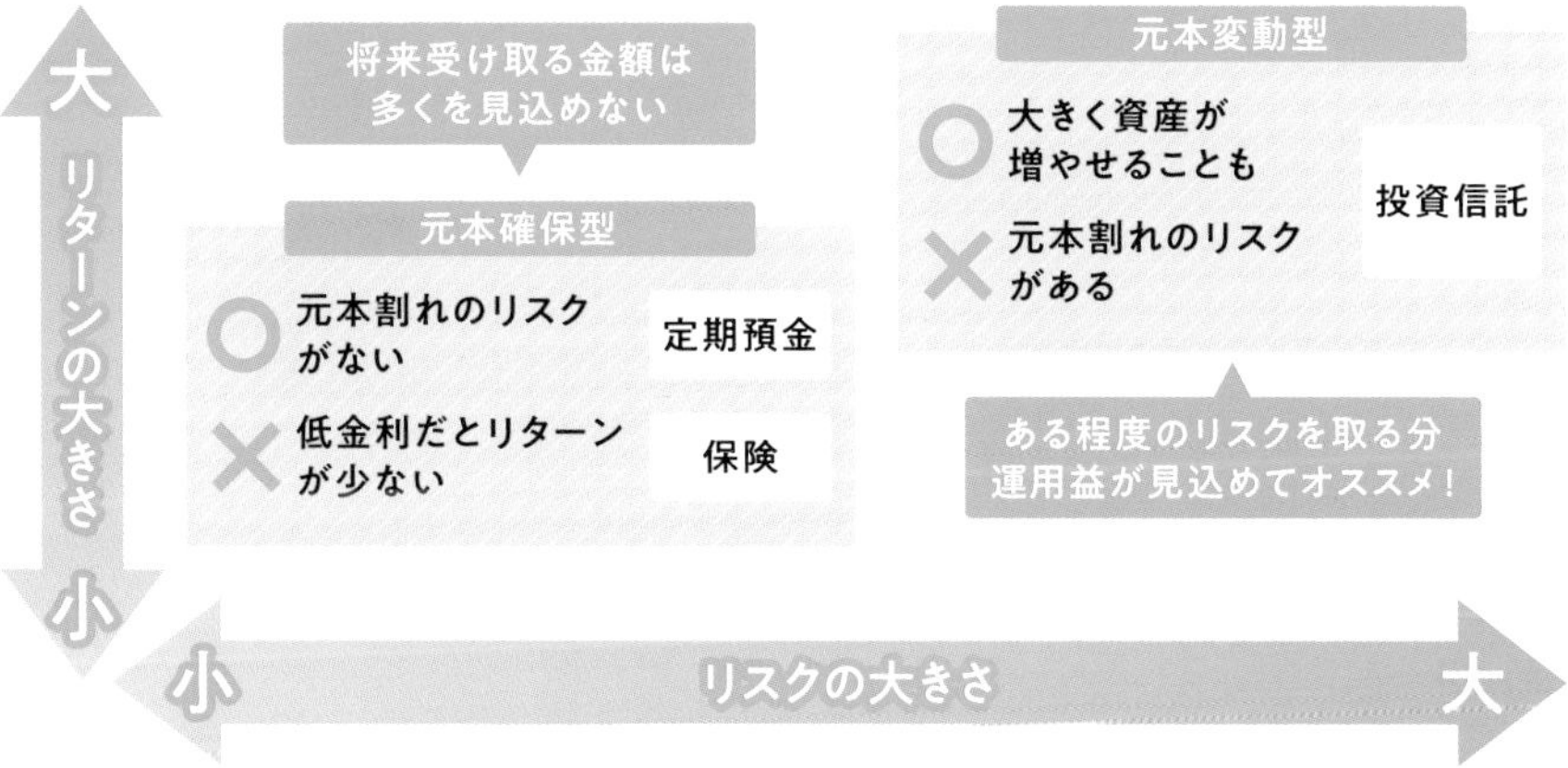

iDeCoの対象商品で、投資信託のものを「元本変動型」、定期預金や保険に投資するものを「元本確保型」と呼び、大きくリターンが見込める「元本変動型」のほうがオススメです。

やること 02　iDeCoも「全世界」か「全米」でOK

選ぶメリット

❶手数料が安い

株式指数の連動を目指すものなので運用の手間がかからず、手数料が安い

❷純資産額が大きい

運用の安定性にかかわる純資産額が大きいので、繰上償還される可能性が低い

❸投資先を分散できる

投資先が全世界や米国全体に分散されており、特定の原因で損失を被る危険性が低い

iDeCoも新NISAも同じ商品でOK。分散を狙うならそれぞれ片方ずつ運用してもいいでしょう。

楽天・オールカントリー株式インデックス・ファンド
【愛称：楽天・オールカントリー】

楽天・S&P500インデックス・ファンド
【愛称：楽天・S&P500】

（「ファンド」とは……基金や資金といった意味合いがあり、転じて金融業界では資産運用のための金融商品や運用会社を指す意味で用いられている。）

掛金と配分を指定しよう

購入する商品を決めたら掛金の設定手続きに移りましょう。郵送で通知される口座番号・パスワードで初期設定を済ませ、希望する商品へ掛金の配分を行います。

商品を選び終わったら具体的な手続きに入ろう。楽天証券で口座開設手続きが完了すると、iDeCoの記録関連業務に携わるJIS&T社という企業からiDeCoのアカウント情報が郵送されてくるんだ。

情報はどこで使うんですか？

楽天証券のWebサイトにiDeCoの初期設定を行う画面があるから、そこに加入者口座番号とインターネットパスワードの2つの情報を入力する。すると掛金配分を行うための専用画面に移ることができるよ。

画面にはiDeCoの対象商品がたくさん並んでいますね。

商品名の右側にある配分割合の欄に、掛金のうち何%を購入するか入力するんだ。例えば投資額が月2万円の場合、ある商品に10%と記入すれば、それを毎月2000円分購入することになるよ。

「楽天・オールカントリー株式インデックス・ファンド」だけ購入する場合は、その入力欄に100%と記入するんですね？

そのとおりだよ。配分を入力しても、まだ楽天証券のシステム内に表示されているだけだから、手続きの最後に表示される「JIS&T社」の画面にその設定を転記しよう。これで掛金の設定が正式に記録されて、晴れてiDeCoがはじめられるよ。

（「加入者口座番号」とは……iDeCoの加入時に送付される「口座開設のお知らせ」や、加入者へ定期的に送付される「お取引状況のお知らせ」などに記された10桁の番号。）

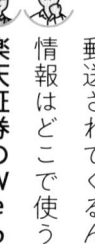

やること 01 初期設定を済ませる

「JIS&T社」から加入者口座番号・アカウント情報が郵送されてくる

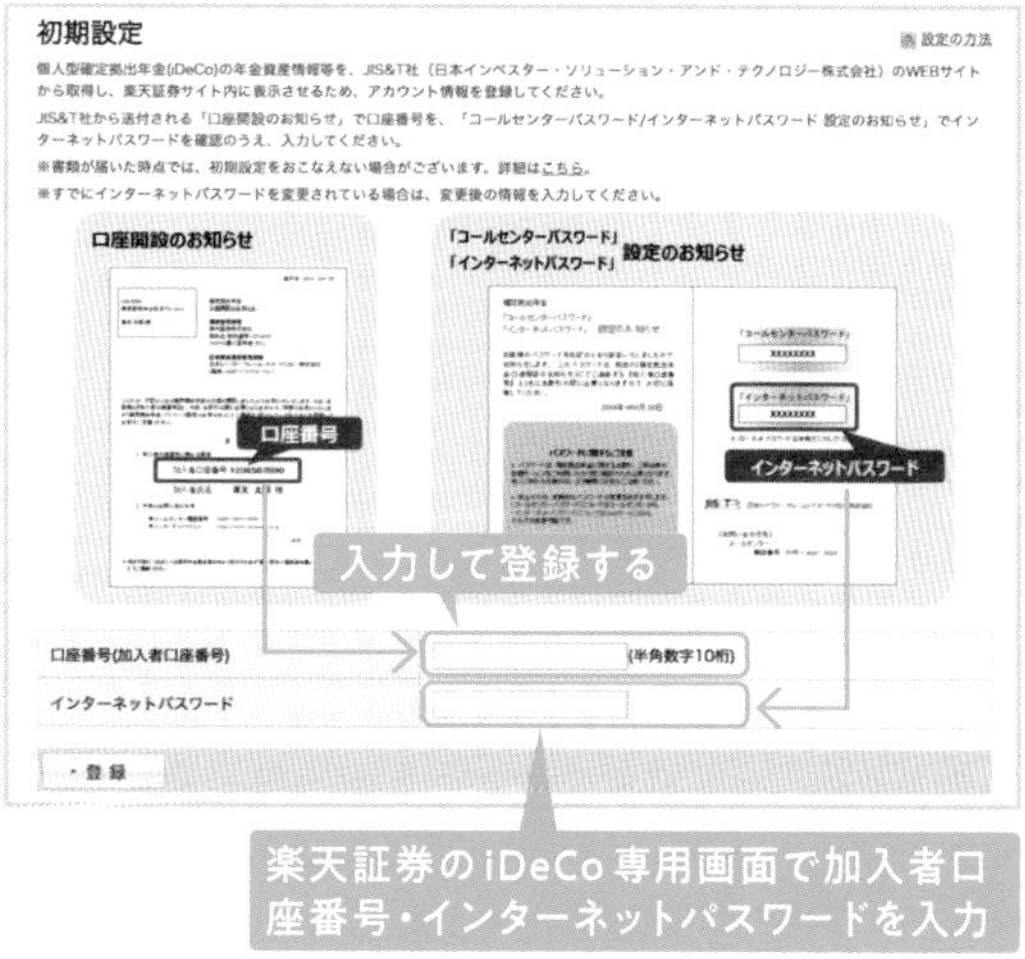

iDeCoの記録関連業務を行う企業から、加入者口座番号とインターネットパスワードが通知されます。それを楽天証券のiDeCo専用画面で入力して、初期設定を行いましょう。

やること 02 目当ての商品に掛金を設定

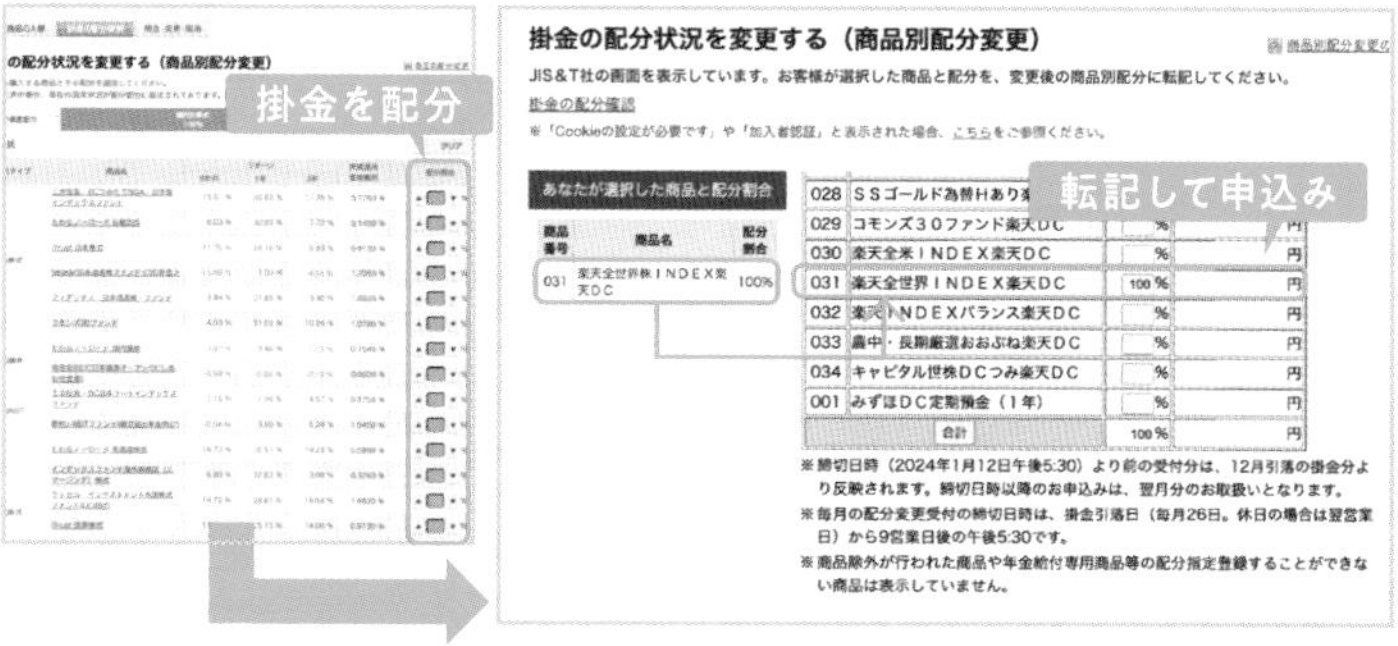

※本書制作時点での都合上、「楽天全世界INDEX楽天DC」を選択していますが、実際の画面では「楽天・オールカントリー株式インデックス・ファンド」もしくは「楽天・S&P500インデックス・ファンド」など購入した商品を選択してください。

掛金配分の画面では商品が一覧として表示されます。商品名の右側にある配分割合を入力しましょう。最後に表示される画面に設定を転記して、手続きが完了です。

「JIS&T社」とは……正式名称は日本インベスター・ソリューション・アンド・テクノロジー（株）。複数の金融機関が共同で設立した確定拠出年金の記録関連業務を行う会社。

＼ 気になるトコロを1分で解決 ／

サクッとわかるQ&A

～商品選び編～

Q 選ぶときは専門家に相談したほうがいい?

A すでに商品が厳選されているので、つみたて投資枠ではしなくても問題なし

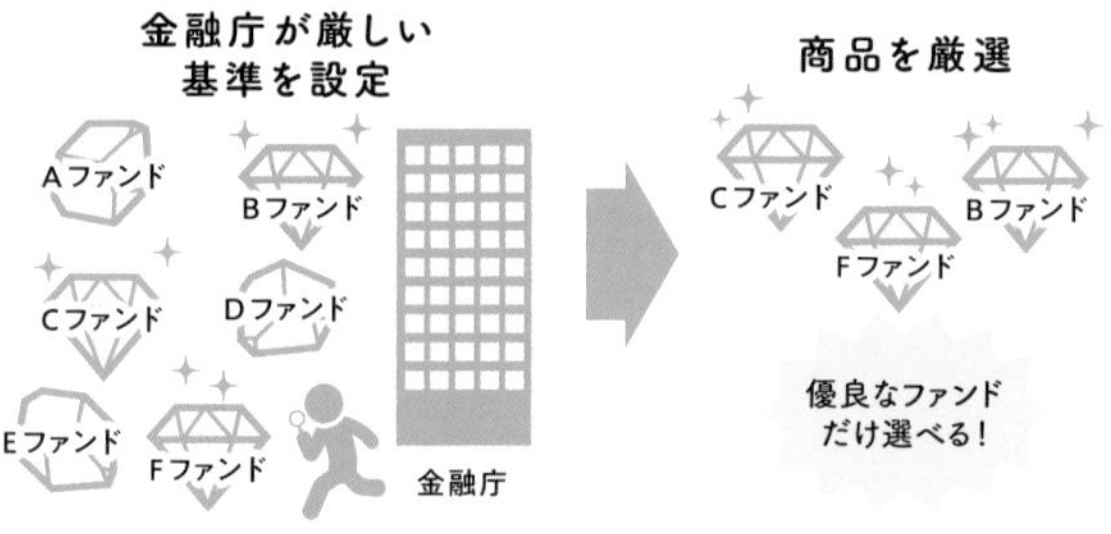

どれも長期投資に適したものばかり

新NISAのつみたて投資枠の対象商品は金融庁が定める基準を満たす優良ファンドばかり。選ぶ際は専門知識はほとんど必要なく、自力でも必要な情報は調べられる。

Q 商品選びで参考になるツールはある?

A さまざまな金融機関が提供している

◎楽天証券「らくらく投資」

スマホで利用可能な、つみたて投資枠対応の資産形成サービス。質問への回答で投資コースが提案される。

◎SBI証券「DC Doctor」

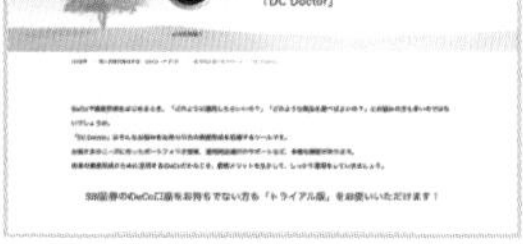

iDeCoに対応し、資産運用のリスク許容度を診断することで、診断結果を踏まえたポートフォリオが提案される。

金融機関の多くは、商品選びの手助けになるツールを公開している。例えば楽天証券のサービスである「らくらく投資」は新NISAに対応し、簡単な質問に回答するだけで利用者の性格やニーズに適した投資スタイルの提案を受けられる。

Q 人気ランキングの商品だけを買ったらダメ？

A 商品の内容を理解できていればOK

主な人気ランキング

- 買付金額
- 純資産総額
- 商品の閲覧数

上位は
インデックス
ファンドが多い

新NISAのつみたて投資枠とiDeCoはともに優良な商品が揃っており、人気ランキング上位のものは長期的なリターンがプラスのものがほとんど。どれを購入しても問題はないが、最低でも交付目論見書にざっと目を通し、運用方針や信託報酬などは頭に入れておこう。

◎つみたて投資枠対象商品のうち買付額上位13位のファンドリターン

ファンド名 愛称	リターン 設定来	6カ月	1年	3年	5年	10年	20年
eMAXISSlim全世界株式(ｵｰﾙ・ｶﾝﾄﾘｰ)	14.53	21.30	30.40	17.25	17.50	—	—
eMAXISSlim米国株式(S&P500)	16.90	26.11	36.71	22.33	21.44	—	—
楽天・S&P500インデックス・ファンド 楽天・S&P500	—	—	—	—	—	—	—
楽天・全米株式インデックス・ファンド 楽天・VTI	15.74	25.29	35.37	19.96	20.54	—	—
楽天・ｵｰﾙｶﾝﾄﾘｰ株式ｲﾝﾃﾞｯｸｽ・ﾌｧﾝﾄﾞ 楽天・オールカントリー	—	—	—	—	—	—	—
楽天・全世界株式インデックス・ファンド 楽天・VT	12.01	20.13	29.05	16.40	16.87		
eMAXISSlim全世界株式(除く日本)	14.60	20.96	30.14	17.57	17.[illegible]		
eMAXISSlim先進国株式ｲﾝﾃﾞｯｸｽ	14.35	22.97	32.73	19.91	19.2[illegible]		
iFreeNEXTFANG+インデックス	29.75	31.24	106.72	23.98	36.21		
eMAXISSlim国内株式(TOPIX)	9.34	26.71	34.22	12.90	12.84		-
【らくらく投資専用】楽天・資産づくりﾌｧﾝﾄﾞ(しっかりｺｰｽ)	5.24	10.91	15.14	—	—	—	—
<購入・換金手数料なし>ﾆｯｾｲ外国株式ｲﾝﾃﾞｯｸｽﾌｧﾝﾄﾞ	12.66	22.97	32.70	19.84	19.23	12.51	—
iFreeNEXTNASDAQ100ｲﾝﾃﾞｯｸｽ	22.55	29.60	65.37	22.43	27.92	—	—

どれもリターンがプラス！

※楽天証券より2024年1月15日のデータ

Q 新NISAとiDeCoは同じタイプの商品でもいい？

A 投資先が十分に分散されていれば大丈夫

新NISA つみたて投資枠

日本の株式に投資するインデックスファンド

＋

iDeCo

米国の株式に投資するインデックスファンド

V.S.

新NISA つみたて投資枠 iDeCoともに

全世界の株式に投資するインデックスファンド

1本の商品で世界中に分散

少ない ← 投資先の分散 → 多い

つみたて投資枠で日本株式、iDeCoで米国株式の投資信託を買えば投資国は2つに分散される。しかし「楽天・オールカントリー株式インデックス・ファンド」のように、1本だけで全世界の株式に投資できる商品もあるので、そのような商品を選ぶのであれば、新NISAのつみたて投資枠とiDeCoは同じタイプの商品でいい。

STEP 4 まとめ

(1) 投資家からお金を集めて運用を代わりに行うのが投資信託 （P78）

(2) 投資は「分散」「積立」「長期」を基本にする （P80）

新NISA編

(3) 十分な分散投資ができるインデックスファンドを選択 （P84）

(4) 買付金額を設定して交付目論見書に目を通す （P86）

iDeCo編

(5) 十分な分散投資ができるインデックスファンドを選択 （P90）

(6) 初期設定して掛金を決める （P92）

新NISAとiDeCoは
同じ商品でもOK！

STEP 5

メンテナンスをしよう

～年1チェックで
あとはほったらかしが正解～

STEP 5-1
メンテナンスをしよう

つみたて投資枠の運用実績はココを見る！

新NISAやiDeCoは1年に1回程度は自分の資産がどうなっているのか運用状況を確認しましょう。ここではつみたて投資枠の運用実績の見方を解説します。

STEP1で投資はほったらかしでいいって言ってましたけど、本当に何もしなくていいんですか？　なんだか不安で……。

そうだね。毎日パソコンにしがみついて運用状況をチェックする必要はないんだけど、**最低でも1年に1回くらいは運用状況を確認するべきかな。**やりたい人は1カ月に1回でもいいよ。

ずっと放置はダメなんですね。ところで、新NISAのつみたて投資枠の運用状況ってどうやって確認するんですか？

楽天証券のWebサイトで簡単にチェックできるよ。楽天証券の総合口座にログインしたら、画面上に表示されている「NISA」をクリックするんだ。

ふむふむ……えっ、もう終わりですか？

そう、簡単でしょ？　確認画面では**各投資枠で保有している資産の合計額や推移、これまでの積立期間や直近の売買履歴といった自分の運用実績を見ることができるんだ。**

どれくらい資産が増えているかも一目でわかるんですね。うれしくて毎日チェックしそう。

実績が目に見えてわかると、投資のモチベーションにもつながるよね。「保有商品」からはNISA資産のポートフォリオが確認できるよ。商品の構成比率が一目でわかるんだ。

「時価評価額」とは……保有している株式や投資信託を、取得時の価格ではなく現在の価格で評価した金額。投資信託では「その時点の基準価額」×「保有口数」で算出する。

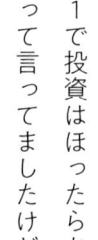

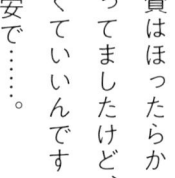

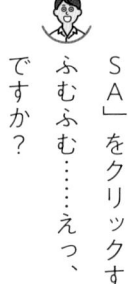

やること 01 運用状況を一目でチェック！

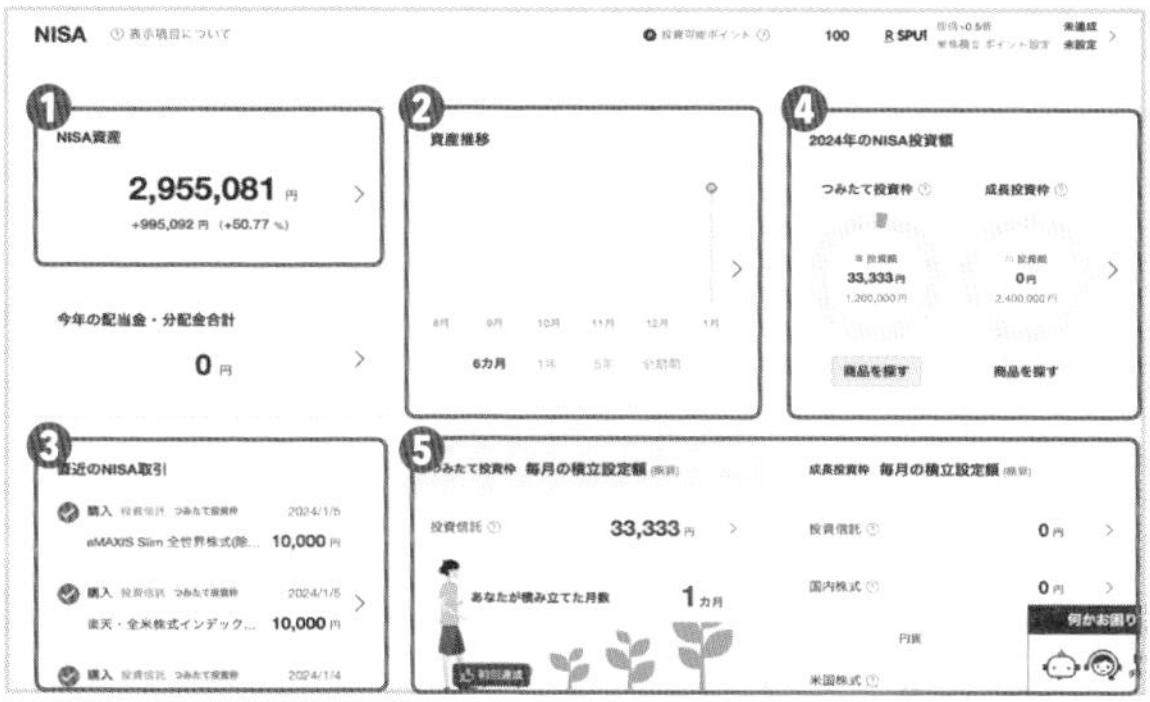

① NISA資産合計
NISA全体で保有している投資信託などの時価評価額と損益を確認できる

② 資産推移
資産推移のグラフ。6カ月、1年、5年、全期間と範囲を変えられる

③ 直近の購入・売却
直近3回の取引状況を確認できる

④ NISAの投資額
その年の各投資枠で使用した投資額や、残額を確認できる

⑤ 毎月の積立設定額
毎月の積立金額や積立月数、保有資産タイプの内訳がわかる

つみたて投資枠の確認画面は楽天証券のWebサイトからワンクリック。積立設定の確認や変更もこの画面から行います。

やること 02 ポートフォリオを把握する

ポートフォリオ確認の手順

手順1 「保有商品」を選択

手順2 円グラフで構成比率をチェック

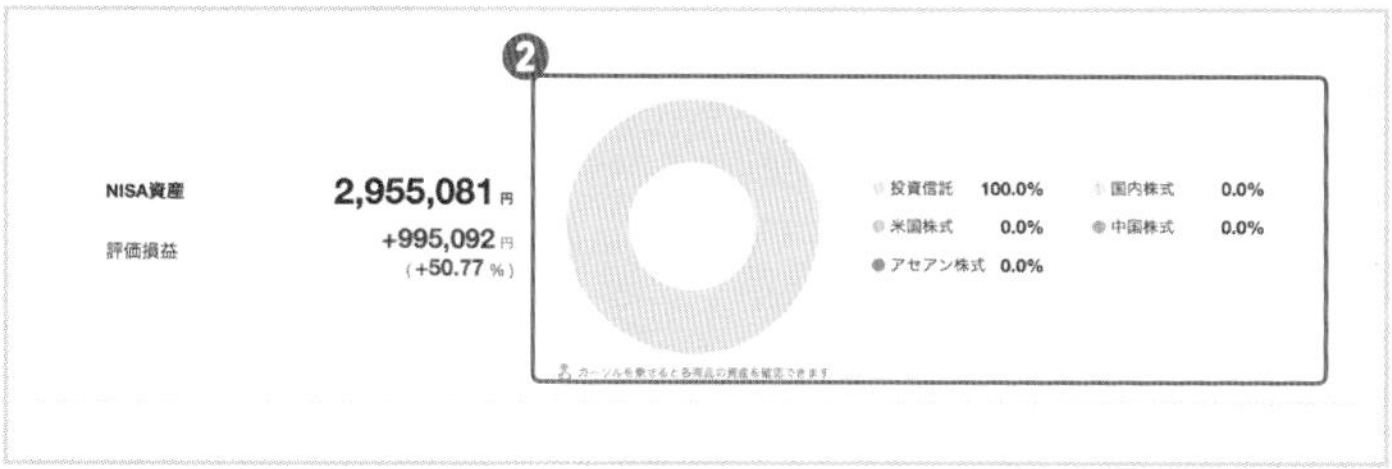

ポートフォリオの確認画面では現在の商品の構成比率のほか、NISA全体の資産額や評価損益がわかります。画面下部では保有商品が一覧できます。

「ポートフォリオ」とは……複数の資産に分散投資する場合の金融資産の組み合わせで、とくに具体的な運用商品の詳細を指す。

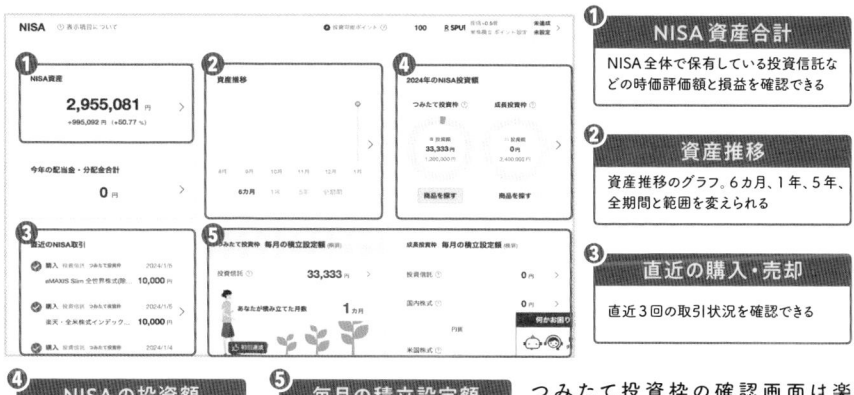

STEP 5-2
メンテナンスをしよう

売りたくなったらどうすればいい?

長期運用が前提のNISAですが、売却が必要になる場合もあるかもしれません。ここではつみたて投資枠の保有商品を売却する流れを解説します。

新NISAのつみたて投資枠で運用中の資産を売りたくなったら、どうすればいいんですか?

売却した分の積立枠が翌年以降に復活するとはいえ、NISAは長期運用が前提だから**ライフステージが変わって必要になったなど、特別な理由がない場合は売却しないほうがいいといえるよ。**でも、いい機会だし売却方法について紹介しておくね。売却は99ページで説明した「保有商品」の確認画面から行えるよ。ポートフォリオの下に、自分が持っている資産の情報が表示されるんだ。

商品ごとの保有口数や平均取得価額などもわかるんですね。

平均取得価額が基準価額よりも低ければ、80ページで紹介した「分散」「積立」の効果が出ている証拠だね。保有商品一覧の売却ボタンを選択すると、売却口数を選ぶ画面に移動するよ。

「全部売却」「金額指定」「口数指定」から選べるんですね。

売りたい量が決まったら画面下部の確認ボタンを押して、注文確認画面へ。ここでは**取引暗証番号の入力が必要になるよ。**

取引暗証番号っていつ設定しましたっけ?

総合取引口座を開設したときに設定した4桁の番号だよ。忘れても再設定可能だけど、できればちゃんと管理しておこうね。

「平均取得価額」とは……一般的に手数料や消費税を含めた購入費用の総額を、総保有口数で割った金額を指す。投資信託を解約する際の税計算の基準となる。

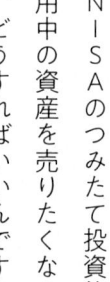

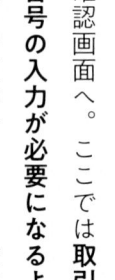

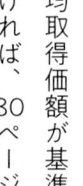

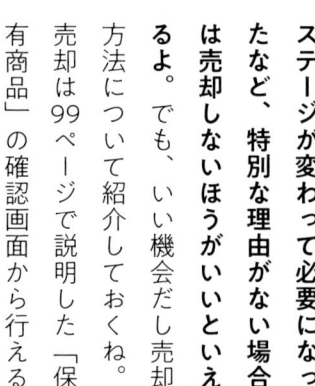

やること 01 保有商品一覧から売却する商品を選ぶ

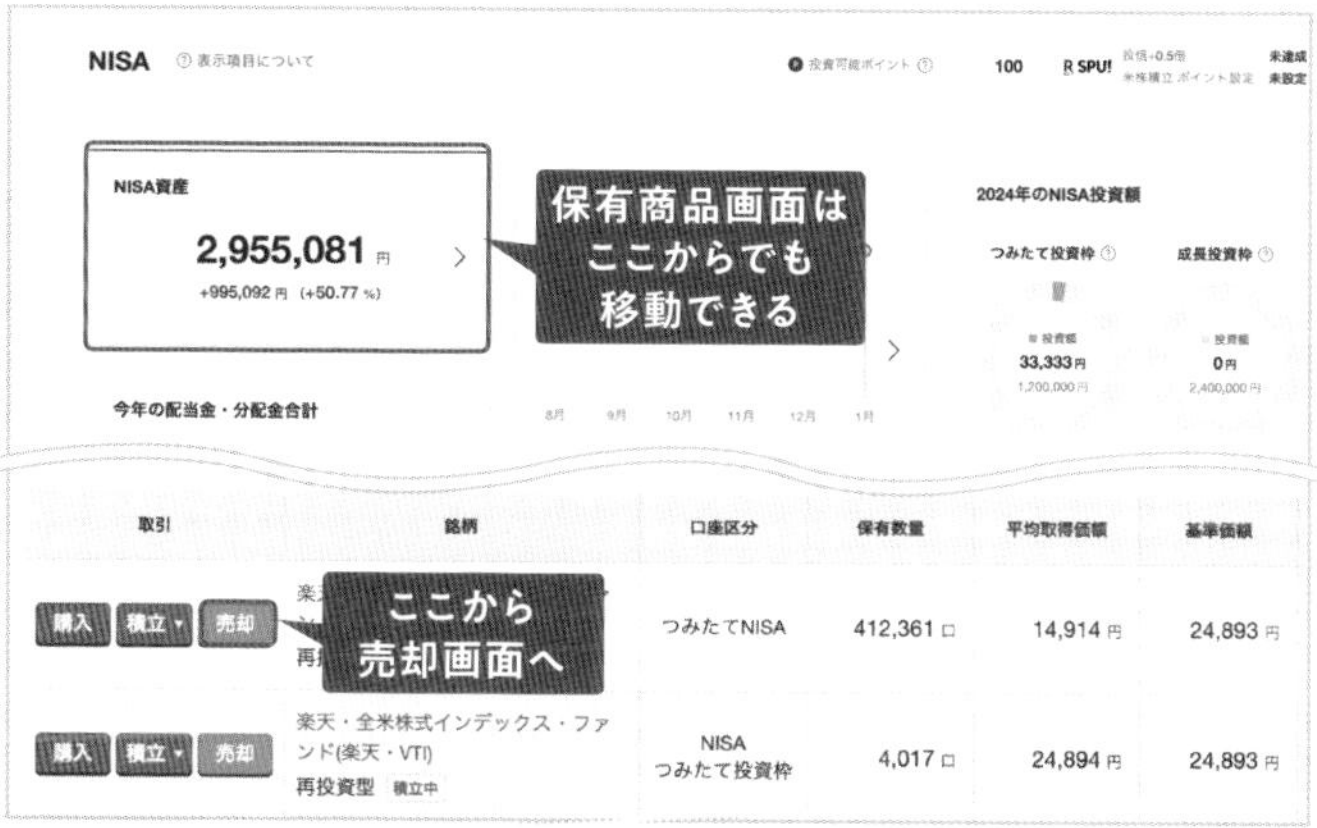

売却も
99ページと
同じ画面から

NISAのトップ画面からNISA資産を選択。保有しているファンドや分配金コース、それぞれの評価損益などの情報を確認できます。売りたい商品が決まったら「売却」をクリック。

やること 02 売却する数を決める

入力画面

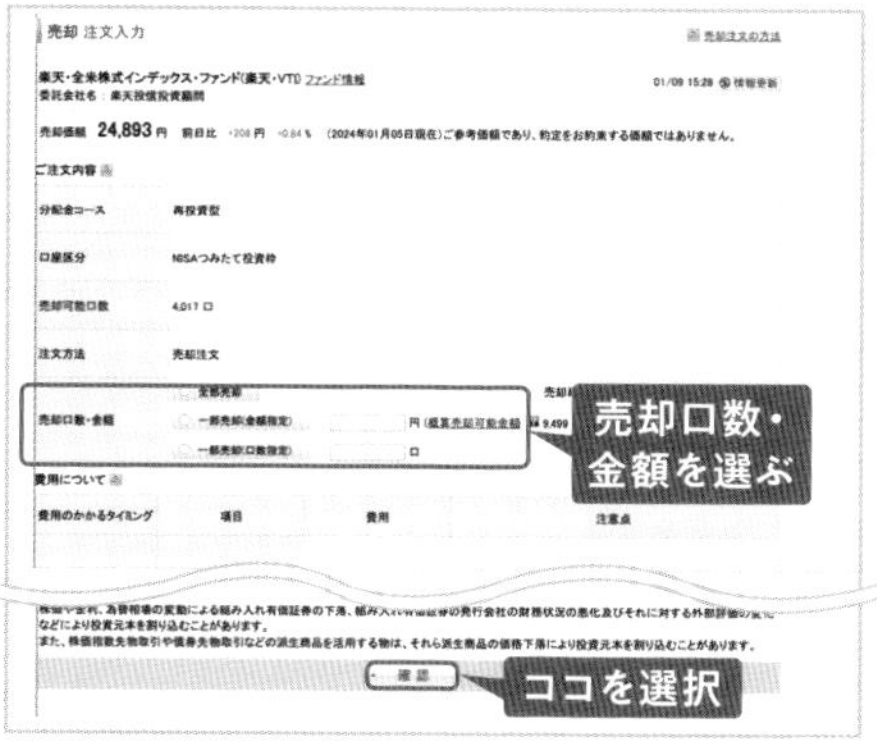

注文確認画面

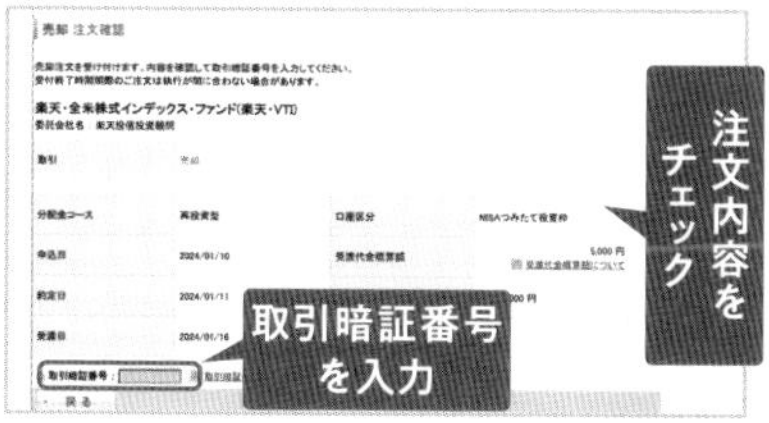

売却口数・金額を選んだら取引暗証番号を入力して売却は終了。基本的に売買取引は注文日の翌営業日に行われます。また、売買代金をやりとりする受渡日もこのとき確認できます。

「評価損益」とは……保有資産の購入時と現在の価格の差額。含み損益とも呼ぶ。例えば、購入時に比べて価格が上がっている場合は「評価益がある」と表現する。

新NISA編

STEP 5-3
メンテナンスをしよう

積立金額の変更はどうすればいい？

家計に余裕が出てきたり、日々の出費が増えたりして、毎月の積立金額を変更したくなるかもしれません。ここではつみたて投資枠の積立金額を変える方法を解説します。

先生！収入が増えて暮らしに余裕が出てきたら、NISAの積立金額をもっと増やそうと思うんです！

それはいいことだね！じゃあさっそくやり方を見ていこう。楽天証券の総合口座にログインしたらつみたて投資枠の「毎月の積立設定額」から「投資信託」を選択しよう。

設定中の積立方法が一覧で表示されました！

この画面では毎月の積立設定額のほか、支払い方法や商品ごとの積立金額、分配金コースがチェックできるよ。**ここから積立金額を変更したい商品を選ぶんだ。**積立金額の変更画面に移ったら、次は変更したい金額を入力するよ。最後に注文内容をチェックして、取引暗証番号を入力したら完了だ。

これで次回から積立金額を増やせるわけですね！

ちなみに、もし1年（1～12月）の途中からつみたて投資枠で投資をはじめた場合、**年間120万円の投資枠を使い切れない可能性があるよ。**

もったいない気もしますね。

NISAは税制優遇があるから、年間の枠を使い切るのが理想だけど、制度自体はずっと続くから、長い目で見ればそう焦る必要はないと思う。まずはコツコツ資産を増やしていこう。

（「税制優遇」とは……投資で得た利益には通常20.315%の税金が課せられるが、それが免除される制度のこと。NISAやiDeCoのほか、企業型DCなどが該当する。）

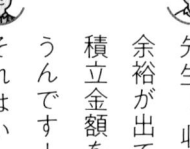

やること01 積立設定から商品を選択

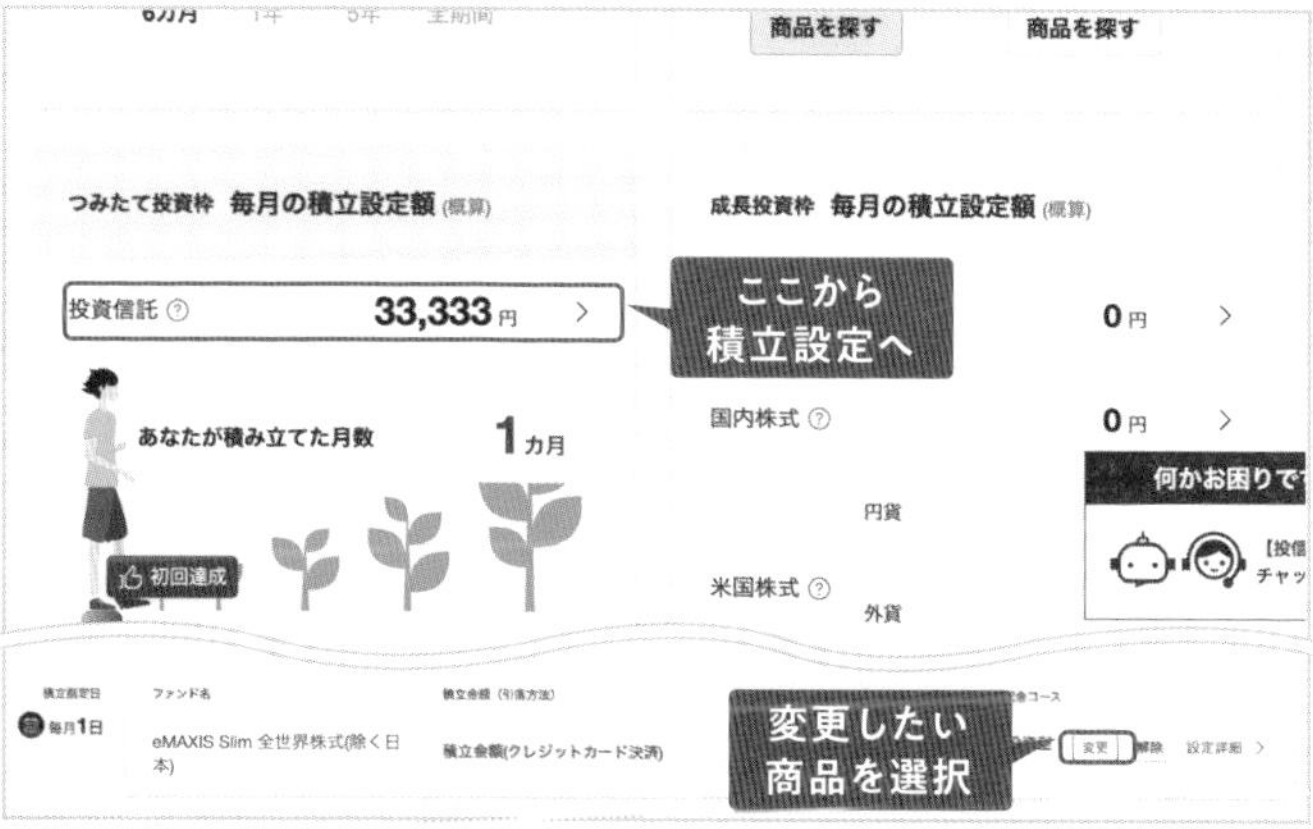

つみたて投資枠の積立金額を変えたい場合、「毎月の積立設定額」から「投資信託」を選択します。保有しているファンドが表示されるので、「変更」をクリックします。

やること02 掛金を変更する

入力画面

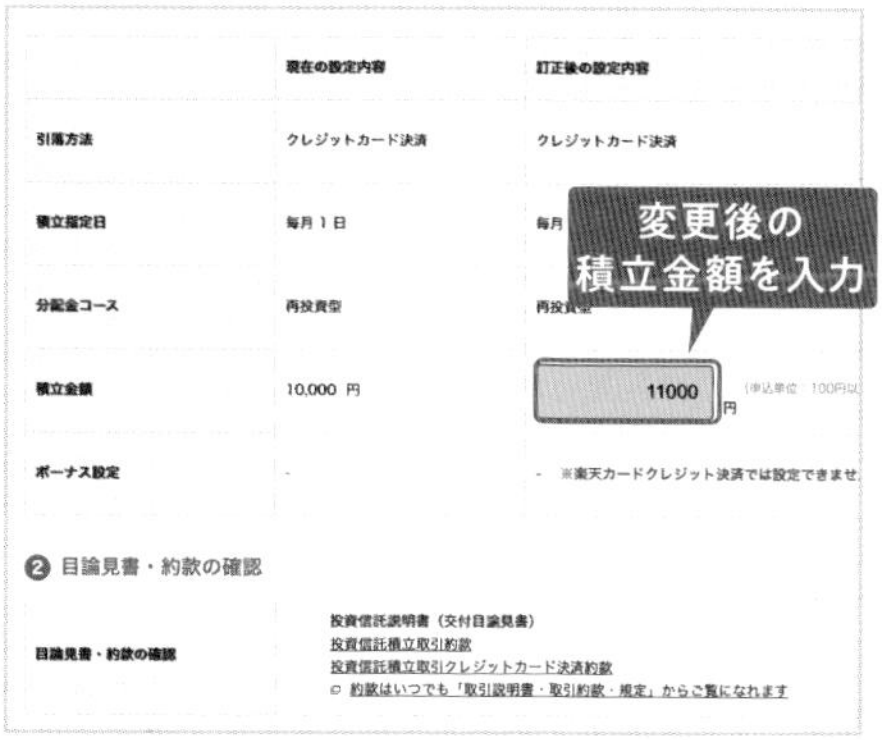

変更確認画面

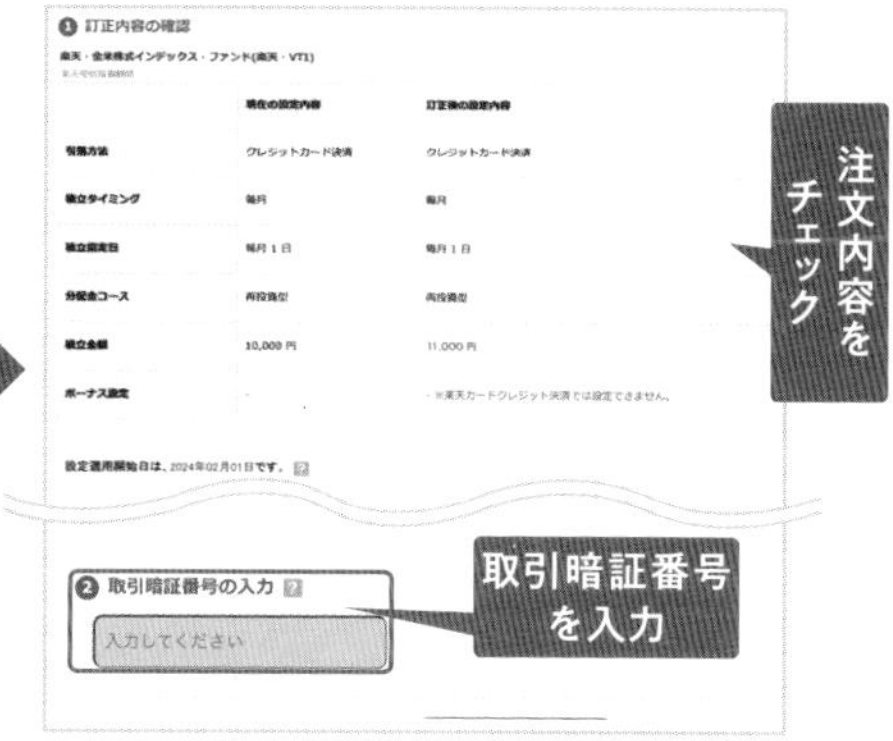

入力画面が表示されたら、積立金額に入力されている金額を変更しましょう。積立金額の変更は100円以上、1円単位で行えます。増額する場合は家計に無理のない範囲で。

「設定適用開始日」とは……NISAの積立設定変更には毎月の申込み締め切り日が設定されている。期日を過ぎた場合、変更後の設定が適用されるのは翌々月からとなる。

iDeCoの運用実績はココを見る！

原則60歳まで引き出せないiDeCoも、定期的に自分の積立累計額や資産の推移を確認するようにしましょう。ここでは楽天証券でiDeCoの実績を見る方法を紹介します。

iDeCoもちゃんと運用できているのか、確認しておきたいです。

それじゃあ、ここからはiDeCoの運用実績の見方を紹介するよ。楽天証券にログインして、画面上部の「確定拠出年金iDeCo」を選択してね。

数字がたくさん出てきました！　投資累計額に時価評価額。**今までの利益や利回りもこの画面でわかるんですね。**

定期預金や投資信託、コモディティやターゲットイヤー型といった資産タイプごとの保有割合や毎月の掛金配分もチェックできるよ。

資産がどのように増えてきたかの推移はどこで見るんですか？

「資産の推移」を選択すると表示されるよ。この画面では評価額の合計だけでなく、**どの資産タイプがどのように増減しているかも、グラフで確認することができるんだ。**表示期間を変更すればもっと前の日付までさかのぼることもできるよ。

成績の悪い商品を見つけて買い替えることもできますね。

そういう使い方もできなくはないけれど、安易な買い替えはオススメしないよ。今下がっている商品も、将来的には上がるかもしれない。投資の基本は長期運用だから、**下がっていてもじっと我慢しようね。**

（「コモディティ投資」とは……金や原油など商品先物取引所に上場している商品（コモディティ）への投資。分散投資の効果が期待できるが、価格変動が比較的読みにくい。）

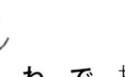

やること 01 トップ画面では次の7つをチェック

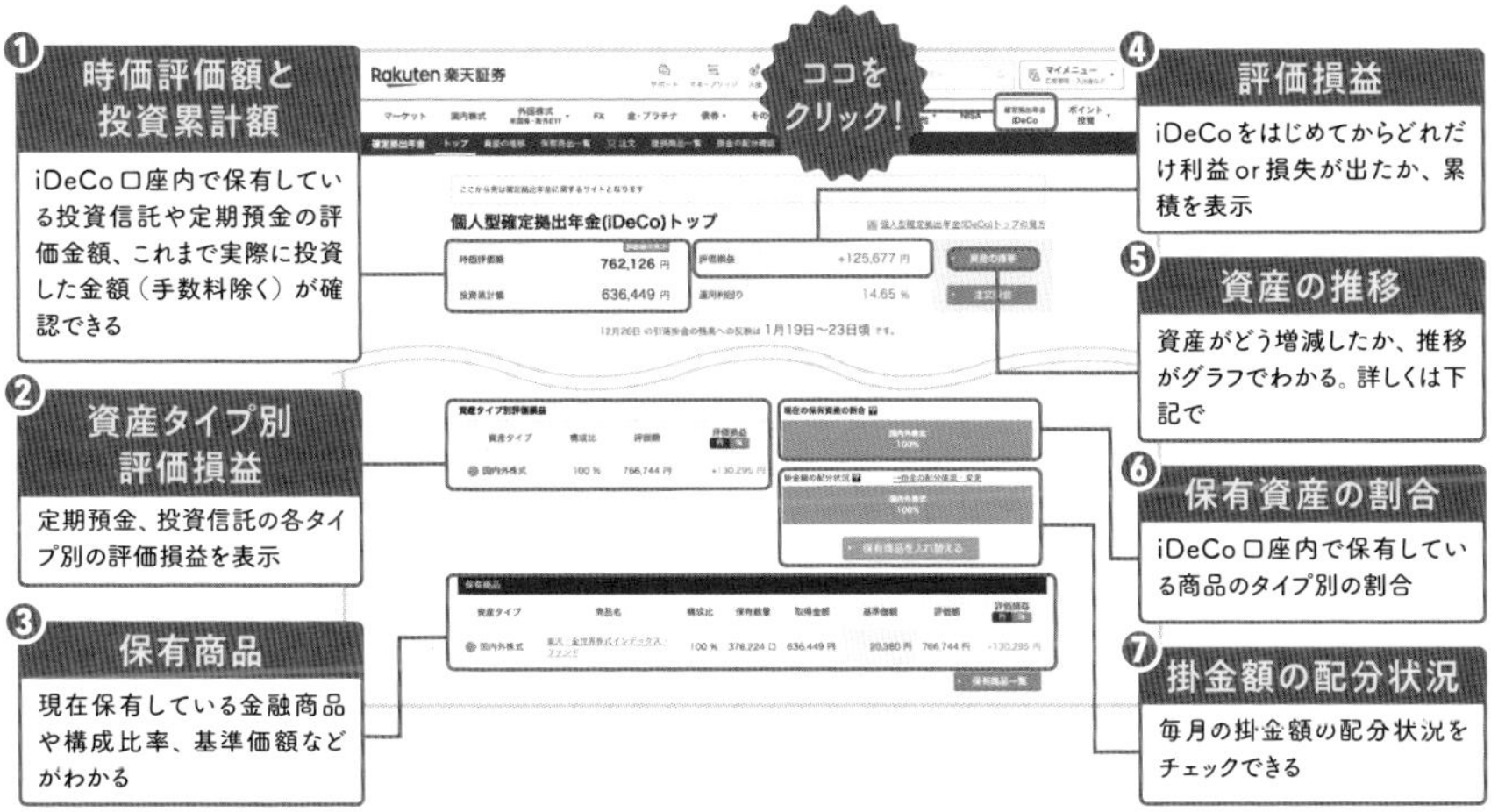
ココをクリック！
❶ 時価評価額と投資累計額
iDeCo口座内で保有している投資信託や定期預金の評価金額、これまで実際に投資した金額（手数料除く）が確認できる
❷ 資産タイプ別評価損益
定期預金、投資信託の各タイプ別の評価損益を表示
❸ 保有商品
現在保有している金融商品や構成比率、基準価額などがわかる
❹ 評価損益
iDeCoをはじめてからどれだけ利益or損失が出たか、累積を表示
❺ 資産の推移
資産がどう増減したか、推移がグラフでわかる。詳しくは下記で
❻ 保有資産の割合
iDeCo口座内で保有している商品のタイプ別の割合
❼ 掛金額の配分状況
毎月の掛金額の配分状況をチェックできる
Rakuten 楽天証券
個人型確定拠出年金(iDeCo)トップ
時価評価額 762,126 円
投資累計額 636,449 円
評価損益 +125,677 円
運用利回り 14.65 %

確定拠出年金 iDeCoのトップ画面では時価評価額や運用利回りなどが表示されます。メンテナンスの際は上記の7項目を確認するようにしましょう。

やること 02 投資累計額の推移を確認する

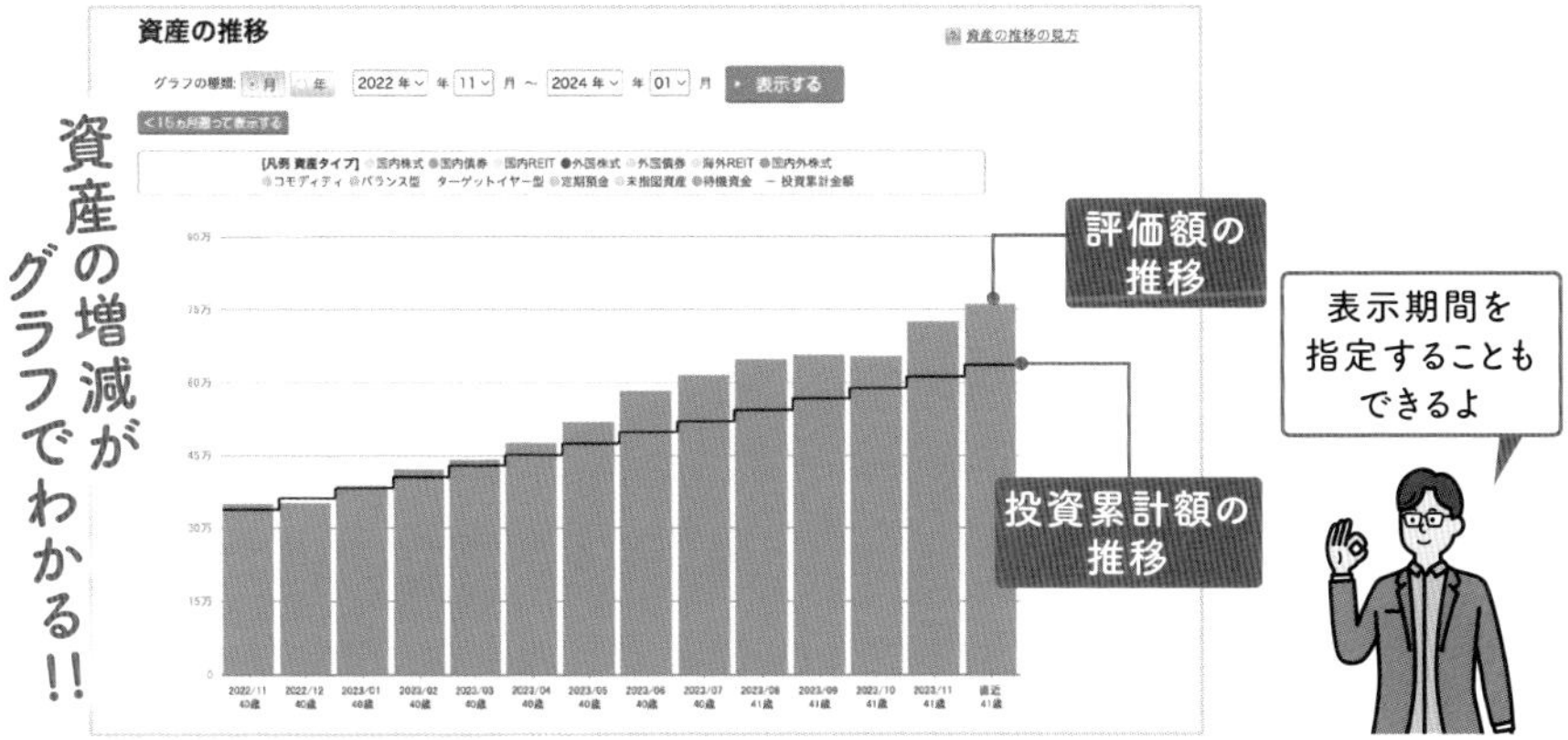
資産の推移
資産の推移の見方
グラフの種類: 月 年 2022年 11月 ～ 2024年 01月 表示する
＜15ヵ月遡って表示する
資産の増減がグラフでわかる!!
評価額の推移
投資累計額の推移
表示期間を指定することもできるよ

「資産の推移」画面では資産タイプごとの投資累計額や評価額の推移が表示されます。表示単位を1年と1カ月で切り替えられるので、どの期間の増減が大きいかも確認できます。

「ターゲットイヤー型」とは……あらかじめ目標とする年を決め、最初は積極的な運用を行い、設定した年が近づくにつれて安定運用へ切り替えていく投資信託の種類。

iDeCo編

掛金を変えたいときはどうすればいい？

iDeCoの掛金を増やすためには、iDeCo口座のある金融機関に書類を提出する必要があります。申請には時間がかかるので、ミスがないようここで予習しておきましょう。

iDeCoの掛金を変える場合はどうすればいいですか？

iDeCoの掛金変更は新NISAのつみたて投資枠と違って少し手間がかかるんだ。まずは、楽天証券から**「加入者掛金額変更届」**を取得する必要があるよ。

Webサイトから書類をダウンロードできるんですね！

次は書類に必要事項を書いていくよ。氏名や生年月日、基礎年金番号、住所などの個人情報を記入。また、忘れやすいのが掛金額区分の選択。毎月定額で積み立てる場合は「0」を選ぼう。企業年金制度の加入状況も忘れずに申告しようね。

とくに加入していない場合は一番上にチェックですね。

最後に変更後の掛金額を記入しておしまいだよ。あとはこれを金融機関に郵送するだけなんだけど、**反映されるまでだいたい1カ月半から2カ月半かかるから、注意してね。**

そんなにかかるんですね。掛金の配分を変える場合はどうすればいいんですか？

iDeCoのトップ画面から、「掛金の配分確認」→「掛金の配分状況を変更する」と選択。すると、現在の配分割合が表示されるから、合計が100になるように比率を調整していくんだ。別の商品を購入したくなった場合などに活用してね。

（「掛金額区分」とは……iDeCoの掛金は毎月の定額納付以外に、特定月にまとめて納付したり、掛金を増減額したりできる。ただし、事前に国民年金基金連合会への指定が必要。）

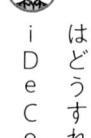

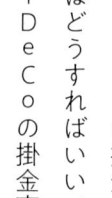

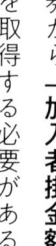

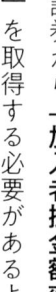

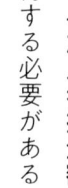

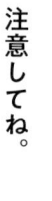

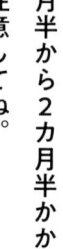

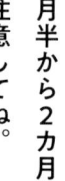

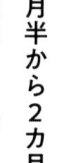

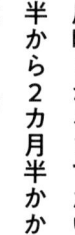

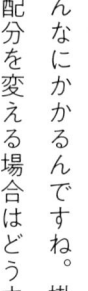

やること 01 毎月の掛金の変更届を提出

企業年金制度など
加入していない場合は一番上にチェックをつける

掛金額区分を選ぶ
掛金の納付方法は毎月定額を選択

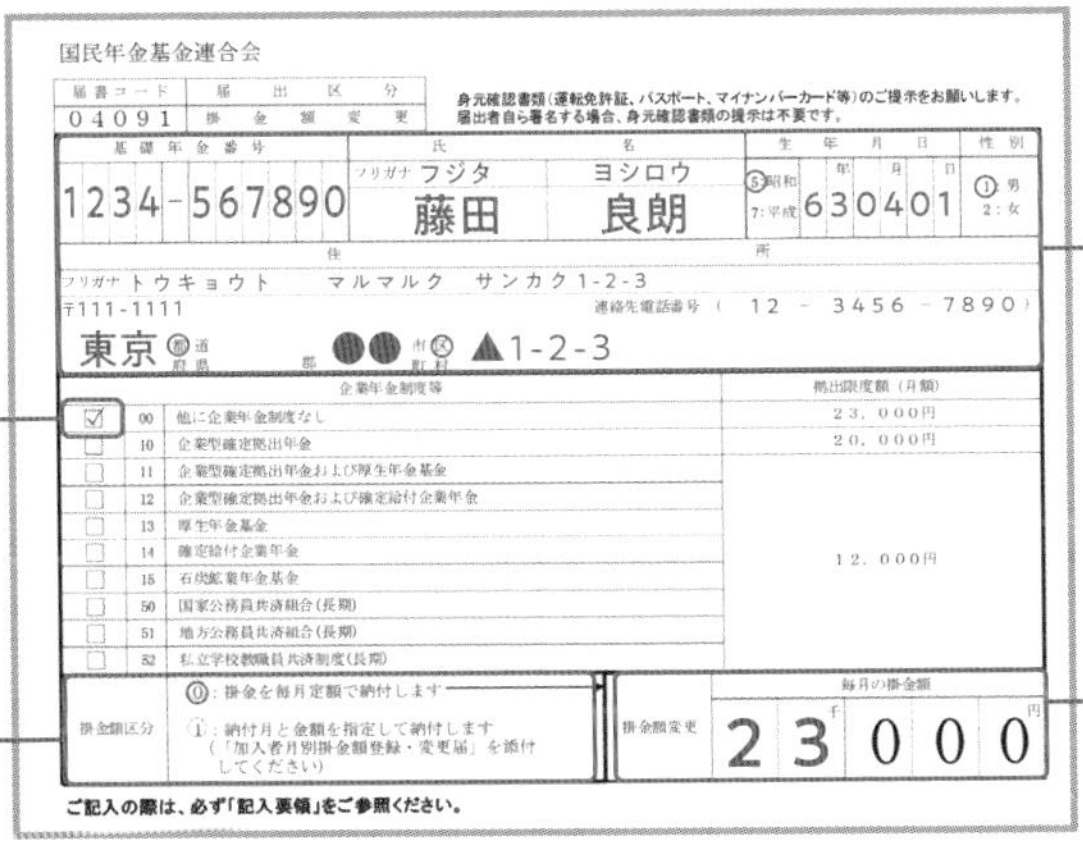

個人情報の記入
基礎年金番号や氏名、生年月日、住所などを記入する

変更後の掛金を記入
毎月の掛金額を記入する。掛金額の単位は1000円

iDeCoの掛金額変更届の記入箇所は大きく4つに分かれます。また、上記は第2号被保険者用の書類。第1、3号被保険者はそれぞれ別の専用書類に記入する必要があります。

やること 02 毎月の掛金の配分を調整する

❶ iDeCoのトップ画面から「掛金の配分確認」を選択

❷「掛金の配分状況を変更する」を選択

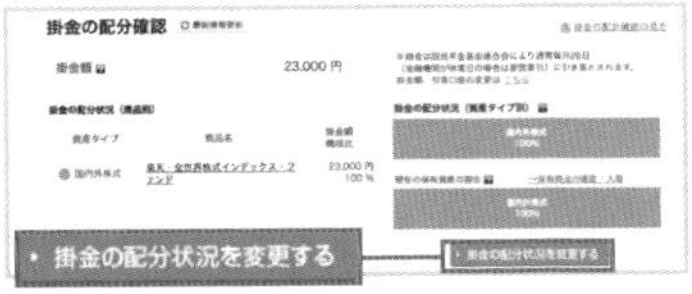

❸ 配分割合を変更する

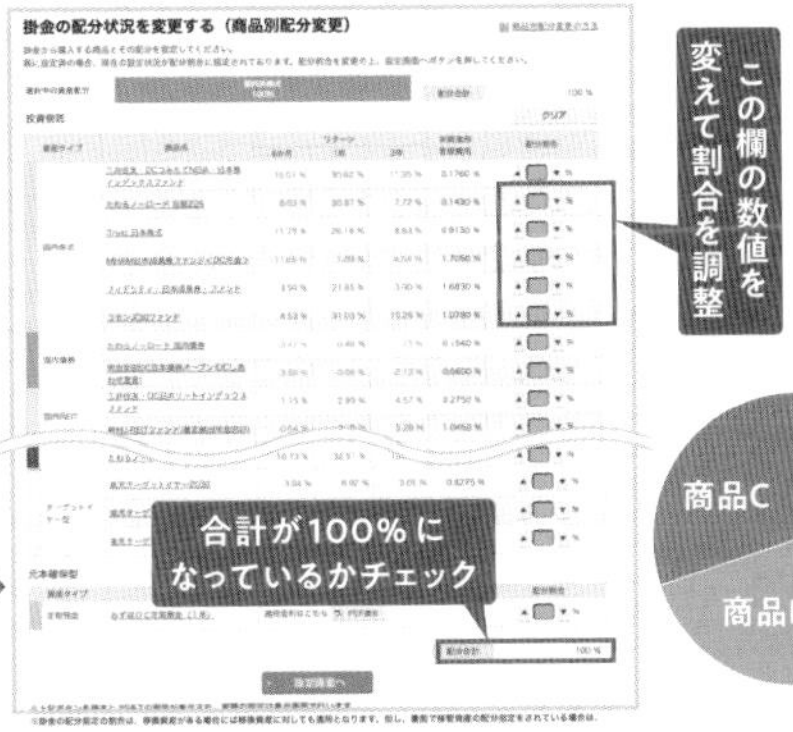

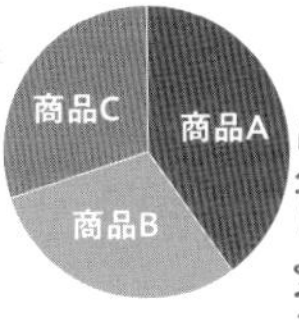

リスク許容度に応じて配分しよう

楽天証券での掛金配分の指定は毎月26日（土日祝日の場合は翌営業日）の引き落とし日から9営業日目の17時30分まで。これまでに配分変更を行うと、次の取引に反映されます。

（「リスク許容度」とは……運用成績について、どれくらいのマイナスまで許容できるかの度合い。例えば年齢を基準にすると、一般的に若い世代ほどリスク許容度が大きいとされる。）

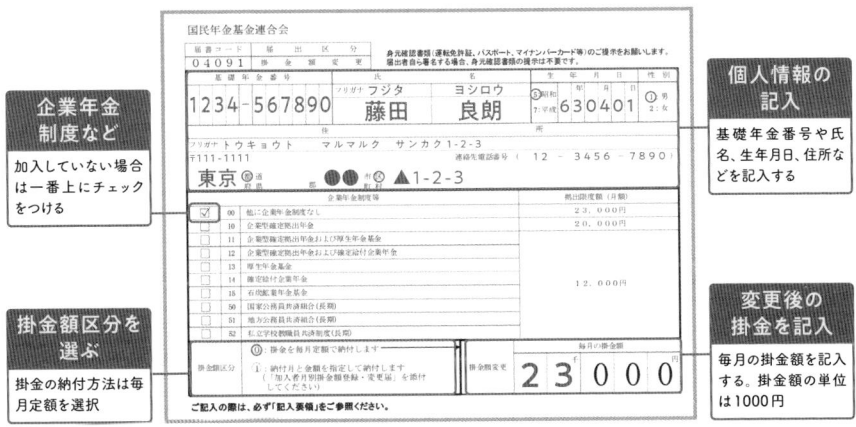

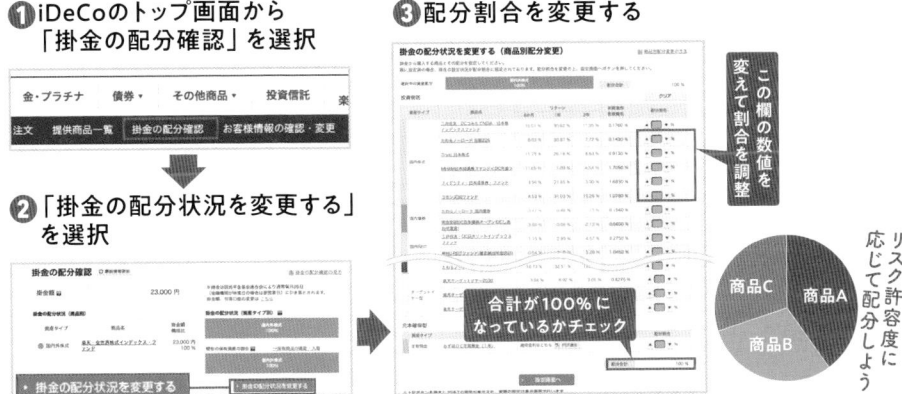

＼ 気になるトコロを1分で解決 ／

サクッとわかるQ&A

～メンテナンス編～

Q 確定申告は必要？

A 基本はしなくていいが、例外もアリ

◎課税口座の場合

源泉徴収ありの特定口座なら申告不要

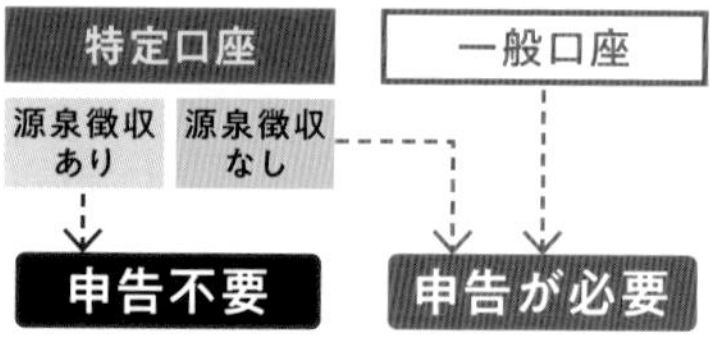

NISAは確定申告が必要ない。課税口座で投資をする場合も源泉徴収ありの特別口座か、それ以外でも利益が20万円以下なら申告は不要。

◎iDeCoの場合

iDeCoの申告は年末調整か確定申告で行う。会社員や公務員は基本的に年末調整で申告するが「小規模企業共済等掛金払込証明書」の提出が間に合わない場合は確定申告が必要。

Q 配分変更の資産はどうやって決めればいいい？

A リスク許容度に応じて配分する

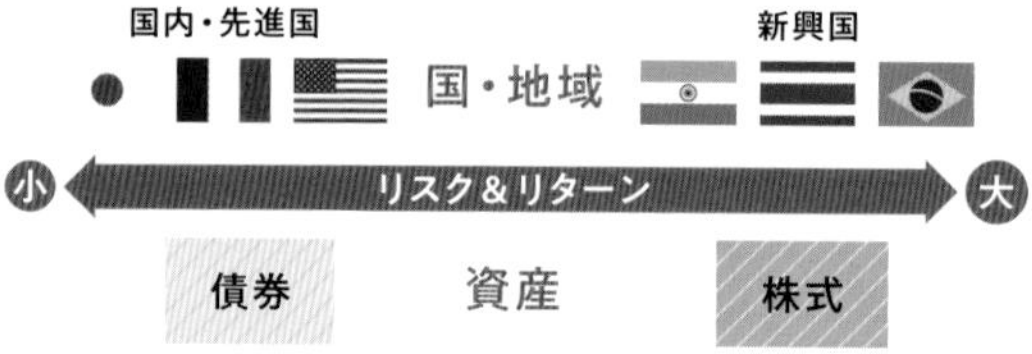

一般的に国内よりも新興国、債券よりも株式のほうがリスク&リターンが高いとされている。複数の資産を組み合わせることで、リスクの調整ができる。自分のリスク許容度に応じて、分散させながらバランスよく選ぼう。

Q 価額が大きく変動したら売ったほうがいい？

A 変動に惑わされずにコツコツ積み立て続けるべし

◎積立購入のイメージ

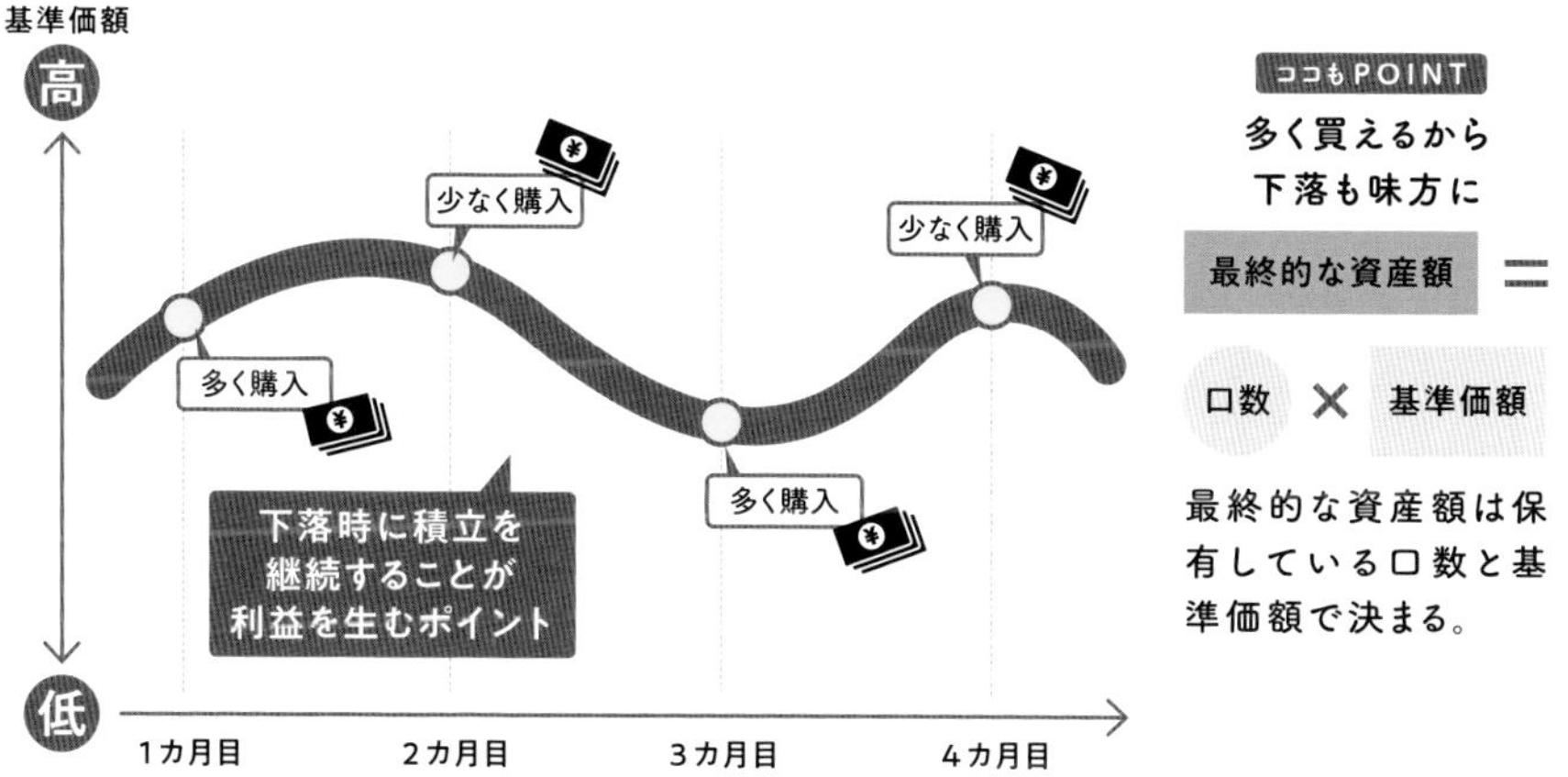

最終的な資産額は保有している口数と基準価額で決まる。

相場が上昇傾向のときは買い増したい気持ちに、下がっているときは売りたい気持ちになるかもしれない。しかし、そんなときこそ定期定額の積立を続けるのが大切だといえる。機械的に積み立てることで、価格が高いときは多く、低いときは少ない口数を購入することになる。その結果、購入コストの平均を低く抑える効果が期待できるのだ。

Q 短期間で売買したらダメ？

A 長期投資のほうが結果が安定する

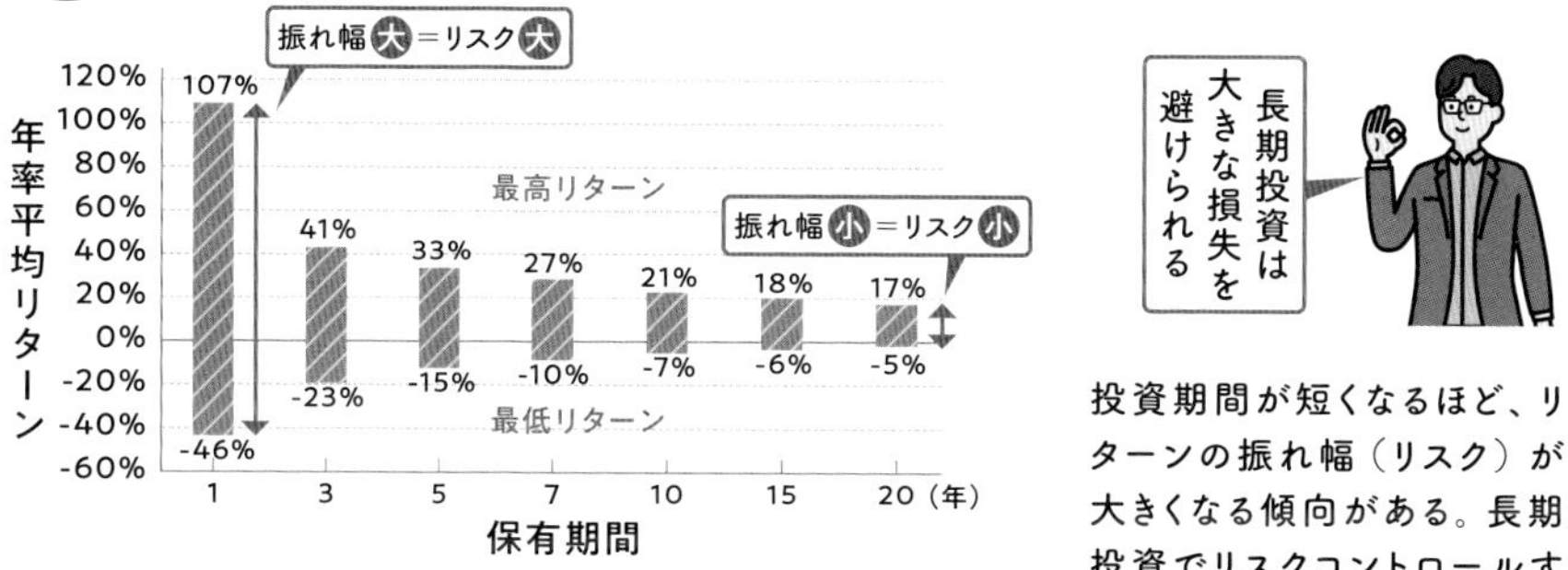

※三井住友銀行HPを参考に作成。1970年1月から2015年6月まで国内株式を保有した場合の保有期間別の年率平均リターンの推移。東証一部上場株式全銘柄の時価総額加重平均を基準に試算

投資期間が短くなるほど、リターンの振れ幅（リスク）が大きくなる傾向がある。長期投資でリスクコントロールすることを心掛けよう。

STEP 5 まとめ

新NISA編

1. つみたて投資枠の運用状況は確認画面でチェック　（P98）

2. 売却は「保有商品一覧」から　（P100）

3. 積立金額変更は「毎月の積立設定額」から　（P102）

iDeCo編

4. iDeCoのトップ画面では7つの項目をチェック　（P104）

5. iDeCoの掛金変更は書類を提出するので時間がかかる　（P106）

STEP

6

ゴールを計画しよう

～じっくり時間をかけるのが負けないコツ～

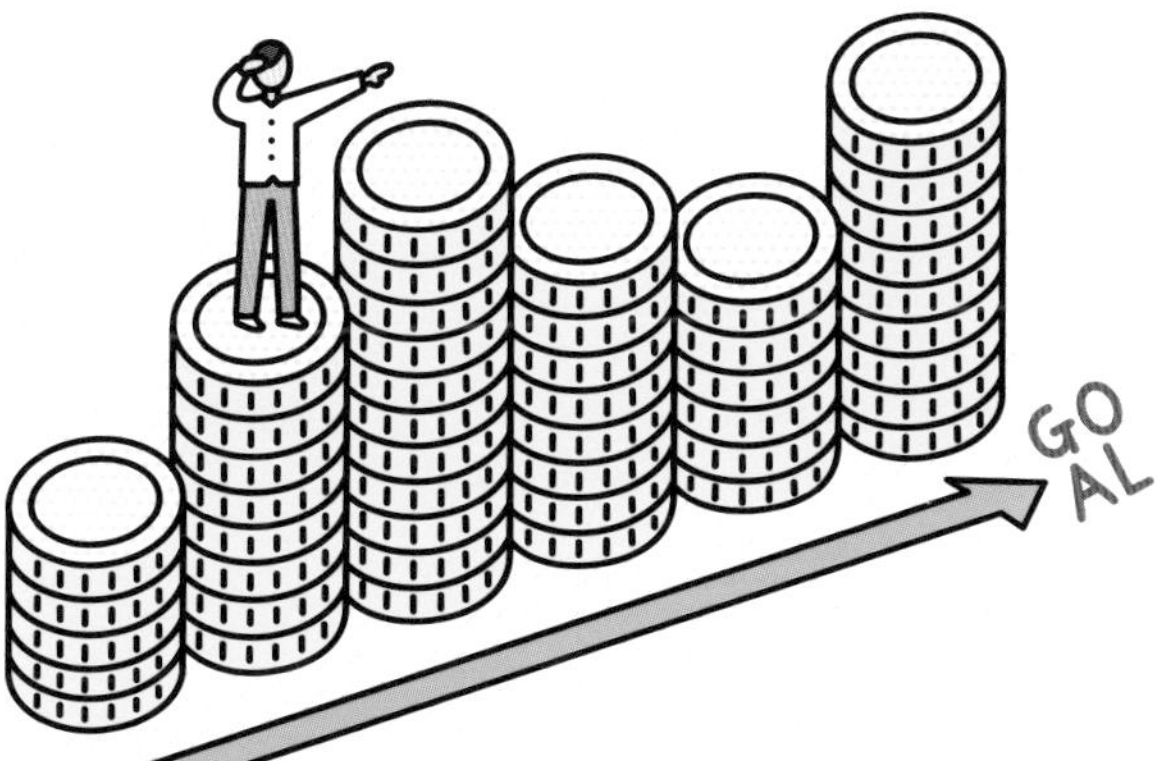

将来どう受け取るか考えておこう

非課税期間に期限のない新NISAと、期限のあるiDeCo。いつまで運用を続け、どのタイミングで引き出すのがいいのか、前もって計画しておきましょう。

ここまでは買い方やメンテナンスなどについて解説してきたけど、ずっと運用を続けるわけではないよ。いつかは投資信託を売却することになるんだ。

現金化するということですか？

そうだね。だって、**投資は将来使うためにするものだからね。**そこで知っておきたいのが、受取方のルールだよ。新NISAはいつでも自由に引き出せて非課税期間にも期限がない。iDeCoは65歳で積立期間が終了し、75歳まで受取開始を延長できるよね。

iDeCoは原則60歳まで引き出せないんですよね。

そう。だから売却計画もそれぞれに考えておく必要があるよ。例えば新NISAはライフイベントに応じて、必要な分を都度に引き出す。iDeCoは老後の資金が必要になるギリギリまで運用を続けたいね。

いつ、どれくらい引き出すかを考えておかないとですね。ちなみに、iDeCoを売却する場合の注意点はありますか？

iDeCoを一時金として一括で給付金を受け取る場合はすべて売却するけど、**年金形式で受け取る場合は、給付金をすべて受け取り終わるまで運用を続けることができるよ。**ただ、給付金は運用で増減するので、その点は注意しようね。

「現金化」とは……運用中の資産を現金化して引き出すには、売却して利益を確定し、銀行口座へ資金を移す必要がある。売却してから振り込みまでは時間がかかることもある。

やること 制度の「区切り」のあとを考えておく

［新NISA］

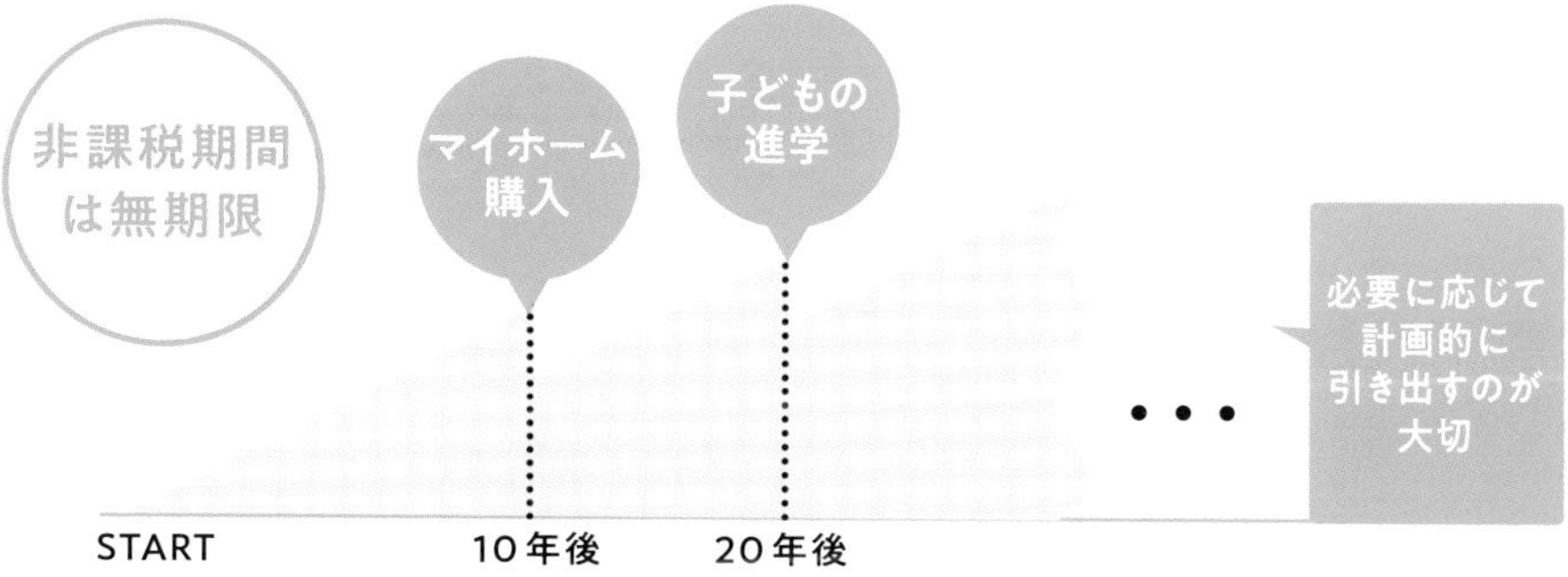

新NISAは非課税期間の期限がなく、引き出しタイミングも自由に選べます。ライフイベントなど必要に応じて計画的に引き出し、家計に余裕があれば再び投資することもできます。

［iDeCo］

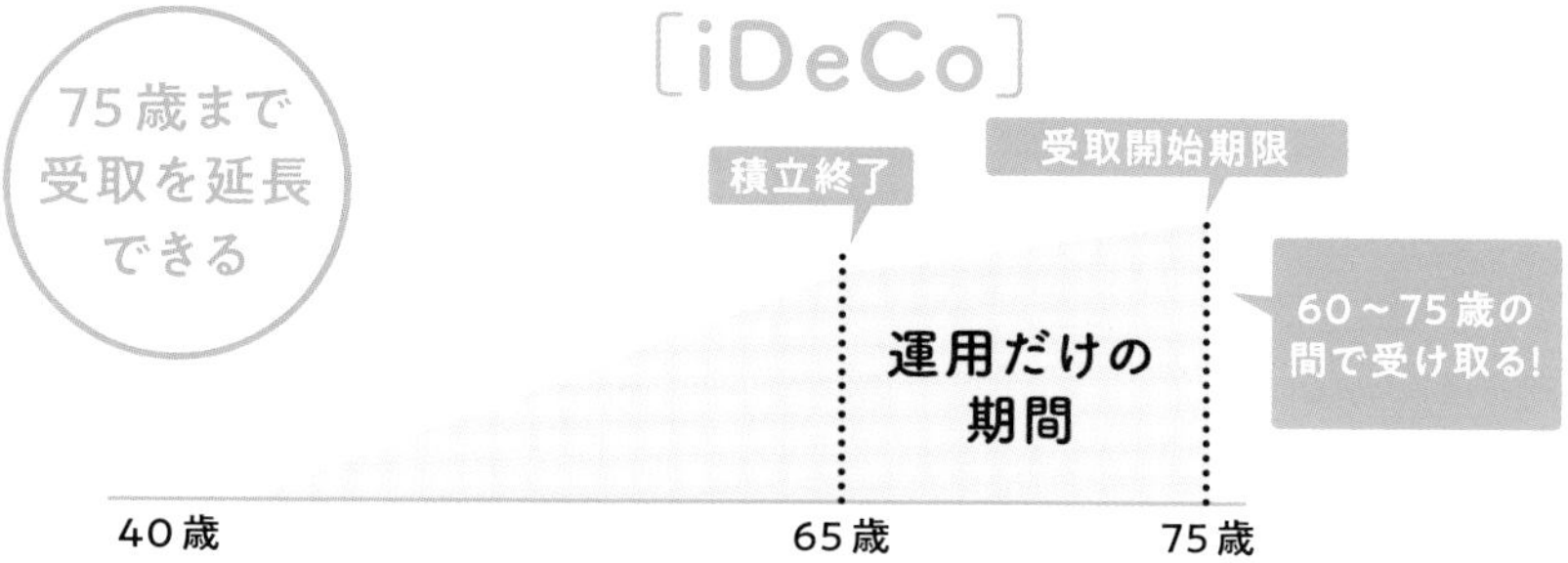

iDeCoで投資できる期間は65歳まで。以降は受け取るか、75歳まで運用のみを続けるか選択できます。給付金は一時金や年金、またはその両方で受け取ることができます。

ココもPOINT

iDeCoは受取方が異なる

iDeCoの給付金を受け取る方法は右の3タイプ。退職所得控除が適用され、節税効果の高い一時金からまずは検討しよう。

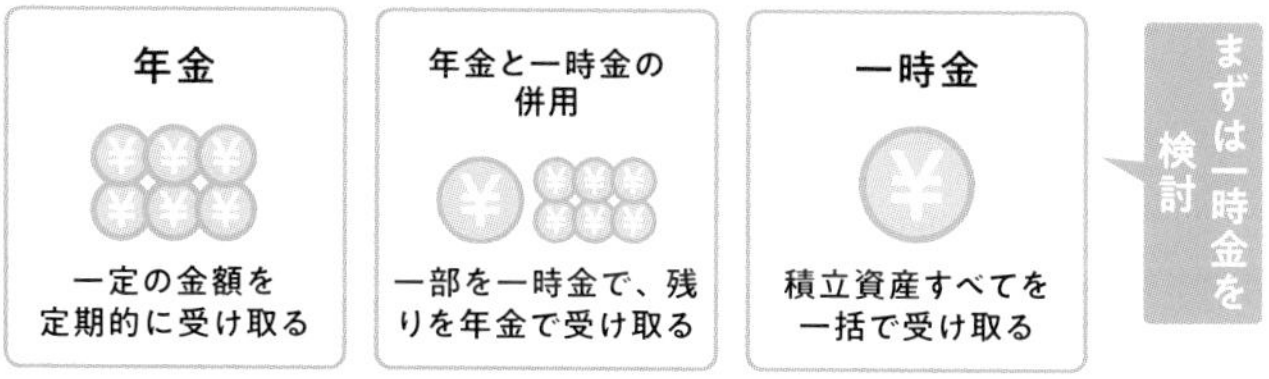

「給付金」とは……iDeCoの給付金には「老齢給付金」「障害給付金」「死亡一時金」の3種類がある。一般的にiDeCoの給付金とは、老齢給付金を指す。

老後もできれば運用を続けよう

老後のためにコツコツ資産運用を続けてきた場合、いざ老後を迎えたらどうすればいいのでしょうか？運用を続ける選択肢について解説します。

NISAやiDeCoで長期間投資を続けたら、老後をすでに迎えていたり、もうすぐ迎えたりする人も多いですよね。そこからさらに運用する意味はあるんですか？

今は人生100年時代といわれるくらい、長寿化が進んでいるよね。**つまり、老後は想像以上に長いんだ。その長い老後を豊かに暮らすには、健康寿命だけでなく、資産寿命も考えなくてはいけない。**

資産寿命……。でも、下手に運用するのもやっぱり怖いですよね。働いて収入を得ることが限られている老後は、現役時代より資産が減ることについて心理的なダメージも大きそう。

確かにね。でも、老後に運用するといっても、**別に新規で積み立て続けるという選択肢だけではないよ。**

あ、そうか。それまでに積み立てた金額を引き続き運用するだけで、現役時代のように毎月追加投資しなくてもいいのか。

そうそう。余裕があれば、現役時代と同じように追加投資したり、あるいは金額を減らしたりして家計や資産計画に合った運用を続ければいい。

運用の選択肢も人それぞれってことですね。

そのとおり。無理のない範囲で続けてみよう。

「健康寿命」とは……WHO（世界保健機関）が新たに提唱した指標。「寝たきり」「認知症」といった介護を要する期間を除いた、健康に過ごすことができる寿命のこと。

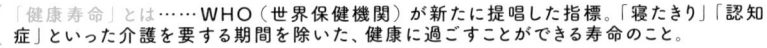

やること 非課税期間終了後の運用も考える

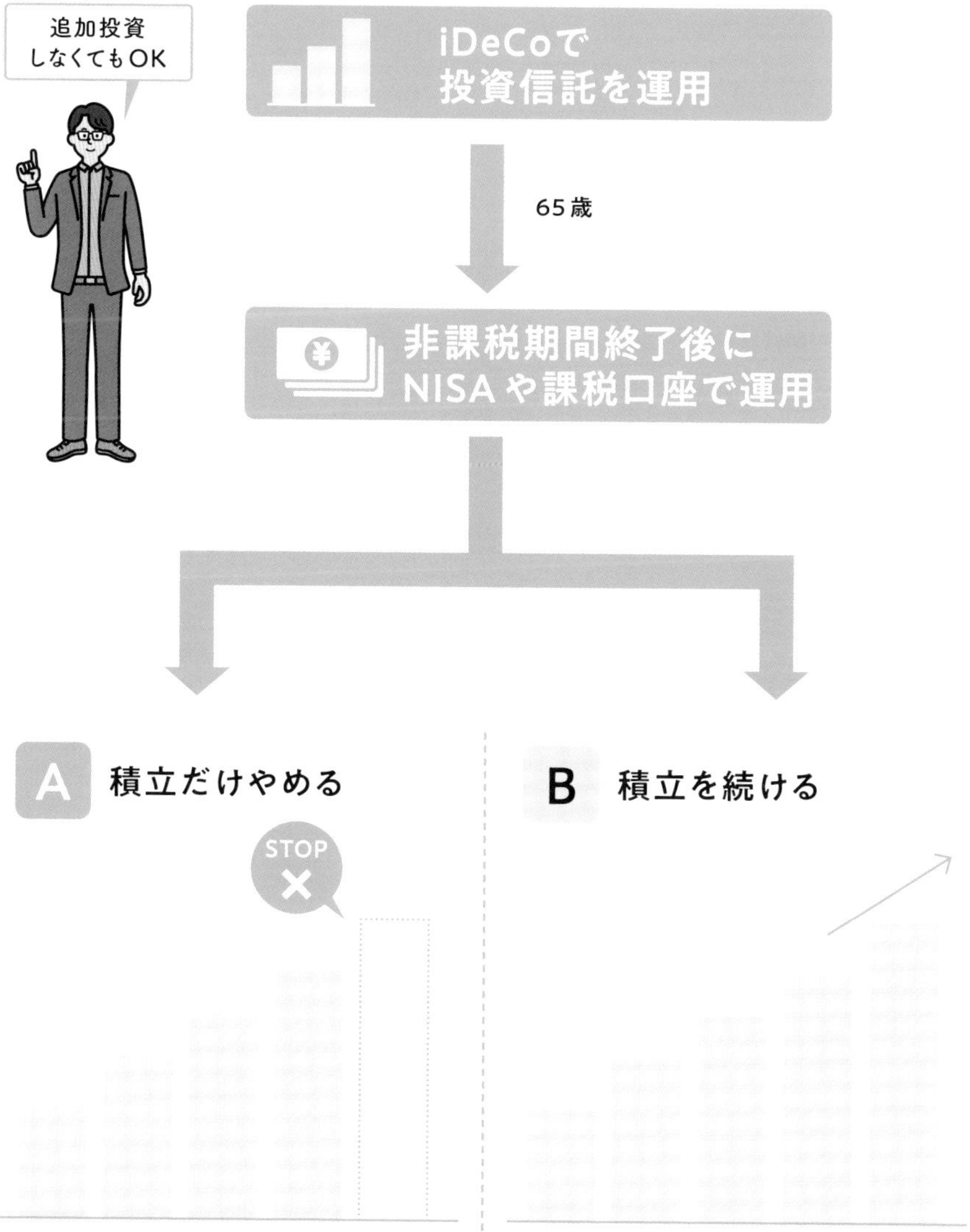

上記はiDeCoを一時金として給付金を受け取った場合の流れです。積立だけストップして、そのまま投資信託を保有し続ける、という選択肢も検討してみましょう。

「資産寿命」とは……保有している資産を老後に取り崩していった場合に何年持つかを示す期間。平均寿命が延びるにつれ、健康寿命とともに関心が高まっている。

保有資産の売却は複数回に分けよう

もし投資信託を売却するとき、相場が下落していたら？　そんな悩みの対策として覚えておきたいのが、保有資産を複数回に分けて売却することです。

ところで、これまでコツコツ積み上げてきた投資信託の資産ですが、いざ売却するときに必ず値上がりしているとは限らないですよね？

うーん、購入するタイミングを分けていれば、投資元本を下回る成績となっていることは考えにくいね。ただ、過去最高の基準価額となっているかというと、それはわからない。

じゃあ、売却するタイミングを日頃から狙っておかないといけないってことですか？

いや、そんなことはしなくていい。**むしろしないほうがいい。**

じゃあ、投資信託はいつ売ればいいんですか？

お金は必要なときのために使うものなので、旅行や結婚、子どもの学費などライフイベントで必要が生じたら売却すればいいと思うよ。あとは、売却するタイミングを複数回に分けることかな。

あ、購入時と同じように？

そう。購入タイミングを分けることで資産は安定しやすいように、売却のタイミングも分けることで売却価格も安定するよ。タイミングを狙わず、**定期的に淡々と定額、または500万円のうち2％とか、資産全体に対する一定の割合（定率）で売却することも考えてみる**といいよ。

淡々と、がコツなんですね！

（「ライフイベント」とは……人生における大きなイベントのことで、「就職」「結婚」「出産」などを指す。ライフイベントには出費がつきもの。事前にしっかりと準備しておきたい。）

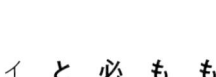

やること 01 買うときも売るときも回数を分ける

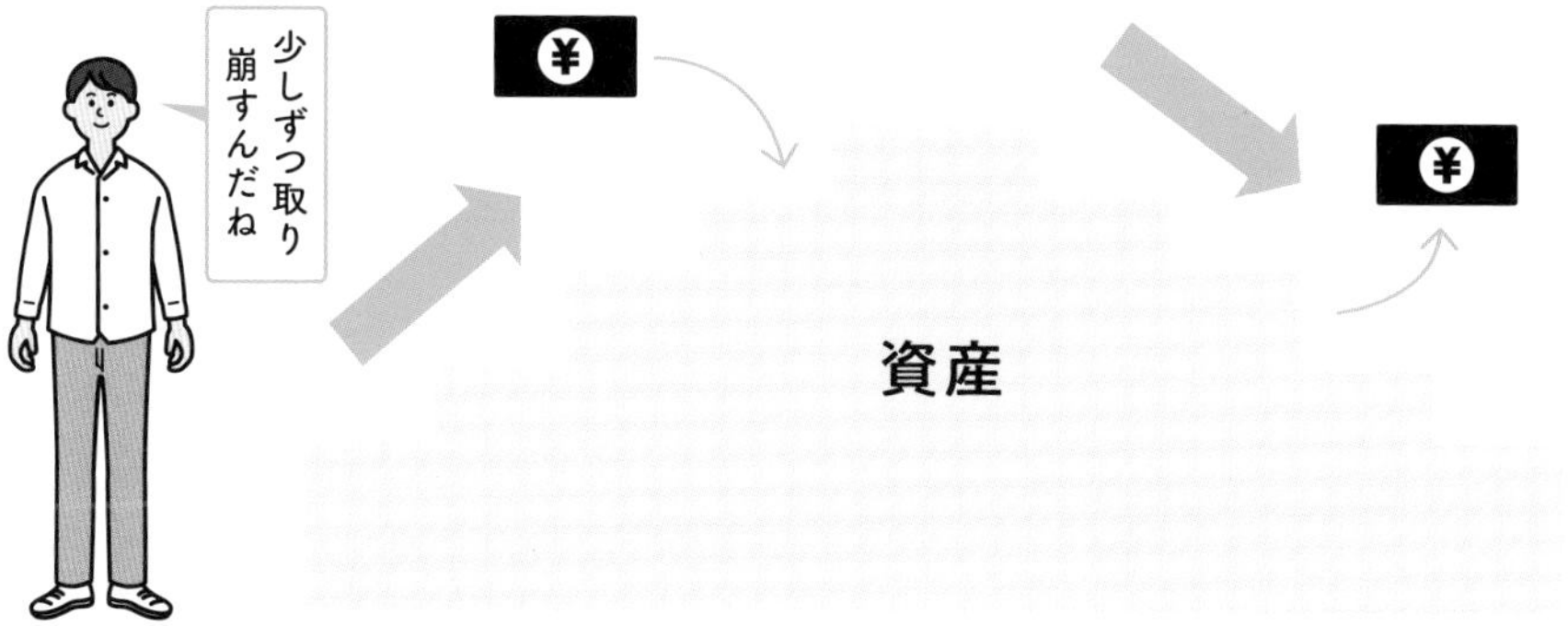

積立投資により少しずつ形成してきた資産は、売却についても階段を降りていくようにゆっくり取り崩していくのが理想。「今が売りどき」とタイミングを狙って売却する必要はありません。

やること 02 複数回に分けるから資産も安定する

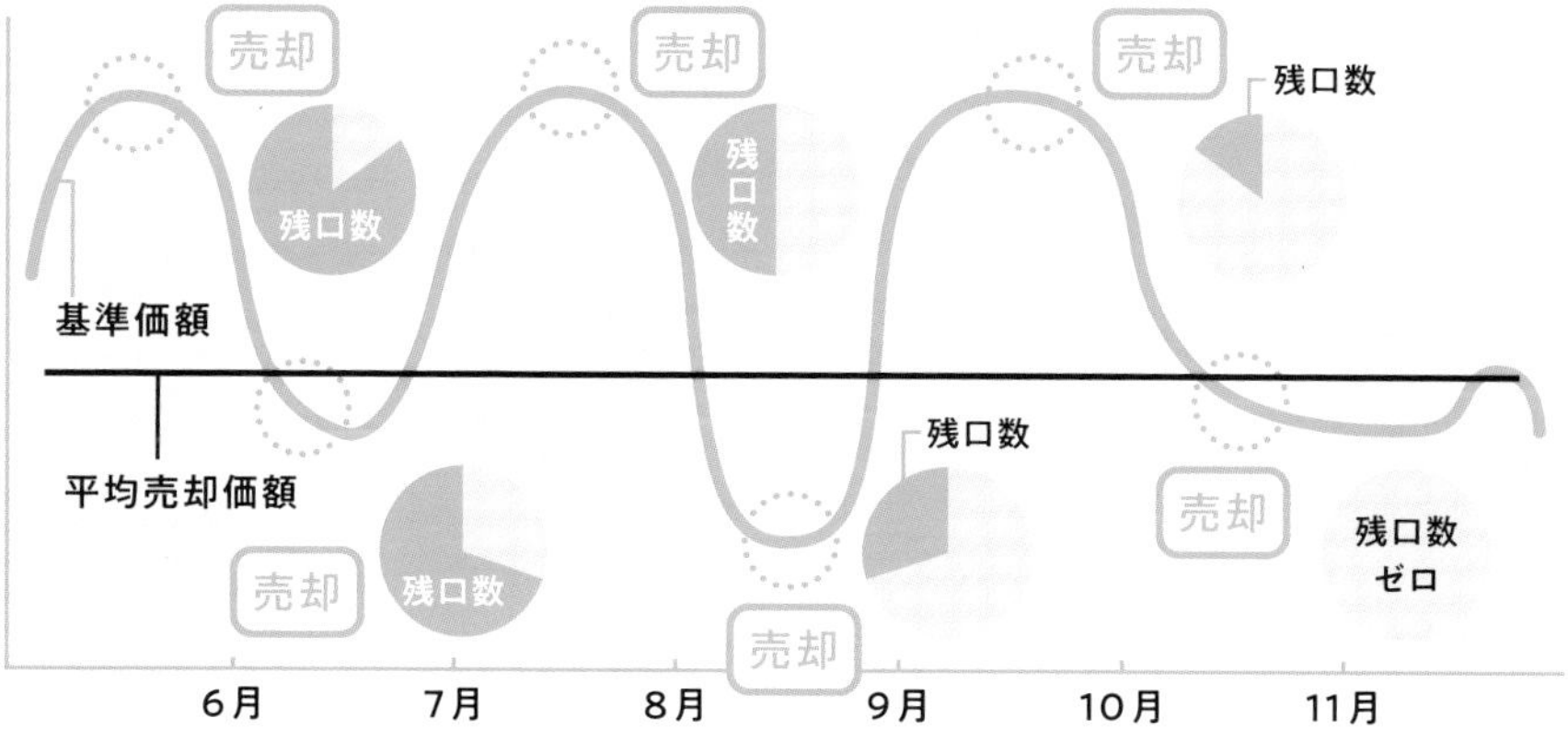

定時定額でタイミングを分けることで安定した投資ができるように、売却するときも複数回に分けることで「安値のときに売って損をした」というデメリットを回避しやすくなります。毎月、2カ月に1回など、資産を少しずつ売却することを覚えておきましょう。

「残口数」とは……資産を売却したあとの残りの口数。資産寿命を安定させるためには計画的な取り崩しが必要。

＼＼ 気になるトコロを1分で解決 //

サクッとわかるQ&A

～ゴール計画編～

Q iDeCoの受給開始はみんな60歳から?

A 加入年齢に応じて開始時期は異なる

通算加入者等期間	受給開始年齢(50歳 / 60歳 / 75歳)
10年以上	60～75歳の間に受取開始
8年以上10年未満	61～75歳の間に受取開始
6年以上8年未満	62～75歳の間に受取開始
4年以上6年未満	63～75歳の間に受取開始
2年以上4年未満	64～75歳の間に受取開始
1カ月以上2年未満	65～75歳の間に受取開始
0カ月(60歳以上)	加入5年後～75歳の間に受取開始

iDeCoの受給開始年齢は60～75歳まで選択できる。ただし、加入年齢によって左のとおり受給開始年齢は異なる。50歳を過ぎてから加入した人は、受給開始年齢によって老後の資金計画に変化が生じるため、注意しよう。

Q 老後、NISAは一気に引き出してOK?

A 運用しながら6%ずつ取り崩す

■ 2000万円を年率3%で運用しながら取り崩した場合

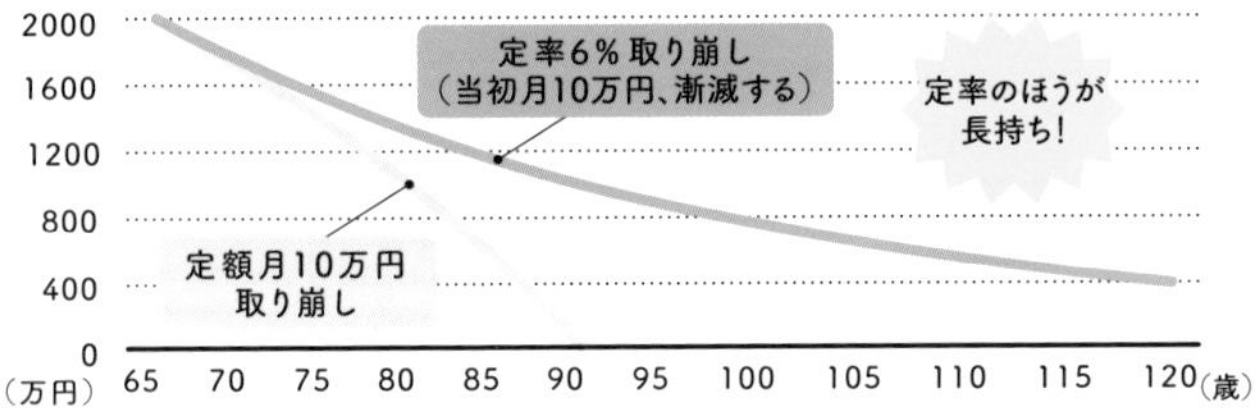

早くに資産が尽きてしまうのを防ぐには、資産の計画的な取り崩しが大切だ。残高を基準に一定割合で取り崩す方法なら、資産を比較的長持ちさせることができる。

Q iDeCoの受取手続きはどうすればいい?

A 運営管理機関に自分で申請が必要

STEP1 受取方法を決める → STEP2 申請用紙を提出 → STEP3 記入して返送 → 給付

受給開始年齢になったら、運用管理機関(楽天証券ならJIS&T社)から書類一式が届くので、書類を提出して給付請求を行う。請求時に年金か一時金か、金融機関によっては年金と一時金の併用かを選択しよう。年金で受け取る場合は、5年以上20年以下の期間から、「年1回」「年6回」など年間支給回数を選択する。この回数などは金融機関によって異なる。

Q iDeCoの受取方で税金に違いはある?

A 退職金が多くないなら一時金がお得

一時金

iDeCo加入年数に応じて金額が大きくなる退職所得控除で税金を抑えられる。会社員でなくても適用対象だ。14年以内に受け取る退職金と合算して、下記の計算式で控除額が決定される。

掛金の支払年数	退職所得控除額
20年以下	40万円×掛金の支払年数 (80万円に満たない場合は80万円とする)
20年超	800万円+70万円×(掛金の支払年数−20年)

例 30年間加入した場合

1500万円まで非課税

年金

老齢給付金を年金として受け取る場合は「雑所得」として課税の対象となる。ただし、他の公的年金等の収入との合算額に応じて公的年金等控除の対象となる。控除額は下記のとおりだ。

年金以外の所得額	年齢	非課税額
1000万円以下	65歳未満	60万円
	65歳以上	110万円
1000万円超2000万円以下	65歳未満	50万円
	65歳以上	100万円
2000万円超	65歳未満	40万円
	65歳以上	90万円

例 所得が1000万円以下の場合(65歳以上)

年間110万円まで非課税

STEP 6 まとめ

1 新NISAとiDeCoはそれぞれ受け取るタイミングを検討する　（P112）

2 iDeCoは一時金と年金、その両方の3タイプの受取方法がある　（P113）

3 新たに追加投資しなくても運用を続ける選択肢もある　（P114）

4 投資信託は買うときも売るときも複数回に分ける　（P116）

5 売却のタイミングを複数回に分けることで売却価格も安定する　（P116）

6 退職金が多くないなら退職所得控除が適用される一時金受取を検討　（P119）

税制優遇を活かすなら
iDeCoは一時金受取
から検討してみよう

応用編

「成長投資枠」を活用しよう

～積立投資もスポット投資もできる～

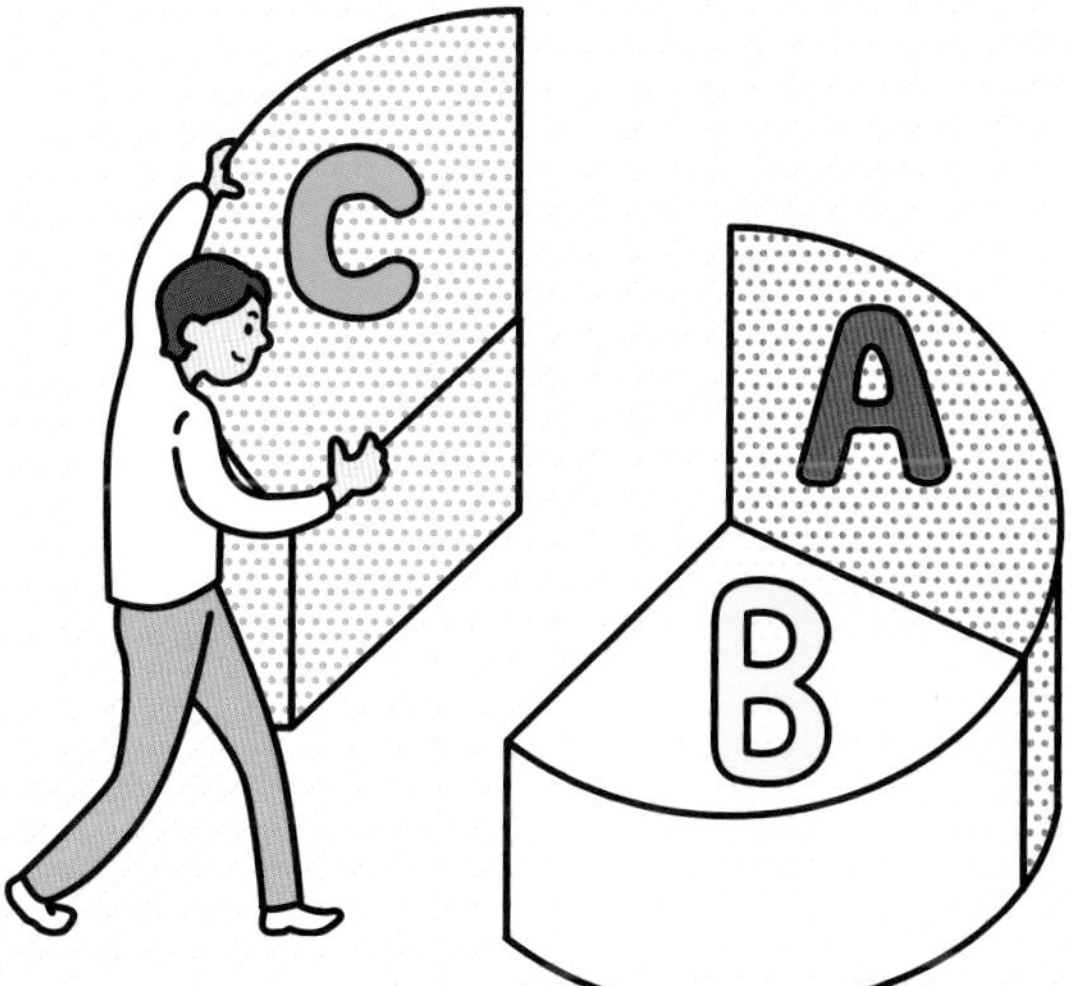

成長投資枠は無理に使う必要なし！

新NISAの成長投資枠は投資金額も高く、対象商品も多いので自由度が高くなっています。しかし、必要がなければ使わなくてもOK。まずは積立投資を続けましょう。

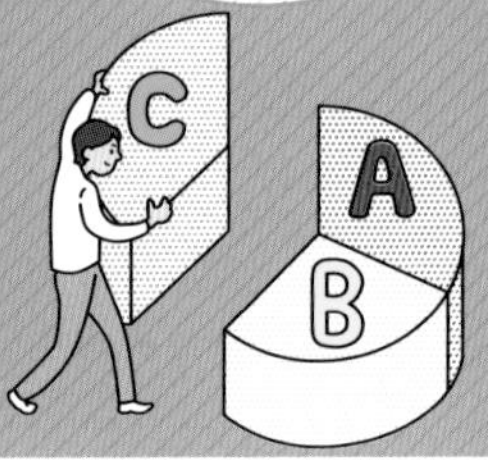

積立投資って、投資額と商品さえ決めちゃえば、あとは年1回の確認だけでいいなんて暇ですね。このままでいいんですか？

長く続けたほうがお金は増えやすいから、**無理して続けられなくなるくらいなら、今と変わらず積み立て続ければ大丈夫。**

不安もなくなってきたし、もうちょっとレベルアップしてもいいかなと思っているんですよね。

それなら、**次のステップは「積立額を増やす」**だね。新しく他の投資商品に手を出す必要はないよ。「分散・積立・長期」が実現できる商品に、少しでも多く投資したほうが効果的だ。

少しずつ増やしてみます！

月1万円と5万円では、同じ3％の運用でも、20年後に1300万円近い差が出るんだ。**利息にも利息がつく「複利効果」があるから、投資額が大きいほど、増えるスピードもグッと上がるよ。**

新NISAには株式投資ができる「成長投資枠」もありますが、これも活用していったほうがいいんですよね？

大前提として、**成長投資枠を使う必要はない**んだ。長期的に資産を築くなら「つみたて投資枠」でコツコツと投資信託に積み立てればOK。年間120万円まで投資できるから、多くの人にとっては十分じゃないかな。

「分散・積立・長期」とは……投資の基本ともいえる考え方。投資対象の種類を分散させ、定期定額で積み立て、なるべく長い期間投資を続けることを指す（P81）。

知ること 01 次のステップは「積立額アップ」

年率3%で20年運用した場合の収益の違い

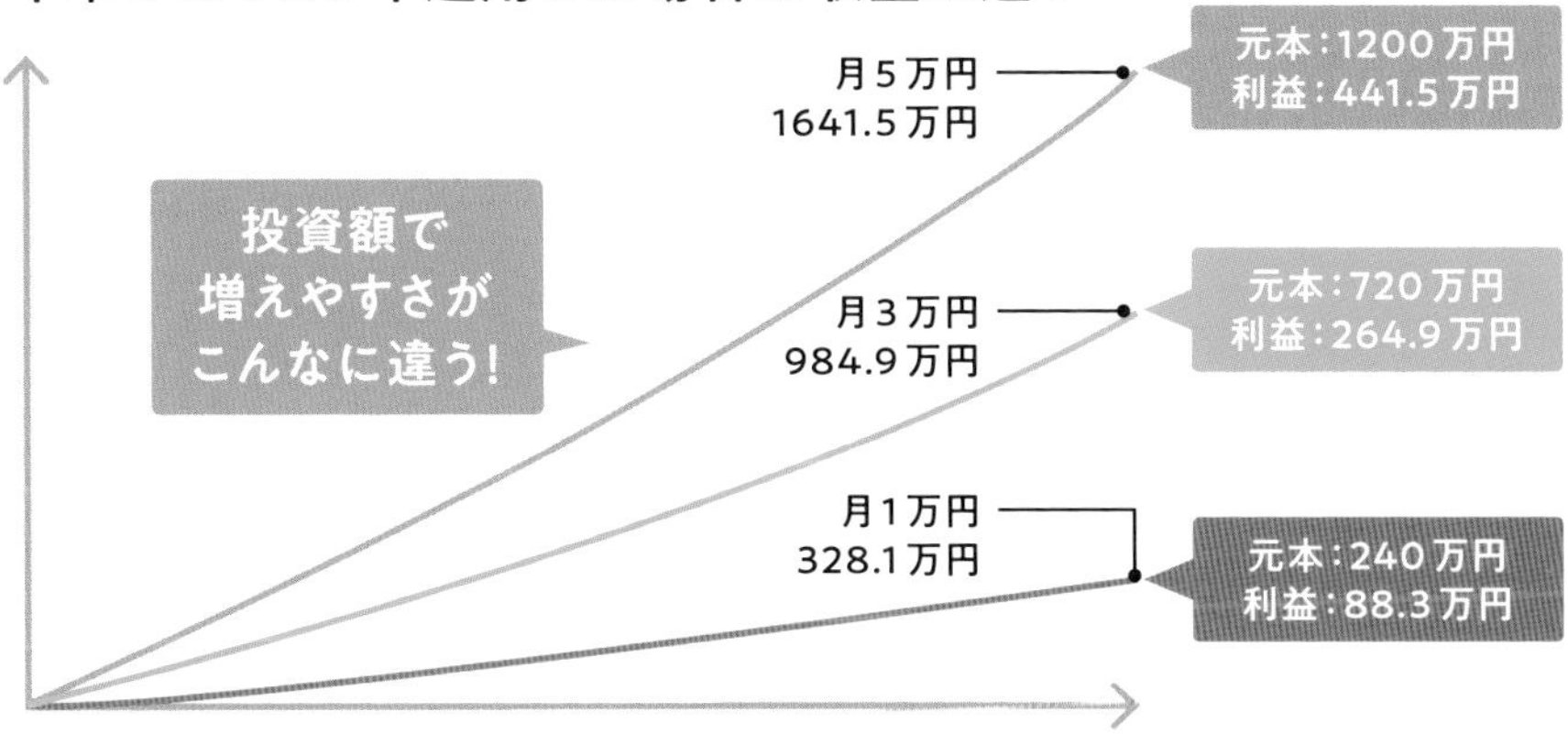

月1万円と5万円で比べた場合、20年後の投資元本の違いは960万円ですが、利益と合わせた総額では1300万円もの差が出ます。投資額が多いほど複利効果が働きます。

知ること 02 「つみたて投資枠」だけでも十分

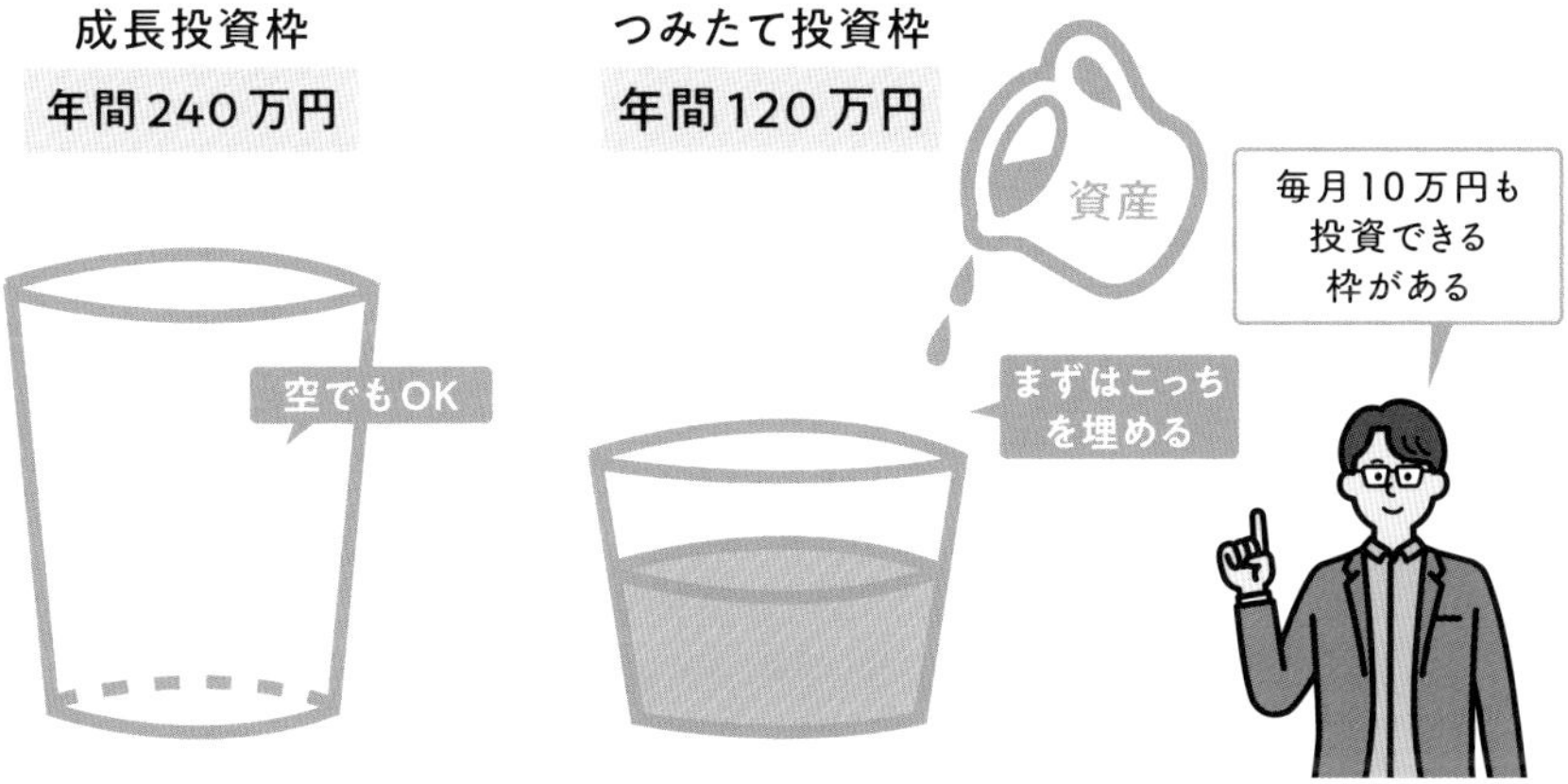

成長投資枠のほうが自由度も投資額も高い設定ですが、投資の原則である「分散・積立・長期」ができるつみたて投資枠だけで問題ありません。

「複利効果」とは……投資で得た利息が元本に組み込まれ、新たな利息を生むこと。投入した元本にのみ利息がつく「単利」よりも、資産が増えやすい（P24）。

つみたて投資枠と同じ商品でもOK

つみたて投資枠の年間上限額120万円を超えて積立投資をしたいときは、成長投資枠を活用しましょう。成長投資枠でもつみたて投資枠と同じ商品に積み立てられます。

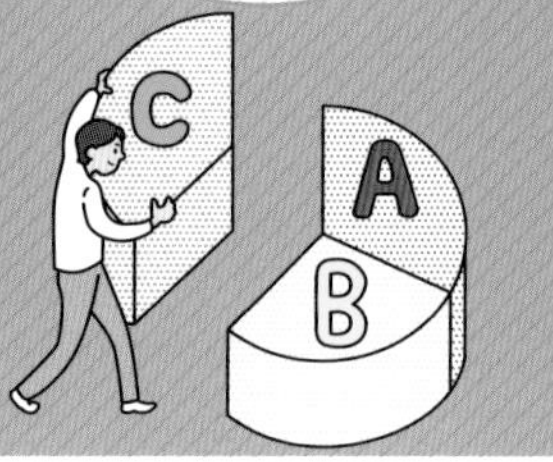

基本はつみたて投資枠でいいなら、成長投資枠を使うときってどんなときなんですか？

つみたて投資枠の投資上限を超えて投資をしたいとき、つまり**月10万円以上の投資をするには、成長投資枠を使う必要がある**ね。

成長投資枠でも積立投資ができるんですね！

商品も同じものが買えるから、つみたて投資枠で選んでいる「楽天・オールカントリー株式インデックス・ファンド」にしておけば迷わずにすむよ。1本ですでに分散効果が高い商品だから、ここであえて別の商品を選ぶ必要もないんだ。

それはわかりやすい！とにかく、インデックスファンドへの積立額を増やすのが第一というわけですね。

もし**投資信託以外の商品を買うならETF（上場投資信託）がオススメ**かな。複数の投資対象が含まれている点では投資信託と同じだけど、株式のようにリアルタイムで値動きが変わるから、毎月積立で買うより、ある程度タイミングを見て売買したほうがいい商品なんだ。

個別の株式を買うよりもETFのほうがいいんですか？

株主優待目当てなら株式もありだけど、安定して資産を増やすなら、リスク分散されている商品のほうがいいね。

「オールカントリー株式インデックス」とは……先進国と新興国を含めた世界全体の株価指数に連動するファンド。1本でも世界の株式市場に投資する場合と同じ効果を得られる。

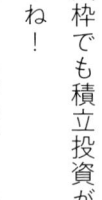

知ること 01 成長投資枠でも積立投資ができる

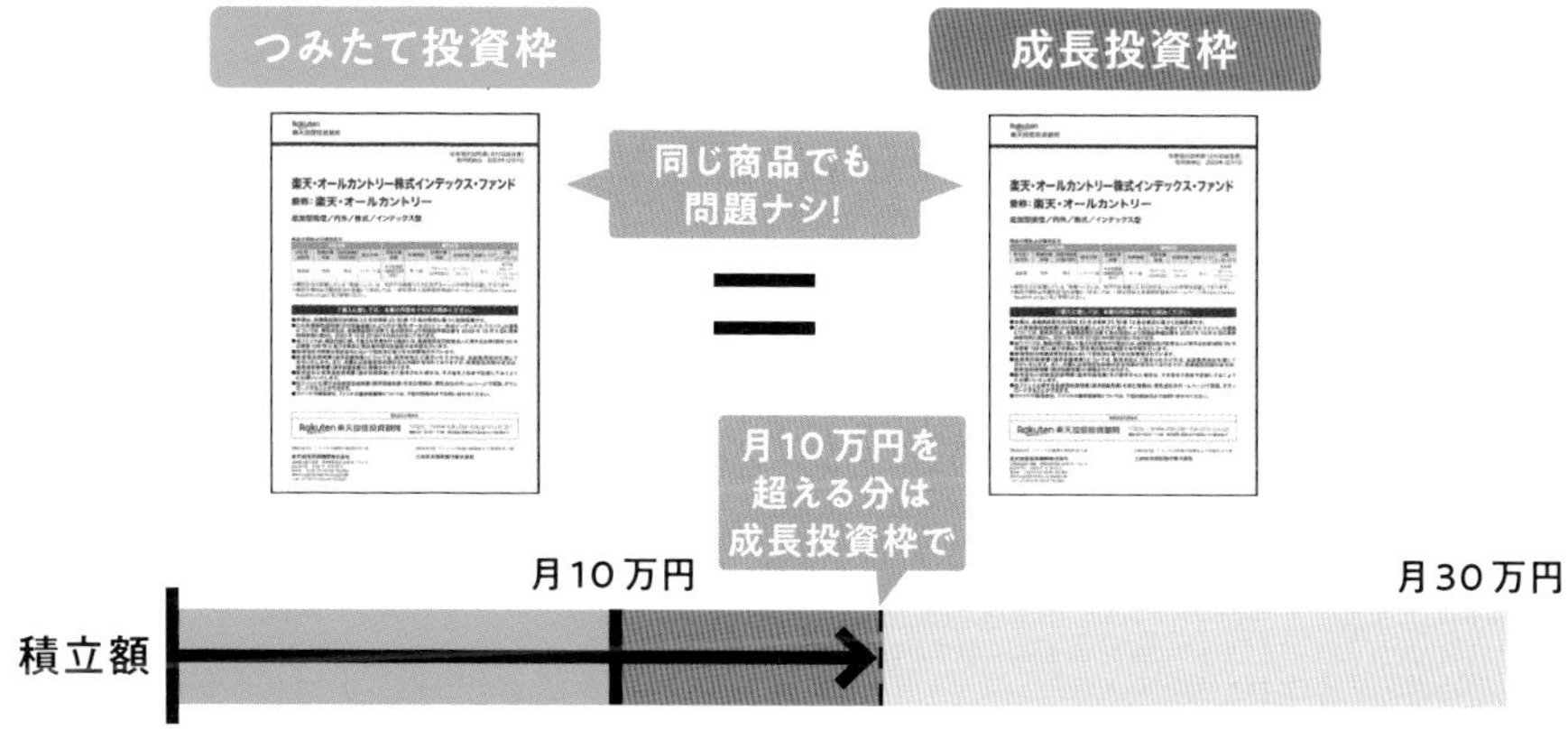

つみたて投資枠から投資をはじめていき、月10万円の上限を超える場合には、成長投資枠での積立投資を検討しましょう。両方の枠で同じ商品に投資しても問題ありません。

知ること 02 投資信託以外ならETFがオススメ

	株式	ETF	投資信託
	A社	A社 B社 C社 D社 E社	A社 B社 C社 D社 E社
売買	時価	時価	1日1回
分散効果	低い	高い	高い
保有時の手数料	なし	代表銘柄は低い	ETFよりもやや低い

ETFの効果的な買い方と、オススメ商品は次ページ

ETFは、投資信託のように複数の資産が含まれている金融商品ですが、投資信託とは違い売買は時価で行われます。手数料は銘柄によって異なりますが、比較的低い傾向にあります。

「分散効果」とは……値動きが同じ資産だけを保有していると、相場の上下によって損益に偏りが生まれる。異なる資産をバランス良く保有することで、大幅な損失を回避できる。

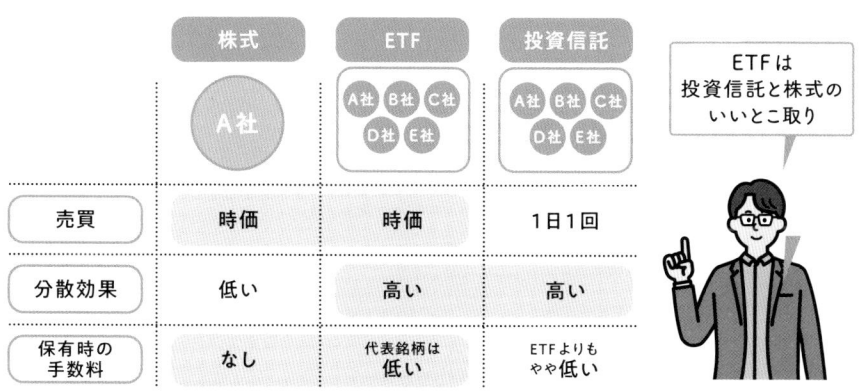

上級者向け！スポットでETFを買う

ETFの売買はつみたて投資枠でも可能ですが、積立よりも下落時を狙ってまとまった金額を投資するほうが効果的です。全世界に投資できるETFなら、分散効果も得られます。

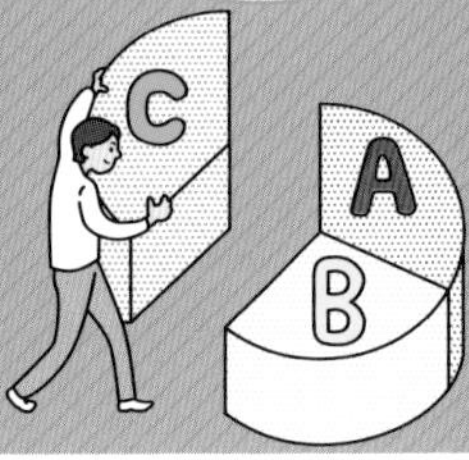

ETFはリアルタイムで価格が変動するから、価格が下がったときに買うことが大切だよ。

相場をチェックする必要があるから、難易度は上がりますよね。どのくらい下がったタイミングが狙い目なんでしょう。

過去半年間の最高値から、3～7％下落した頃が目安かな。毎月の積立額よりも、**まとまった金額を投資したほうが増えやすい**といえるね。買いどきに備えて、ETF用の資金を用意しておくのも手だ。

つみたて投資枠で毎月一定額を積み立てながら、たまに一括でETFを買うってことですね。

下落を狙って買うとはいえ、上がったらすぐ売るのではなく、**積立投資と同じように長期保有を前提として堅実に運用しよう。**

はい！　わかりました！　商品は何を選べばいいですか？

オススメは「VT」と呼ばれるETF。世界的な大企業が多い米国や、今後の成長に期待できる先進国など、全世界の株式に広く投資できる商品なんだ。

ETFでも全世界に分散投資ができるんですね。

ちなみに、VTは米国のETFだから、米ドルで売買することになる。投資上限額は円換算で計算されるよ。売却して現金化するときには為替レートが影響する点に注意しておこう。

「スポット購入」とは……任意のタイミングでまとまった金額の金融商品を一括購入すること。新NISAの成長投資枠では、投資信託の積立投資もスポット購入も可能。

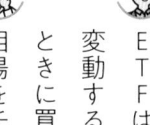

やること 01　値下がり時にまとまった資金を投入

ETFだから……

○ 下落時にすぐ買える

○ 安定的な値上がりが期待できる

× 値動きはこまめにチェックする必要がある

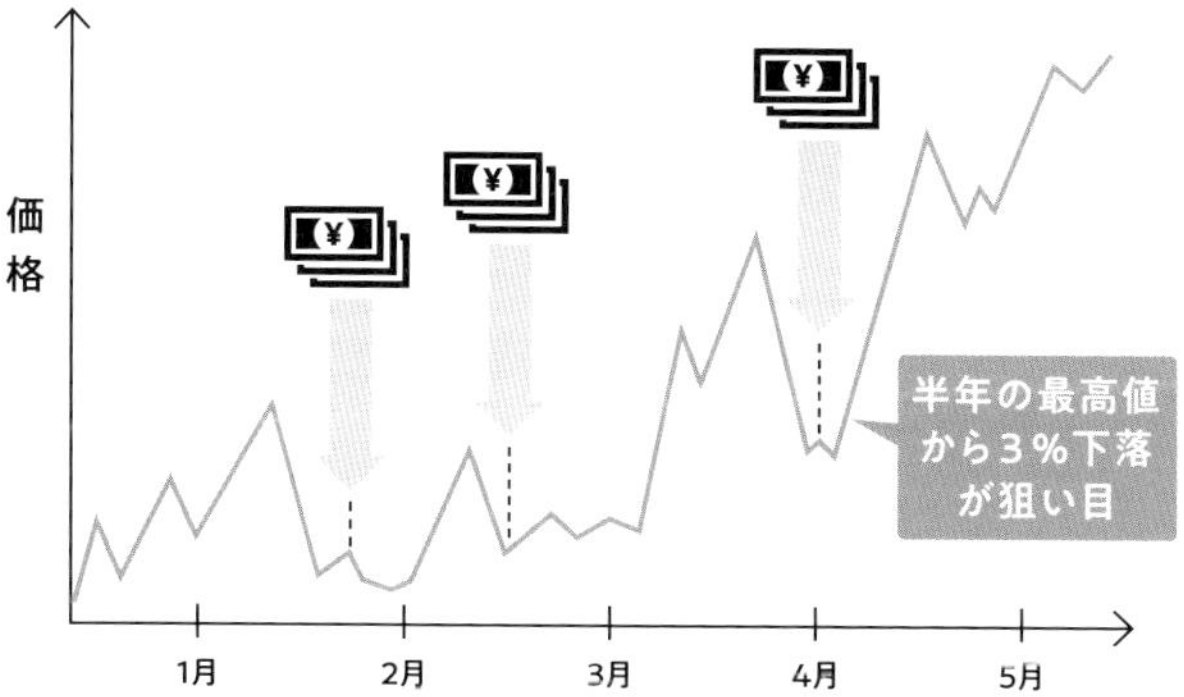

米国のETFは、米国市場の取引時間中であればいつでも売買できる機会があります。基本的にはETFがある程度値下がりしたタイミングで、まとまった金額を投資する方法を取ります。

やること 02　米国に広く投資する「VT」を買う

選ぶメリット

1 全世界に分散投資

経済成長を続ける米国をはじめ、全世界の約2900銘柄に分散して投資できます

2 運用規模が大きい

純資産総額や出来高が大きく、商品が廃止されるなどのリスクが低いといえます

3 手数料が安い

株式指数への連動を目指すので運用の手間がかからず、手数料は比較的安いです

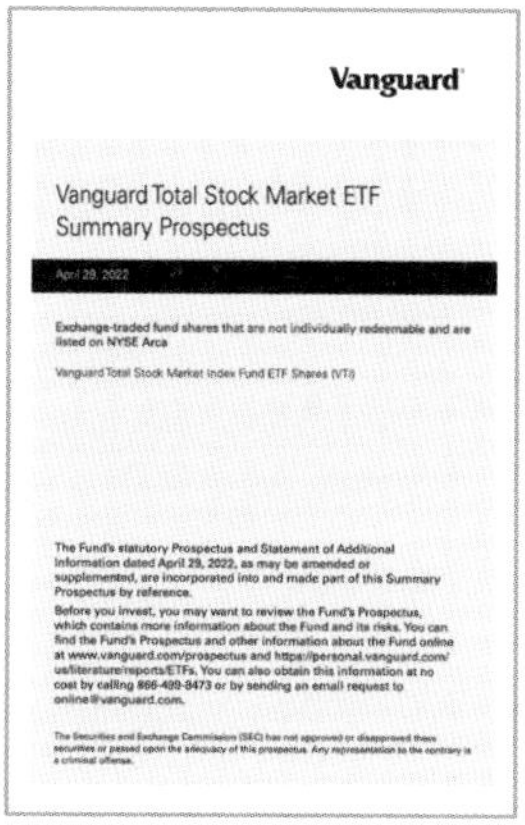
Vanguard

Vanguard Total Stock Market ETF
Summary Prospectus

April 29, 2022

Exchange-traded fund shares that are not individually redeemable and are listed on NYSE Arca

Vanguard Total Stock Market Index Fund ETF Shares (VTI)

The Fund's statutory Prospectus and Statement of Additional Information dated April 29, 2022, as may be amended or supplemented, are incorporated into and made part of this Summary Prospectus by reference.

Before you invest, you may want to review the Fund's Prospectus, which contains more information about the Fund and its risks. You can find the Fund's Prospectus and other information about the Fund online at www.vanguard.com/prospectus and https://personal.vanguard.com/us/literature/reports/ETFs. You can also obtain this information at no cost by calling 866-499-8473 or by sending an email request to online@vanguard.com.

The Securities and Exchange Commission (SEC) has not approved or disapproved these securities or passed upon the adequacy of this prospectus. Any representation to the contrary is a criminal offense.

VT（バンガード・トータル・ワールド・ストックETF）は1本で新興国を含む世界47カ国の株式に投資ができるETFです。主に上記のような特徴があります。

「出来高」とは……株式やETFにおいて売買が成立した株数を表す。出来高が小さいと取引したいときに売買が成立しない場合があるなどのデメリットがある。

[著者]横山光昭（よこやまみつあき）
株式会社マイエフピー代表。お金の使い方そのものを改善する独自の家計再生プログラムで、家計の確実な再生を目指し、個別の相談・指導に高い評価を得ている。これまでの家計再生件数は21,000件を突破。書籍・雑誌への執筆、講演も多数。著書は、シリーズ累計90万部超の『貯金感覚でできる3000円投資生活デラックス』や『年収200万円からの貯金生活宣言』を代表作とし、計181冊、累計397万部となる。
https://myfp.jp/

[編集]ペロンパワークス（株式会社ペロンパワークス・プロダクション）
主にマネー系コンテンツを中心に情報誌、金融機関のネットメディアやPRツールの企画・編集・執筆を多数手がける。これまでに日本経済新聞（日本経済新聞社）、finasee（想研）、日本FP協会、楽天証券、マネックス証券などの各種コンテンツ制作を担当。
http://pelonpa.com/

イラスト：平松慶
ブックデザイン：萩原弦一郎（256）
編 集：杉本律美
編集長：山内悠之

■商品に関する問い合わせ先
このたびは弊社商品をご購入いただきありがとうございます。本書の内容などに関するお問い合わせは、下記のURLまたは二次元バーコードにある問い合わせフォームからお送りください。

https://book.impress.co.jp/info/

上記フォームがご利用頂けない場合のメールでの問い合わせ先
info@impress.co.jp

※お問い合わせの際は、書名、ISBN、お名前、お電話番号、メールアドレス に加えて、「該当するページ」と「具体的なご質問内容」「お使いの動作環境」を必ずご明記ください。なお、本書の範囲を超えるご質問にはお答えできないのでご了承ください。

- 電話やFAX でのご質問には対応しておりません。また、封書でのお問い合わせは回答までに日数をいただく場合があります。あらかじめご了承ください。
- インプレスブックスの本書情報ページ　https://book.impress.co.jp/books/1123101105 では、本書のサポート情報や正誤表・訂正情報などを提供しています。あわせてご確認ください。
- 本書の奥付に記載されている初版発行日から3年が経過した場合、もしくは本書で紹介している製品やサービスについて提供会社によるサポートが終了した場合はご質問にお答えできない場合があります。

■落丁・乱丁本などの問い合わせ先
FAX　03-6837-5023
service@impress.co.jp
※古書店で購入されたものについてはお取り替えできません。

知識ゼロですが、新NISAと iDeCoをはじめたいです。

2024年2月21日　初版発行

著者　横山光昭
編集　ペロンパワークス
発行人　高橋隆志
発行所　株式会社インプレス
〒101-0051 東京都千代田区神田神保町一丁目105番地
ホームページ　https://book.impress.co.jp/

印刷所　株式会社暁印刷
ISBN 978-4-295-01847-6　C2033　Printed in Japan

Hanada新書 003

猫だけが見える人間法則

佐藤 優
Sato Masaru

飛鳥新社

ちょっと長めのプロローグ――「主の祈り」と法華経と猫のテレパシー

僕の名はシマ、茶トラの雄猫（ただし去勢済み）だ。我が家には僕を含め四匹の雄猫（みんな去勢済み）がいる。いずれも元捨て猫もしくは元野良《のら》猫だったので正確な生年月日が分からず、年齢は推定になる。年齢順に一覧にしておく。

①シマ（僕）：一九歳、茶トラ、元捨て猫。

②チビ：一八歳、サバトラ、元野良猫。少し認知症が入っていて、夜中や早朝に大きな声で鳴くので、飼い主と奥さんが目を覚ますことがある。

③タマ：一二歳、白茶ブチ、元捨て猫。とても人懐こい。

④ミケ：六歳、キジトラ、元捨て猫。我が家で唯一の長毛種だ。

僕たちの飼い主は、元外交官で作家の佐藤優《さとうまさる》だ。

飼い主は二〇〇二年五月に鈴木宗男《すずきむねお》事件に連座して、東京地方検察庁特別捜査部に逮捕され、東京拘置所の独房に五一二日間、収容された。飼い主は無罪を主張したが、裁判所は有罪と判断し、二〇〇九年六月に最高裁判所で懲役二年六月（執行猶予《ゆうよ》四年）の有罪が確定し、外務省を失職した。飼い主が悪いことをしたのか、そうではないのかは、僕たち猫にはよく分からない。

いずれにせよ、執行猶予期間を満了した二〇一三年六月に、飼い主に対する刑の言い渡しは効力を失っている。したがって、僕たちが「前科者の飼い猫だ」と後ろ指を指されることもない。執行猶予というのは、僕たち猫にとっても、ありがたい制度だ。

飼い主は極力、捨て猫や野良猫に遭遇しないように気をつけて生活している。仔猫の鳴き声が聞こえると、道を迂回《うかい》して通るようにしている。しかし、自分が保護しないと死んでしまうか、あるいは極端に余命が短くなることが明白な猫を見ると、素通りすることができない性格のようだ。その結果、我が家には何匹もの猫が住むようになってしまった。

その飼い主は慢性腎臓病で、二〇二二年一月から血液透析《とうせき》を受けていたが、二〇二三年六月二七日に東京女子医科大学病院（以下、女子医大）で腎臓移植手術を受けた。

手術翌日の六月二八日に、ミケが飼い主と話をした。ミケにはテレパシー能力がある。しかし、科学主義に汚染されてしまった人間（飼い主を含む）はテレパシーを信じることができない。だから夢のなかにミケが出てきたと勘違いする。ミケと病院にいる飼い主とのやりとりのなかで興味深い部分を紹介する。

ミケ「パパ、パパ、大丈夫ですか」
飼い主「ミケか。夢に出てきたのか」
ミケ「そうです。僕もシマもタマもチビも腎臓移植手術がどうだったか心配しています」
飼い主「手術は成功した。腎移植には、健康な親族が腎臓を提供する生体腎移植と脳死または心肺停止後の他人からの献腎移植がある。僕の場合は生体腎移植でドナーは妻だ。術後の妻の状態も良好で、彼女は五日後に退院して自宅で静養することになる。女子医大の優れた医療チームが同伴してくれなければ、ここまで辿《たど》り着くことはできなかったと思う。

二〇一九年一一月頃から急速に腎機能が低下し始めた。原因は過食と不摂生な生活なので、自己責任だと思った。当初は、腎移植については、まったく考えていなかった。

しかし、妻が僕に内緒で主治医（女子医大腎臓内科）の片岡浩史《かたおかひろし》先生と連絡を取り、自らの生体腎を提供したいという話をした。腎移植手術の前提は、悪性腫瘍《しゅよう》（ガン）がないこと、心臓が手術に耐えられることなどだ。ところが検査で前立腺ガンが見つかったので、二〇二二年三月に全摘した。同じ年の八月には、心臓の冠動脈狭窄《きょうさく》を治療するために左冠動脈前下行枝《ぜんかこうし》にステント（金属の輪）を入れた。

女子医大は腎移植において圧倒的優位を維持している。二〇二一年度の腎移植実績は、日本全体で一七七三（生体腎一六四八、献腎一二五）であるが、そのうち女子医大の泌尿器科が一四五（生体腎一三九、献腎六）、腎臓小児科が四（生体腎三、献腎一）を実施した。これまで女子医大で行われた生体腎移植における五年生着率は約九〇％だ」

ミケ「全身麻酔だったのですか」

飼い主「そのとおりだ。腎移植手術は全身麻酔で行われる。全身麻酔の経験は、二〇二二年三月一〇日に前立腺全摘手術をしたのに続いて二回目だ。前回は麻酔のガスを吸った瞬間にブラックアウトして、手術のあいだの記憶はまったくない。でも今回は違う」

ミケ「どう違うんですか」

飼い主「マスクを着けられて、数回深呼吸して、手術室の時計が午前九時二二分を指すところまでは明確に記憶がある。その後、『佐藤さん、終わりましたよ』と声をかけられたので目を覚ますと、時計は午後三時七分を指していた。その間、僕は別の世界を旅していた」

ミケ「別の世界？」

飼い主「過去の人生で遭遇した出来事、すべての凍結されていた記憶が甦《よみがえ》ってきた。

僕は埼玉県大宮市本郷町（現在はさいたま市北区）の団地で育った。幼稚園の頃、両親と妹（二歳年下）と団地から一・五キロメートルくらい離れた見沼代用水東縁《みぬまだいようすいひがしべり》（さいたま市）に遊びに行ったことを思い出した。同志社大学神学部での緒方純雄《おがたすみお》教授（組織神学）や藤代泰三《ふじしろたいぞう》教授（歴史神学）のゼミの記憶が甦ってきた。また、同志社大学での学生運動の記憶も甦ってきた。今出川《いまでがわ》キャンパス明徳館《めいとくかん》前で、民青同盟・日本共産党の活動家と殴り合っているときの記憶が鮮明だった。モスクワでボリス・エリツィン元大統領側近のゲンナジー・ブルブリス元国務長官と秘密の話をしたときの情景が浮かんできた。

そして、浮かんできた登場人物が話し始めるのである。その内容がいずれもはっきり記憶に残っている。記憶の洪水で、僕の頭は現在いっぱいだ。ここから新しい企画が生まれてくると思う」

ミケ「手術をしているあいだも仕事をしていたわけですね」

飼い主「そういうことになる」

ミケ「『月刊Hａｎａｄａ』との関係でも何かエピソードがありますか」

飼い主「ある。編集長の花田紀凱《はなだかずよし》さん、編集部員の川島龍太《かわしまりゅうた》さんと、赤坂のＡＮＡインターコンチネンタルホテル東京のアトリウムラウンジで打ち合わせをしていたときのことだ。僕がコーラをこぼしてしまい、川島さんのズボンがびしょ濡れになった。僕がひたすら謝っているときの情景が言葉とともに甦ってきた。花田さんも川島さんもユーモアのセンスがあって面白い。それから、月刊誌の連載を担当している沼尻裕兵《ぬまじりゆうへい》さんの声と姿も何度も現れた。沼尻さんは読者の反応をいつも丁寧に僕に伝えてくれる。感謝している」
ミケ「他にも驚くような出来事などはありましたか」
飼い主「さらに宗教的にも不思議なことがあった。キリスト教の『主の祈り』が聞こえてきた。
〈天にましますわれらの父よ。ねがわくは御名《みな》をあがめさせたまえ。御国《みくに》を来たらせたまえ。みこころの天になるごとく、地にもなさせたまえ。我らの日用の糧《かて》を、今日も与えたまえ。我らに罪をおかす者を、我らがゆるすごとく、我らの罪をもゆるしたまえ。我らをこころみにあわせず、悪より救い出《いだ》したまえ。国と力と栄えとは、限りなくなんじのものなればなり。アーメン〉
　僕はプロテスタントのキリスト教徒だから、大きな手術のときに『主の祈り』が聞こえてくるのは想定内だ。ただし、その直後に実に不思議なことがあった」
ミケ「何があったのですか」
飼い主「法華経《ほけきょう》の『南無妙法蓮華経《なむみょうほうれんげきょう》』『南無妙法蓮華経』『南無妙法蓮華経』という題目が、ゆっくりした声で三度聞こえてきた。男性の低い声だ」
ミケ「創価学会と関係があるのでしょうか」
飼い主「あると思う。私の手術中、多くの創価学会員が題目を送ってくださった。その霊的な力に僕の心が感応したのだと思う。もちろん同志社大学神学部の同窓生たちの祈りの声も聞こえてきた。実に不思議な体験をした。

手術後は一晩（二七日午後三時半から二八日午前一〇時まで）、ICU（集中治療室）で過ごした。そこでは三人の看護師（梶里美氏、山元和香氏、平菜々海氏）にお世話になった。手術後の不安な心理を抱えている患者をICUの看護師たちが見事にケアしてくれる。このときは、術後の痛みがまったくなかった。麻酔医の菊地萌衣先生の見事なケアのおかげだ。と同時に、痛みがないようにと同志社大学神学部の友人たちと創価学会の友人たちが祈ってくれたことが大きな効果を上げたと考えている。

ミケ「腎移植手術が成功して、パパの思考に変化が生じましたか」

飼い主「大きな変化はないと思う。僕はプロテスタントのキリスト教徒なので、命は神から預かったものであると考える。腎移植手術が成功し、僕の寿命が延びたのも、この世でやるべき使命がまだあるからだと受け止めている。やりたいことはいくつもあるので、少し時間をかけて整理したい。

驚いたのは、手術後二日目に、体感が透析を導入する三年前に戻ったことだ。僕の生命力は明らかに強くなった」

ところで僕たち猫は、人間が思っているよりもずっと繊細なのだ。以下の新聞記事を見てほしい。

〈英科学誌サイエンティフィック・リポーツは四日付で「猫は自分の名前と他の言葉を聞き分けられる」という内容の日本人研究者の論文を掲載した。

論文を執筆したのは、上智大の齋藤慈子《さいとうあつこ》准教授らのグループ。論文や上智大の発表によると、実験では家庭で飼われている猫に、猫の名前と同じ長さやアクセントの「一般名詞」などを四つ続けて聞かせた後で「自分の名前」で呼び掛けた。「自分の名前」を聞いた際には耳や顔を動かすなどの反応が大きくなる傾向が見られたという。同居する他の猫の名前とも区別できたほか、飼い主以外の声でも自分の名前を聞き分けることができた。

論文では「猫の名前が、食べ物や遊びといったご褒美《ほうび》、あるいは動物病院や風呂などの罰を連想させる可能性があることを示唆《しさ》している」と分析している。また、「猫のこの能力は特別な訓練の結果得られたものではなく、人との日常的な関わりの中で得られたもの」とした〉(「毎日新聞」二〇一九年四月六日夕刊)

飼い主と奥さんが、ミケの話ばかりするので、ときどきタマはヤキモチをやく。こういうときにはタマに何か打ち込む仕事を与えたほうがいい。僕は、タマにロシア語の翻訳を頼んだ。タマは、外国語のセンスがいい。テキストを見せると、ロシア語から日本語(ただし猫にしか理解できない日本語）に直《ただ》ちに翻訳してくれる。かくも猫はデリケート、かつ多才なのだ。

本書は、こんな僕たち猫と飼い主との共同作業によって生まれたものだ。『月刊Ｈａｎａｄａ』の二〇一六年六月号から二〇二四年二月号に連載されたコラム、文字数五三万七五九六字、原稿用紙一三四四枚分の記事を、テーマ別に取捨選択し、加筆したものだ。登場人物の肩書や換算レートは当時のものとさせていただく。

シマ（一九歳の茶トラで元捨て猫）

飼い主（佐藤《さとう》　優《まさる》）

猫だけが見える人間法則◉目次

第二章　宗教の人間法則

第三章　外交の人間法則

第四章　共産党の人間法則

第五章　独裁者の人間法則

第六章　組織の人間法則

第七章　民主主義の人間法則

第八章　教育の人間法則

第一章　インテリジェンスの人間法則

激変するコロナ後の世界

シマ「『サピエンス全史』『ホモ・デウス』などの著者で、イスラエルの歴史学者であるユヴァル・ノア・ハラリ氏が、コロナ後の世界に関してこんな警告をしている」

そういって、僕は飼い主のｉＰａｄを操作して、以下の記事を示した。

〈私たちは速やかに断固たる行動をとらなくてはならない。選択を下す際には、目の前の脅威をどう乗り越えるかだけでなく、この嵐が去ればどんな世界に住むことになるかも自問すべきだ。新型コロナの嵐はやがて去り、人類は存続し、私たちの大部分もなお生きているだろう。だが、私たちはこれまでとは違う世界に暮らすことになる。

今回とった多くの短期的な緊急措置《そち》は、嵐が去った後も消えることはないだろう。緊急事態とはそういうものだ。緊急時には歴史的な決断でもあっという間に決まる。平時には何年もかけて検討するような決断がほんの数時間で下される〉（「日本経済新聞」電子版、二〇二〇年三月三〇日）

シマ「新型コロナウイルスの脅威が去っても、未知の感染症に脅《おびや》かされる可能性は常にある。そのような状況に備えて、国家は、その生き残り本能から国民に対する監視を強めると思う。ただし、いまはそこまで考えている余裕がない。安倍《あべ》政権嫌いの『朝日新聞』ですら、二〇二〇年四月八日の社説で〈首相によるイベント自粛や全国一斉休校の要請は、専門家の判断を仰ぐことなく、唐突になされた。それに対し、今回の（緊急事態）宣言の内容は特措法で定められた諮問《しもん》委員会の意見を踏まえた。首相による国会への事前報告と質疑が行われたことと併せ、その手続きに一定の透明性は確保された〉と書いた。

〈朝日新聞の社説は、市民の自由や権利を制限し、社会全体に閉塞感《へいそくかん》をもたらす緊急事態宣言には、慎重な判断が必要だと主張してきた〉（前掲社説）経緯に鑑《かんが》みるならば、このときは『朝日新聞』も緊急事態宣言の公布を容認しているということだ。こうして国家総動員体制が形成されつつある。人間には見えないかもしれないが」

裏のインテリジェンス機関が持つ情報を日本に

タマ「良いことじゃないですか。非常時において、首相に権力を集中させるべきです」

シマ「僕が特に注目しているのは、国家安全保障局の動きだ」

そういって僕はｉＰａｄを操作して、こんな記事を示した。

〈外交・安全保障の司令塔である政府の国家安全保障局（ＮＳＳ）に一日、経済と安全保障が関連する課題を扱う「経済班」が発足した。中国が軍事・経済の両面で台頭するなか、先端技術の管理やサイバーセキュリティー、新型コロナウイルスの世界的な感染拡大を受けた水際対策などを担う。
経済班は経済産業省出身の審議官がトップを務め、財務省、総務省、外務省、警察庁出身の参事官ら約二〇人で構成される。二〇一四年に発足したNSSは外務、防衛両省からの出向者を中心に「政策（地域別）」「戦略企画」「情報」など六班体制だった〉（「朝日新聞」二〇二〇年四月二日朝刊）

チビ「安倍首相の信任が厚い北村滋《きたむらしげる》国家安全保障局長は、前職の内閣情報官のときにCIA（アメリカ中央情報局）、モサド（イスラエル諜報《ちょうほう》特務庁）、SVR（ロシア対外情報庁）などの長官と親しい人間関係を構築した。その人脈はいまも生きている。
新型コロナウイルス対策では、裏の世界のインテリジェンス（諜報）機関が持つ情報を日本国家と日本国民の生き残りのために活かすことが死活的に重要になる。いずれにせよ、国民の直接選挙によって選ばれた国会議員が指名した安倍晋三《しんぞう》首相の下ですべての国民が団結することが重要だった」

僕もチビの意見に賛成だ。危機のときにはそれに対応したルールが適用されなくてはならない。首相を全力で支えることが重要だと思う。人間たちは分かっているのだろうか。

お粗末なマスコミのインテリジェンス能力

シマ「ところで、国民に多種多様で、かつ正確な情報を伝えるのは、マスコミの責務だ。たとえば二〇二一年二月一〇日、ウラジーミル・プーチン大統領が『日本との関係は発展させたいが、憲法に反することは行わない』と述べた。その四日後の二月一四日にユーチューブに投稿された動画では、ロシア外務省のマリア・ザハロワ情報局長は、『すでにそうすること（クリル諸島〔北方領土と千島列島に対するロシア側の呼称〕の引き渡し）はいかなる場合でもできない。なぜなら、憲法でこのテーマに関して議論することすらできない』と答えた。プーチン大統領とザハロワ情報局長の発言を、日本のマスコミはロシアが北方領土問題に関して強硬論に転じたと解釈している」

チビ「シマのいうとおりだ。この点については詳細に論じていく必要がある」

そういってチビはｉＰａｄを操作して、以下の記事を示した。

〈ロシア外務省のザハロワ情報局長は北方領土をめぐる日本との交渉について、ロシア憲法に「領土割譲《かつじょう》禁止」が明記されたことから、「いかなる形であれ、このテーマは議論すらできない」と主張した。一八日公開された動画投稿サイト「ユーチューブ」の番組で語った。

対日関係に関しては、プーチン大統領も一〇日のロシアメディア幹部との会見で、「発展させたいし、そうするつもりだ。しかし、憲法に反することはしない」と発言。プーチン政権は憲法を理由に北方領土交渉を拒否する姿勢を強めている。

ザハロワ氏は平和条約締結に向けては「交渉する用意がある」と表明。領土問題を抜きにして平和条約締結を目指す考えを改めて示した。

ロシアで昨年七月に全国投票を経て成立した改正憲法は「領土割譲禁止」の条項が盛り込まれた〉（「時事通信」二〇二一年二月一九日）

シマ「この報道は酷い。そもそもザハロワ情報局長が出演した動画は、ロシアの国営テレビが制作した番組がユーチューブに投稿されたものだ。僕はこの動画を注意深く観た。全体で一時間四〇分あり、テーマは『ヨーロッパとの訣別』だ。親プーチン派で愛国主義的な主張が人気のジャーナリストのアントン・クラソフスキー氏が、ザハロワ情報局長にロシア外交の姿勢を厳しく質《ただ》すという構成だ。ロシアの反政権活動家アレクセイ・ナワルヌィ氏の拘束後、一層悪化しているロシアとヨーロッパの関係に焦点を定めた番組。日本に関する言及は、三九分から五一分までの一二分間だ。

ザハロワ情報局長は、日本での報道から受ける印象とは逆に、ロシアが日本との関係を改善する必要があることを積極的に主張する。クラソフスキー氏が、『日本はナチス・ドイツの同盟国だったじゃないか』『アメリカの軍事戦略に従っているだけじゃないか』など激しい口調で日本を非難するのに対して、ザハロワ情報局長は『日本人が広島と長崎の原爆投下でどれだけ悲惨な目に遭わされたかということを忘れてはならない』『地理的要因が決定的に重要だ。地図を見てみなさい。日本との関係を改善することがロシアの国益だ』と主張して一歩も引かない」

タマ「この番組で、ザハロワ情報局長は対日関係改善派の役割を演じているじゃないですか。日本のマスコミの人間たちは、それが読み取れていません。あまりにお粗末、インテリジェンス能力はゼロです」

ロシア外務省情報局長の真意を読めないマスコミ

チビ「僕もそう思う。ザハロワ情報局長は、クラソフスキー氏が『クリル諸島を与えて日本と平和条約を締結するのか』と質したのに対して、『すでにそうすることはいかなる場合でもできない。なぜなら、憲法でこのテーマに関して議論することすらできない』と答えた。

このザハロワ情報局長の発言を、日本のマスコミは〈北方領土をめぐる日本との交渉について、ロシア憲法に『領土割譲禁止』が明記されたことから、『いかなる形であれ、このテーマは議論すらできない』と主張した〉（「時事通信」二〇二一年二月一九日）と報じた」

シマ「日本の報道機関は、ザハロワ情報局長が語っていない事柄の意味が、理解できていない。ザハロワ情報局長は、『クリル諸島を日本に引き渡すことはできない』といったが、『歯舞《はぼ》舞《まい》群島と色丹《しこたん》島を引き渡すことはできない』とは一言も述べていない。また、一九五六年の日ソ共同宣言の効力を否定する発言もしていない。ザハロワ情報局長は、日本と平和条約交渉を行うことを繰り返し述べている。

クリル諸島を日本に引き渡さずに、日本を満足させる形で平和条約を締結することは可能だ。二〇一八年一一月のシンガポール日ロ首脳会談で、安倍晋三《あべしんぞう》首相とロシアのプーチン大統領は『(一九五六年の)日ソ共同宣言を基礎に平和条約交渉を加速する』ことで合意した。日ソ共同宣言は、両国の国会で批准《ひじゅん》された法的拘束力を持つ国際的な約束だ。共同宣言第九項後段には、『ソヴィエト社会主義共和国連邦は、日本国の要望にこたえかつ日本国の利益を考慮して、歯舞《はぼまい》群島及び色丹《しこたん》島を日本国に引き渡すことに同意する。ただし、これらの諸島は、日本国とソヴィエト社会主義共和国連邦との間の平和条約が締結された後に現実に引き渡されるものとする』と記されている。ソ連の継承国であるロシアは、平和条約締結後に歯舞群島と色丹島を日本に引き渡す義務を負っている。プーチン大統領はこの義務を履行する用意がある。そのためには、今後の平和条約交渉で、クリル諸島の範囲を明確にする国境画定交渉が不可欠だ。そんなことも人間たちは分からないのだろうか」

極めて異例な公安調査庁次長の発言

タマ 「二〇二一年六月一日発売の『正論』(産経新聞社)七月号で飼い主が、横尾洋一公安調査庁次長と日本共産党について対談しています。このことについて、五月三〇日の『産経新聞』が次のように報じました」

そういってタマは、飼い主のiＰａｄを操作して、以下の記事を示した。

〈共産党は不変　公安調査庁次長が佐藤優氏と「月刊正論」で対談
月刊正論七月号（六月一日発売）の特集「日本共産党に騙されるな」で、公安調査庁の横尾洋一次長と作家の佐藤優氏が「革命路線に変わりなし」と題して対談をしている。共産が近年、立憲民主党との選挙協力や党綱領の改定などを通じて「ソフト路線化」をアピールしていることを踏まえ、両氏は「反皇室」など共産の本質は不変との認識を共有し警鐘《けいしょう》を鳴らした。

日本政府が「破壊活動防止法に基づく調査対象団体」と位置付ける共産をウオッチする同庁の現職幹部がメディアに登場するのは極めて異例だ。

佐藤氏は共産の志位和夫《しいかずお》委員長が最近、皇室について「『人間の平等の原則』と両立しない、だから民主共和制の実現をはかるべきだとの立場に立っています」と語ったと紹介。その上で共産の皇室観について「隠していないでしょ。廃止（の立場）ですよ」と断言した。

横尾氏も「共産党の方針として、『民主共和制の政治体制の実現をはかるべきだとの立場に立つ』ということが綱領に明記されている」と指摘。志位氏による「憲法九条の理想にあわせて自衛隊の現実を変える」などの発言を引用し、「九条改正反対に変更はない」とも強調した。
佐藤氏は野党共闘について、昨年一月の共産党大会に立民などの幹部が結集したことに言及し「これが共産党の統一戦線戦術の巧みなところで一緒にやっていれば引き寄せていくことができる」と分析した。
一方、立民などに関しては共産への接近が財界、連合、個人事業主や中小企業経営者の離反、さらには共産と対立する公明党の支持母体である創価学会の自民支援強化を招くと指摘。「四つのマイナスがついてくる。果たして得なのか」と効果を疑問視した〉
僕は共産党の人間たちの戦略眼は猫に及ばないと思う。チビも同意している。

共産党は暴力革命の党なのか

チビ「飼い主のいうとおりだと思う。共産党は『普通の政党』ではない。『敵の出方論』に基づき、暴力革命も選択肢に含む革命政党だ」
シマ「この記事に対して、共産党は反応しているのか」
チビ「通常、この種の批判を共産党は無視するが、このときは志位和夫委員長が反応している」

そういってチビはiＰａｄを操作して、以下の記事を示した。
〈使い古されたデマの蒸し返し
月刊『正論』の反共攻撃　志位氏が批判
日本共産党の志位和夫委員長は三日、国会内での記者会見で、月刊誌『正論』七月号が「日本共産党に騙されるな」とする特集を掲載したことについて問われ、「使い古されたデマの蒸し返しという内容だ」と批判しました。
志位氏は、「共産党は暴力革命の党」などの反共攻撃について「全くの事実無根だということは既に国会の論戦で決着がついている」と強調。「公安調査庁が長年にわたり日本共産党に対して不当な『調査』なるものを行ってきたが、『破壊活動の証拠』なるものを何一つ見つけることはできない。私たちは、こうした事実を繰り返し明らかにしてきた」と指摘しました。
その上で「逆にいうと、そういう使い古しのことしか攻撃の『論点』がない」として、「反共はもはや通用しないことを自ら実証したような中身だ」と語りました〉
（「しんぶん赤旗」二〇二一年六月四日）
志位氏の発言を聞いて、僕は日本人のインテリジェンス能力に思いを馳せた。大丈夫だろうか。

公安調査庁にこそ予算を

チビ「共産党が天皇制を否定していることや、北方領土問題でかつて歯舞群島と色丹島の二島返還で日ソ平和条約の締結を主張し、レオニード・ブレジネフ、ソ連共産党書記長に働きかけた事実など『正論』の記事の内容には踏み込まないことはもとより、横尾氏や飼い主の名前にも言及せず、『使い古されたデマ』だというレッテル貼りで、問題に蓋をしようとしている」

シマ「『正論』の記事では、志位氏も著作集編集委員になり、二〇一二年に新日本出版社から刊行した『宮本顕治《みやもとけんじ》著作集』で、宮本氏が共産党員には私生活がない、などといっていることを紹介されると、最近になって共産党に入った人たちは動揺すると思う」

タマ「この種の批判が共産党に対して効果があり、同党を窮地に追い込めることを実証しました。共産党の暴走を防ぐためにも、公安調査庁がこの党の公開文献をよく読み、また党内に協力者を育成することによって、共産党について徹底的に調査することが重要です。人間たちのなかでも公安調査庁の人たちは特に優秀だといえましょう」

シマ「タマのいうとおりだ。マスコミも、公安調査庁の活動を、もっと丁寧に伝えるべきだ」

チビ「公安調査庁にきちんと予算を付け、定員を増やすことが重要だ」

ロシアが公開した極秘文書

タマ「ところで、日ロ関係でも面白い動きがあります。ロシアが興味深い歴史文書の公開に踏み切りました」

シマ「どういう文書か」

タマ「いまから五〇年近く前のことになりますが、一九七二年一月二三〜二八日、ソ連のアンドレイ・グロムイコ外相が訪日しました。同年一〇月二一〜二四日には、大平正芳《おおひらまさよし》外相が訪ソし、第一回日ソ平和条約締結交渉を行いました。

平和条約を締結するためには、北方領土問題を解決しなくてはなりません。ソ連共産党中央委員会政治局が、大平訪ソを控えた同年八月三日の会議で、歯舞群島と色丹島を日本に引き渡すことで平和条約締結を検討していたことが明らかになりました」

タマはｉＰａｄを操作して、以下の記事を示した

〈ソ連が中国との対立激化を背景に一九七二年、日本との関係改善に向け、五六年の日ソ共同宣言に基づく歯舞群島、色丹島の二島引き渡しで北方領土問題の最終解決を目指して作成した平和条約案などの極秘文書が二三日判明した。ソ連が日中関係の正常化を警戒し、日本

との平和条約締結を模索した経緯が初めて明らかになった。日本は四島返還の要求を崩さず、日ソは接点を見いだせなかった。

共同通信はソ連の最高意思決定機関だった共産党政治局が七二年八月三日、対日関係改善を協議した際につくられた一連の極秘文書（機密解除済み）を入手した〉（「共同通信」二〇二一年五月二三日配信）

チビ「共同通信は、ロシアの公文書公開の正規の手続きに従ってこの文書を入手した」

タマ「北方領土に関する機微に触れる文書の公開には、ロシア外務省とクレムリン（ロシア大統領府）の決裁が必要とされます」

シマ「ということは、クレムリンはこのタイミングで、歯舞群島と色丹島を日本に引き渡す形で日ロ平和条約の締結が可能であるとのシグナルを送ってきた、と受け止めるべきか」

タマ「そう思います。記事の続きを読んでみてください」

〈ソ連を継承したロシアは現在、クリール諸島（北方領土と千島列島）やサハリン南部は第二次大戦の結果、ロシアの主権下にあると一方的に主張し、日本にこれを認めるよう求めている。

しかし、七二年八月に政治局会議が承認した「日本との平和条約締結交渉への指針」は、平和条約締結で「国境線を最終画定する」とし、「大戦の結果生じた国境問題を全て解決するため、ソ連は五六年の日ソ共同宣言の二島引き渡しに動く」方針を明記していた。外務省、国家保安委員会（KGB）、国防省の意見書は、「平和条約による領土画定で、日本はサハリン南部、クリール諸島がソ連領であることを認める」として、平和条約締結までは北方領土だけでなく、千島列島、サハリン南部の帰属も未確定であると認めていた〉（前掲「共同通信」）

ロシア改正憲法が示す北方領土

チビ「なるほど。この記事が、ロシアのプーチン大統領が、二〇二一年六月四日に行った世界の主要通信社代表とのリモート会見の予告になっているのか」

タマ「そう思います。この会見では、共同通信の水谷亨《みずたにとおる》社長がプーチン大統領にロシア憲法改正と北方領土問題の関係について質問しました」

そういってタマはｉＰａｄを操作して、以下の記事を示した。

〈ロシアのプーチン大統領は四日、ロシア改正憲法に領土の割譲を禁止する条項が盛り込まれたことに関連し、北方領土問題に言及した上で「憲法改正は考慮する必要があるが、日本との平和条約交渉を停止しなければならないとは思わない」との見解を示し、「交渉を継続する用意がある」と言明した。

（中略）昨年七月の憲法改正以降、プーチン氏が日本との平和条約交渉の継続を明言したのは初めて。

プーチン氏は、北方領土問題で日本の主張が二島返還、四島返還と二転三転したと批判した上で、四島引き渡しについて「ロシアもソ連も一度も同意したことはない」と述べ、ありえないとの認識を示した。

ロシアでは改正憲法で領土問題を巡る対日交渉が禁止されたとの主張が出ていた。（中略）プーチン氏は「日ロは戦略的に平和条約締結で利害が一致している」と強調、「両国民の利益に合致する善隣関係を築かなければならない」と述べた。

また、米国を念頭に「日本の同盟国が日本の領土にミサイル配備を計画しており、ロシアを脅かす恐れがある」状況下で、「この（領土）問題をどう解決できるのか」と述べ、日米同盟と在日米軍を暗にけん制。日本はロシアの懸念に明確に回答していないと批判し、安全保障問題が平和条約交渉の障害になっているとの主張を繰り返した〉

（「共同通信」二〇二一年六月五日配信）

シマ「二〇二〇年七月のロシア憲法の改正によって、ロシアが一九五六年の日ソ共同宣言で約束した歯舞群島と色丹島を日本に引き渡す可能性がなくなったとの見方をする有識者やマスコミ関係者がいるが、この種の解釈は間違いだ」

チビ「こういう間違った見解を正しておく必要がある。ロシアのクレムリンや外務省関係者が『クリル諸島を日本に引き渡すことはない。これら諸島について日本と交渉することはない。それはロシア憲法で禁止されているからだ』といっても、日本側として反応する必要はない。クリル諸島を日本に引き渡さずに、日本を満足させる形で平和条約を締結することは可能であるからだ」

タマ「どういうシナリオが可能なんですか」

チビ「二〇一八年一一月一四日のシンガポール日ロ首脳会談で、安倍晋三首相とプーチン大統領は、『(一九五六年の）日ソ共同宣言を基礎に平和条約交渉を加速する』ことで合意した。日ソ共同宣言は、両国の国会で批准された法的拘束力を持つ国際的な約束だ。共同宣言第九項後段では、平和条約締結後にソ連が日本に歯舞群島と色丹島を引き渡すことが明記されている。

ソ連の継承国であるロシアは、平和条約締結後にこれら二島を日本に引き渡す義務を負っている。プーチン大統領は、この義務を履行《りこう》すると何度も確認している。そのためには、今後の平和条約交渉で、クリル諸島の範囲を明確にする国境画定交渉が不可欠だ」

タマ「しかし、二〇二〇年七月の憲法改正でロシアの領土割譲が禁止されたので、北方領土交渉が絶望的になったという見方があります」

チビ「それは改正憲法のテキストを読んでいない乱暴な議論だ。日本に住む人間はどうかしている。二〇二〇年に改正されたロシア憲法六七条第二項でも、国境画定交渉が可能であると明示的に認められている。条文を正確に引用しておく」

〈ロシア連邦は主権と領土の一体性の擁護を保障する。ロシア連邦の領土の一部の割譲《かつじょう》を目論《もくろ》む行為、同様にそのような行為を呼びかけることは認められない（隣国とロシア連邦の国境の画定、線引き、再線引きを例外とする）〉

日ロ間の国境画定交渉は、ロシア憲法で明示的に認められているのだ。なぜ人間たちには読み取ることができないのだろうか。

安倍首相の北方領土交渉が国益を極大化

シマ「一九五一年のサンフランシスコ平和条約第二条c項で、日本は千島列島（英文ではクリル諸島）を放棄した。条約締結当時の日本政府の認識では、クリル諸島に国後《くなしり》島と択捉《えとろふ》島が含まれていた。

この原点に立ち返り、国後島と択捉島はクリル諸島に含まれるが、北海道の付属諸島である歯舞群島と色丹島は含まれないという合意を今後の平和条約交渉でロシアと取り付ければ、歯舞群島と色丹島は日本領、国後島と択捉島はロシア領という形で日ロ間の国境線画定ができる。国後島や択捉島に関しては、歴史的経緯と日本国民の国民感情を考慮して、ロシアが日本国民の渡航や経済活動を優遇する法的措置《そち》を採る。これによって、二島返還プラスαが実現する」

チビ「ロシアでは、二〇二一年九月に国家院（下院）選挙が迫っていた。国内的要因により、日ソ共同宣言で約束した日本への二島引き渡しについて明示的に述べることが難しい状況で、プーチン氏は『平和条約交渉をやめるべきだとは思わない』という表現で歯舞群島と色丹島が日本に引き渡される可能性について強く示唆した。

同年九月にロシア極東のウラジオストクで開催された『東方経済フォーラム』に、本来なら菅義偉《すがよしひで》首相が出席し、プーチン氏と会談、二〇一八年一一月一四日のシンガポール合意の内容を再確認して、日ロ平和条約交渉を活性化させる方策を首相官邸と外務省で考えるべきだった」

僕もチビの見解に全面的に賛成する。安倍晋三首相の行った北方領土交渉が、日本の国益を極大化する、現状では唯一のシナリオだったと思う。二〇二一年九月に菅義偉首相がロシア極東のウラジオストクを訪問し、プーチン大統領と会ってシンガポール合意を再確認し、北方領土問題解決に向けた現実的道筋について合意することが重要だった。この道筋さえつければ、北方領土問題は順調に動き始めたはずだ。

人間たちは、インテリジェンスや外交を、僕たち猫に任せるべきだ。

公安調査庁が共産党の真実の姿を国民に

タマ「二〇二一年一〇月三一日に投開票が行われた第四九回衆議院議員総選挙の注目点は、立憲民主党と日本共産党の選挙協力の影響でした。共産党の動静について、公安調査庁のHP（ホームページ）が事態を正確に予測していました」

公安調査庁は、定員一七四〇人の小規模官庁だが、そのインテリジェンス能力の高さは国際的にも認められている。公安調査庁長官は、CIA（アメリカ中央情報局）長官、モサド（イスラエル課報特務庁）長官などをカウンターパートにしている。

情報の力で日本国民を守ることが公安調査庁の任務だが、一九五二年の発足以来、この役所が一貫して調査の対象としているのが日本共産党だ。公安調査庁は毎年一二月、『内外情勢の回顧と展望』を発表している。この文書は公安調査庁のHPに掲載されているので、誰でも閲読《えつどく》することができる。

二〇二〇年一二月公表の『内外情勢の回顧と展望』では、「共産党がコロナ禍を党利党略のために最大限に活用している」との見方が示されている。

タマは飼い主のiPadを操作して、こんな記述を示した。

〈共産党は、新型コロナウイルス感染症の感染拡大を捉え、「新型コロナ危機を体験して、これまでになく多くの人々が政治に目を向けている」と指摘した上で、無党派層を中心に入党の働き掛けに努めた。

この取組では、政府が打ち出した各種政策を捉え、全世帯へのマスク配布や「Ｇｏ Ｔｏトラベル」をめぐる対応を批判するとともに、党独自あるいは他野党と共同で提言や政府に対する申入れを行った。また、共産党は、党の援助を受け、党幹部も輩出している青年組織・日本民主青年同盟とともに、各地で生活物資の配布活動を実施し、「党・民青と学生の結びつきが生まれていることから、民青を支え、援助を強めることが重要である」などと同活動を評価した。

（二〇二〇年）九月に発足した菅《すが》政権に対しては、安倍政権の政治姿勢を全面的に継承する体制であると批判し、対決姿勢を鮮明にした。また、次期総選挙については、「しんぶん赤旗」などで、次の総選挙で政権交代を実現するという本気度を国民に示すことが大事であると繰り返し訴えるとともに、いつ解散・総選挙になっても市民・野党共闘の勝利と党躍進を必ず勝ち取る構えで戦い抜くと強調して、選挙準備を進めた〉（『内外情勢の回顧と展望』二〇二一年一月）

シマ　「共産党はコロナ禍による国民の不安と不満を最大限に吸い上げ、野党との統一戦線工作を進め、政権交代を目指すという戦略を立てていると、公安調査庁は正確に予測していた。二〇二一年一〇月三一日に行われた総選挙では、自民党と公明党が安定多数を確保することができたが、四十数選挙区では、共産党が推す立憲民主党の候補者と接戦だった。

共産党は立憲民主党との選挙協力が成功したと総括し、二〇二二年の参議院議員総選挙で自公勢力を打倒する戦略を練った。

共産党の究極的な目標は、日本の社会主義・共産主義化だ。共産党のプロパガンダ（宣伝）、アジテーション（煽動《せんどう》）に国民が惑わされないようにするためにも、公安調査庁が公開情報の分析、共産党の内部を含む協力者から秘密裏に提供された情報の活用を十分に行い、革命政党である共産党の真実の姿を国民に伝えることが重要になる」

そういったあとで僕は、再び日本に住む人間たちの危機に対するアンテナの感度、あるいはインテリジェンス能力を、危惧《きぐ》することとなった。

ロシアの政権中枢に刺さっている親友

ミケ「二〇二三年六月二三日（現地時間、日本時間二四日未明）、ロシアの民間軍事会社（傭兵集団）『ワグネル』の創設者エフゲニー・プリゴジン氏が反乱を起こしましたが、一日も経たずに収束しました。飼い主は、プリゴジン氏の反乱がプーチン大統領の権力基盤を毀《き》損《そん》したとか、大統領と軍のあいだに亀裂が入ったという見方をしていませんでしたね」

飼い主「そのとおりだ。ロシアで大きな事件が起きると、僕はまずモスクワ国立大学哲学部科学的無神論学科で同級生だった親友のアレクサンドル・カザコフ氏（サーシャ）の意見を聞く。現在は政治評論家として執筆やテレビ出演で忙しくしている。また、国政与党『公正ロシア、真実へ！』の幹部会員（非議員）であり、政治の深い世界についてよく知っている。

ウクライナ戦争について僕とサーシャの立場は異なるが、嘘をついたりミスリードするようなことをいったりしない信頼関係は、二人のあいだで確立している。六月二五日午前〇時（日本時間。モスクワ時間で二四日午後六時）から三〇分ほど通信アプリ『テレグラム』で話をしたので、興味深い部分を紹介する」

〈**飼い主**：プーチン大統領は本件をどう認識しているか。

サーシャ：プーチン氏の口癖は「裏切り者だけは絶対に許さない」だ。プーチン氏が公の発言で裏切り者に言及することは珍しい。よほど腹を立てているのだろう。また、プーチン氏はワグネルという固有名詞は用いるが、エフゲニー・プリゴジンという名を国民への呼びかけで一度も口にしなかった。存在を認めない人間についてプーチン氏は固有名詞を口にしない傾向がある。プーチン氏を本気で怒らせたので、プリゴジン氏は逮捕されるか殲滅《せんめつ》されるであろう。

飼い主：プリゴジン氏が決起した動機は何か。プーチン氏が自分の要求を受け入れる可能性があると思ったのか。

サーシャ：そういう幻想は持たなかったと思う。ワグネルを用いることで権力を奪取できると考えたのだろう。

飼い主：西側でプリゴジン氏を支援する勢力があるか。

サーシャ：プリゴジン氏と西側の関係は分からない。国内では支持する勢力がある。トゥーラ州のデューミン知事はプリゴジン氏と良好な関係だ。プーチン氏としては、ワグネルをトゥーラに行かせないようにしたはずだ。

飼い主：ワグネルとロシア軍の衝突が起きるか。

サーシャ：起きる可能性がある。その場合、正規軍とワグネルが戦うことになろう。

飼い主：ワグネルの戦闘員が投降する可能性はあるか。

サーシャ：十分ある。ワグネルの戦闘員は現時点で二万人から二万五〇〇〇人と見られるが、大部分はロシア当局に帰順すると思う。

飼い主：プリゴジン氏の件がプーチン大統領の権力基盤を弱める可能性があるか。

サーシャ：その可能性はない。ワグネルはロシア社会に確固たる基盤を持っていない。国民

はプリゴジン氏を支持しない〉

欧米でも日本でも、マスコミと一部のロシア専門家や国際政治専門家は、「プリゴジンの反乱がプーチン政権の終わりの始まりになる」とか「プーチン大統領と軍のあいだに深刻な亀裂が走っている」というような希望的観測を述べていたが、飼い主はそのような事態にはならないと最初から考えていた。それは、カザコフ氏のようなロシアの政権中枢に刺さっている親友が真実を伝えてくれたからだ。

このことはのちに証明されたが、日本のマスコミはまったく頓珍漢《とんちんかん》な論評を加えていた。このときほど僕は、インテリジェンスの重要性を悟ったことはない。人間は猫を見習うべきだ。

第二章　宗教の人間法則

イスラム過激派が日本人を敵視する根拠

僕とチビとタマとミケは、飼い主が寝たあと、三階の飼い主の書斎に集まって国際情勢について意見交換をする。今回のテーマはダッカ襲撃テロ事件だ。二〇一六年七月一日夜（日本時間二日未明）、バングラデシュの首都ダッカでレストランが襲撃され、日本人七人を含む二〇人が死亡、多数の負傷者が発生した。これだけの数の日本人が犠牲になったテロ事件は、アルカイダ系の組織が引き起こした二〇一三年のアルジェリア人質事件以来だ。

タマ「〈事件を巡っては過激派組織『イスラム国』（ＩＳ）系メディアが『外国人を含む二四人を殺害した』などと伝えた〉（『朝日新聞デジタル』二〇一六年七月二日）ということですけど、ＩＳが犯人なんですか」

シマ「実行犯たちが、ＩＳとどのような関係を持っているかは分からない」

チビ「ＩＳが直接関与せずに行われたテロであっても、ＩＳにとって利用できるならば、この組織は犯行声明を出す。この記事を読んでみろ」

そういってチビは飼い主のｉＰａｄを操作し、液晶パネルに記事を出した。

〈このレストランの隣に住む韓国系米国人の男性（六一）は、一日午後八時四〇分（日本時間同日午後一一時四〇分）ごろ帰宅した後に事件を目撃した。

まず、三〜四人の男が「アラー・アクバル（神は偉大なり）」と叫び、空に発砲するのを見た。いずれもTシャツやジーンズ姿の二〇代前半ぐらいの若者で、片手にマシンガンやライフル、片手に長さ一メートルぐらいの刃物を持っていた。

一人が門から店の敷地に入ると、すぐ近くにいた日本人男性が「私は日本人だ！」と英語で三回叫び、「どうか、撃たないでくれ」と懇願していた。男たちは屋外席にいた客らに発砲すると、店内に入った。

やがて到着した治安当局との銃撃戦が始まり、テロリストが投げた爆弾で多くの警官が負傷し、叫び声が響いた。犠牲者の遺体が床に並べられ、「まるで地獄のようだった」と語った〉（「朝日新聞デジタル」二〇一六年七月二日）

タマ「ISやアルカイダなどのイスラム過激派から、日本人もイスラム世界を侵略する敵と見なされているのでしょうか」

チビ「そのとおりだ。だから『日本人だ。撃たないでくれ』といっても、テロリストは耳を傾けない」

タマ「何でそんなことになるのでしょうか」

チビ「客観的に見た場合、イスラム過激派が日本人を敵視することには根拠がある。二〇〇一年九月一一日のアメリカ同時多発テロ事件のあと、日本政府は積極的にテロとの戦いに加わっている。現在も直接的な軍事支援は行っていないが、人道支援を通じて、テロとの戦いを資金面で支援している。

また、国連やG7《ジーセブン》（主要国首脳会議）、あるいは日露首脳会談などの場で、政治的にテロとの戦いを積極的に支援する意思を表明している。その意味で、テロとの戦いにおいて日本人は当事者なのである。したがって、ISから標的とされる可能性は常にある」

〈「アラブの春」以降、中東諸国で実際に起きたのは、不健全な民族的・宗教的ナショナリズムの台頭という、むしろ民主化に逆行する動きでした。そう考えると、チュニジアで現在進行中の民主化プロセスは、たんにチュニジアだけの問題ではなく、少なくとも過去数百年続く欧州と北アフリカ・中東、キリスト教とイスラム教の文化的宗教的相克《そうこく》・葛藤《かっとう》の一側面とも捉えられる。アレキサンダー大王、ローマ帝国、イスラムの台頭、オスマン帝国の衰退から最近の植民地主義の時代まで、現在の欧州と中東・北アフリカ地域は、相互に支配・被支配、侵略と服従を繰り返してきた歴史的因縁を共有するライバル同士です。現在はたまたま欧米が優位に立っているだけ。少なくともアラブ人はそう信じています〉（佐藤優／宮家《みやけ》邦彦《くにひこ》『世界史の大転換』PHP新書、二〇一六年、五七頁）

チビ「ここは、宮家邦彦さんの発言部分で、イスラム教の過激主義は二〇一一年の『アラブの春』以後、深刻な問題になったが、中東と欧米のあいだに培われてきた構造的問題がある。同様の事柄《ことがら》は、バングラデシュと欧米との関係においてもいえる」

シマ「構造的問題ならば、容易に解決しないということか」

チビ「そういうことだ。テロとの戦いにおいて、日本人は当事者なので、ＩＳやそれに共鳴する団体から標的とされる可能性が常にある。しかし、そのことに怯《ひる》んではならない。自由、人権、民主主義などの普遍的価値観のうえに立って今日の日本の繁栄がある。この基本構造を暴力やテロによって破壊しようとするＩＳと戦うためには、細心の注意を払いつつも、淡々と国際社会の民主的基盤を強化する事業への貢献を日本が続けることが重要だ。この路線で対処するしかないだろう」

トイレのために起きて、僕たちの話を聞いていたらしい飼い主が、おもむろに口を開いた。

「不可能の可能性」とは何か

飼い主「正直にいうが、私の内部でも分裂が生じている。私は元外交官で、情報部局に長く勤務していたので、この世界の文法には通暁《つうぎょう》している。ここからは、若干のニュアンスの違いはあるにしても、ＩＳを殲滅するというシナリオしか出てこない。

しかし、このシナリオで問題が解決することはないと、キリスト教徒である私は確信している。絶対に正しいことを行っていると信じる一神教徒にとって、命を賭して行動することは、それほど難しくないということが皮膚感覚で分かるからだ。同時に、『誠実に対話をすれば、どこかで理解し合える』というような理想論が実効性を持たないこともよく分かっている。むしろ重要なのは、答えがないように見える問題について、思考を途中で停止せずに考えることだと思っている。

最終的に鍵になるのは、『われわれは人間である』という共通認識だと思う。真の神で真の人であるイエス・キリストを救い主と信じるキリスト教徒ならば、どのような頑《かたく》なな人の心も解きほぐすことができるという『不可能の可能性』に挑むことが必要とされていると私は考える」

「不可能の可能性」をどうやって実現するのか。飼い主が考えていることが分からなくなって、僕は頭がくらくらしてきた。

トランプ大統領が説いた「神の民の団結」

次にタマは、二〇一七年一月二〇日にドナルド・トランプ大統領が行った就任演説の、以下の部分を示した。

〈私たちは古い同盟関係を強化し、新たな同盟を作ります。そして、文明社会を結束させせ、イスラム過激主義を地球から完全に根絶します。私たちの政治の根本にあるのは、アメリカに対する完全な忠誠心です。そして、国への忠誠心を通して、私たちはお互いに対する誠実さを再発見することになります。もし愛国心に心を開けば、偏見が生まれる余地はありません。

聖書は「神の民が団結して生きていることができたら、どれほどすばらしいことでしょうか」と私たちに伝えています。私たちは心を開いて語り合い、意見が合わないことについては率直に議論をし、しかし、常に団結することを追い求めなければなりません。

アメリカが団結すれば、誰も、アメリカが前に進むことを止めることはできないでしょう。そこにおそれがあってはなりません。私たちは守られ、そして守られ続けます。私たちは、すばらしい軍隊、そして、法の執行機関で働くすばらしい男性、女性に、守られています。そして最も大切なことですが、私たちは神によって守られています〉

（「NHK　NEWS　WEB」二〇一七年一月二一日）

トランプ大統領が引用した「神の民が団結して生きていることができたら、どれほどすばらしいことでしょうか」（How good and pleasant it is when God's people live together in unity.）という聖書の言葉は、日本聖書協会の新共同訳では、「見よ、兄弟が共に座っている／なんという恵み、なんという喜び」と訳されている。旧約聖書の「詩編」一三三編の一節だ。短い詩なので、全文を引用しておく。

〈【都に上る歌。ダビデの詩。】
見よ、兄弟が共に座っている。
なんという恵み、なんという喜び。
かぐわしい油が頭に注がれ、ひげに滴《したた》り
衣の襟に垂れるアロンのひげに滴り
ヘルモンにおく露のように
シオンの山々に滴り落ちる。
シオンで、主は布告された
祝福と、とこしえの命を〉

チビ「ヤーウェ（神）の教えに基づく世界支配は、シオン（イスラエル）から広められるという意味だ。ダビデ王を理想としたメシアニズムを典型的に示す内容だ。

トランプ大統領が、キリスト教徒のみが正典（キャノン）とする新約聖書ではなく、キリスト教徒、ユダヤ教徒の両者が正典とする旧約聖書からあえて引用し、イスラエルと全世界のユダヤ人に『私はあなたたちと価値観を共有しています』というメッセージを送ったのだ。トランプ政権の外交は、親イスラエル政策を基調とすることになろう」

僕はチビを見直した。その後のトランプ大統領の政策は、常に親イスラエルを貫いてきたからだ。

テロには三つの型がある

タマ「二〇一七年四月三日、午後二時四〇分頃（日本時間午後八時四〇分頃）、ロシア第二の都市、サンクトペテルブルクの地下鉄車内で爆発が起きました。この記事を読んでみてください」

そういってタマは飼い主のｉＰａｄを操作して、「朝日新聞デジタル」の記事を示した。

〈スクボルツォワ保健相によると一〇人が死亡。五〇人近くが負傷した。プーチン大統領はテロの可能性を視野に捜査を進める考えを表明した。

国家反テロ委員会によると、爆発後、現場とは別の地下鉄駅で爆発物が発見された。同時多発テロを狙っていた可能性もある〉（「朝日新聞デジタル」二〇一七年四月四日）

タマ「四月一四日現在、死者は一四人（被疑者を含む）でした。事件当日にロシア当局は、キルギス系ロシア人が実行犯であるとの情報を流布《るふ》しました。この容疑者は、一ヵ月程度で急に過激な思想を持ち、自爆テロを決意するに至ったと報じられています。こんな短期間で、自爆テロリストになることがあるのでしょうか」

チビ「決して珍しくない。一ヵ月程度で、実行犯に自爆テロを決意させる心理操作をすること自体はそれほど難しくない。その場合に重要なのは、実行犯に自殺願望があることだ。その理由は、通常、失恋、大学入試の失敗、学業不振による大学退学、家族との諍《いさか》いなど、個人的な事柄だ。

テロ組織のメンター（思想的指導者）は、自殺志願者を常に探している。それだから、精神科医やカウンセラーを味方にして、自殺志願者に関する情報を入手する。そして、自殺志願者と会って、親身になって話を聞く。そのうえで、失恋、学業不振、家族問題が理由なので、自殺しても『人生に敗北してこの世を去るに過ぎない』と説得する。さらに、自殺の決意自体は評価して、『アッラー（神）の正義のために殉教《じゅんきょう》するならば、それは勝利して人生を終えることになる。死後、あなたは天国に行くことになる』と説得する。

人生が順調で、精神的に問題を抱えていない人ならば、このような説得をいくらしても効果がない。しかし、孤独で、人生に疲れ、自殺傾向のある人に対してならば、熟練したメンターによる心理操作で、自爆テロリストを作り出すことは難しくない」

僕はチビの話を聞いて、背筋に寒気が走った。日本でも自殺願望を持つ人はいる。そのような人に、過激な思想を持つメンターが「殉教することで人生の勝利者となれ」と吹き込んだならば、それに魅力を感じる人がまったく出てこないとはいえない。

特にこのようなメンターが学生を標的にする傾向があることは、二〇一四年に露見した北海道大学の学生の「イスラム国」（ＩＳ）への渡航未遂事件で明らかになった。大学のカウンセリングセンターが、テロ組織の人材獲得術を熟知することが重要だ。人間たちには、それが見えているのだろうか。

どの宗教にも潜む危険性とは

タマ「二〇一八年七月六日、法務省は、一九九五年三月の地下鉄サリン事件など計一三事件で殺人罪などに問われ、死刑が確定したオウム真理教元代表の麻原彰晃《あさはらしょうこう》（本名・松本智津夫《まつもとちづお》）死刑囚（六三）ら七人の教団元幹部の死刑を執行したと発表しました。

〈松本死刑囚は一九五五年、九人きょうだいの四男として熊本県八代市《やつしろ》で生まれた。確定判決などによると、目が不自由だったため県立盲学校に通い、卒業後は鍼灸師《しんきゅうし》として働き、千葉県船橋市で薬局を経営していた。八二年ごろから宗教活動を始め、『麻原彰晃』を名乗って都内でヨガ教室を開いた。八四年には教団の前身となる『オウム神仙の会』を発足させ、八七年にはオウム真理教に改称した。

当時はバブル景気のまっただ中。教団は社会のあり方に疑問を感じる若者をひきつけ、急速に拡大した。松本死刑囚は自らが『ヒマラヤで悟りを得た最終解脱者《げだつしゃ》』だと主張し、『精神的な進化こそが人類を救済する道だ』と、信徒に絶対的な帰依《きえ》（服従）を求めた。

そんな教団が行き着いた先は『救済のためなら、殺人も許される』という教義だった〉

（『朝日新聞デジタル』二〇一八年七月六日）

『救済のためなら、殺人も許される』というようなオウム真理教は、まさに『狂気』のカルトです」

チビ「そういうレッテルを貼っても、問題の本質は分からない」

タマ「どういうことでしょうか」

チビ「一六世紀の宗教改革者のマルティン・ルターだって、時の権力に反抗して起《た》ち上がった農民の殺戮《さつりく》を推奨した。権力に対する反抗は罪なので、農民たちが罪に深入りしないうちに殺せば、魂の清さが保たれ、復活し、救済される可能性があるとして、救済のための殺人を正当化した。

そのルターを、ナチスの指導者アドルフ・ヒトラーは尊敬していた。オウム真理教だけを特殊視するのではなく、どの宗教にも潜む本質的な危険性について、掘り下げて考える必要がある」

シマ「そういえば飼い主は、日本最大のプロテスタント教派である日本基督《きりすと》教団に所属するキリスト教徒だ。同志社大学神学部と大学院で組織神学（キリスト教の理論）を研究した。

現在も神学研究を続けているので神学者でもある。飼い主は一人のキリスト教徒として、処女降誕《こうたん》、死人（イエス）の三日目の復活、あるいは、この世の終わりの日にキリストが再臨すると本気で信じている」

タマ「近代の合理主義を基準にすれば、キリスト教徒も常軌を逸した信念を持っていることになりますね」

チビ「そうだ。キリスト教徒も信仰のために死ぬことを恐れない。自分の命を捨てる決意をした人が他人の命を奪うことに対する抵抗感を失うことは、過去のキリスト教がらみの宗教戦争の歴史が示している。近代以降、最大の宗教であるナショナリズムにおいても、祖国のために自分の命を捧げることを決断した人は、躊躇《ちゅうちょ》なく敵の命を奪うことができる」

オウム真理教の暴発を防ぐために、飼い主を含むキリスト教徒にもできることがあったはずだ。宗教の危険性を伝え、テロを防止する手段を考えることも、神学者の責任だと思う。宗教がらみのテロを防止することに、神学者はもっと積極的に取り組まなくてはならないと僕は思う。しかし人間は分かっていない。今度、飼い主とよく話してみようと思う。

死刑囚の母に送った手紙

タマ「二〇一八年七月六日、オウム真理教事件関係の麻原彰晃こと松本智津夫死刑囚ら七人、同月二六日には別の六人の死刑執行がなされました。オウム真理教事件で死刑が確定した一三人の刑の執行はすべて終了しました。テレビのワイドショーでは、死刑執行を実況中継のように報じ、新聞各紙も『平成の事件は平成のうちに処理しなくてはならない』というのが政府の意向だという記事を無批判に掲載しています。改元と死刑執行にどのような論理的連関があるのでしょうか」

シマ「確かにそういわれてみると変だ。たとえば連合赤軍事件の関連では、確定死刑囚の死刑執行は、一件もなされていない。前回の改元の際に、『昭和の事件は昭和のうちに処理しなくてはならない』などということを主張する政治エリートもマスコミ関係者もいなかった」

チビ「オウム真理教事件に関して、改元前に区切りをつけようとする背景には、日本的なケガレの思想があるように思えてならない。松本元死刑囚の遺灰を海に流せというような論調も散見されるが、ケガレを日本から少しでも遠ざけようという無意識が働いているように思えてならない」

タマ「そういえば、飼い主は、七月二六日に死刑が執行された人の母親に、以下の手紙を書いていました」

そういって、タマは飼い主のPCを操作した。Dropboxからこんなデータが出てきた。個人情報が特定されないように、固有名詞はAさんBさん（Aさんの母親）とする。

〈突然、手紙を送る失礼をお許しください。

数年前、安田《やすだ》好弘《よしひろ》弁護士が主催する会合の後、会食で隣になり、B様と話をしたことがある佐藤優と申します。

昨二六日にAさんの刑が執行されたことをとても残念かつ悲しく思います。会食の席で、Aさんの人柄について、お母さんが話していたことが記憶によく残っています。絶対に正しい何かがあると信じ込まされてしまった人は被害者です。それにもかかわらず、その被害者が加害者になってしまうところに、構造的問題があると思います。

私も鈴木宗男事件に連座して、二〇〇二年五月一四日から翌〇三年一〇月八日まで、東京拘置所の独房に勾留《こうりゅう》されていました。B棟八階で、そこには多くの確定死刑囚が収容されていました。当時は未決であったオウム真理教関係者も同じ階に、私の記憶では二人収容されていました。Aさんとも、拘置所のどこかですれ違っていたかもしれません。

私の母は、世間のバッシングのなかでも、私を信じ、支えてくれました。以前、B様とお会いしたときに、私は自分の母のことを思い出しました。

新聞からは断片的な情報しか伝わってきませんが、それでもAさんが最後の瞬間まで誠実に生きたことが分かります。Aさんは、天国から、B様に感謝し、お母さんのことを見守っ

ていると思います。深い悲しみの中におられることと思いますが、ご自愛ください〉

死刑囚との対話で分かったこと

チビ「オウム真理教事件から、われわれが学ばなくてはならないことがたくさんあると思う。

アンソニー・トゥー博士（アメリカ・コロラド州立大学名誉教授）はヘビ毒の世界的権威で、生物・化学兵器に関して詳しい。日本の警察に協力してオウム真理教によるサリン事件解明のきっかけを作った人物だ。

トゥー氏は、坂本堤《さかもとつつみ》弁護士一家殺害事件、松本サリン事件、地下鉄サリン事件、東京都庁小包爆弾事件などに関与し、死刑が確定した中川智正《なかがわともまさ》氏と、二〇一二年から一五回にわたって面会した。面会の目的は、オウム真理教による生物・化学兵器の製造過程を調査することだ。

面会を通じて、二人のあいだには、人間的な信頼関係が確立される。その結果として生まれたのが『サリン事件死刑囚　中川智正との対話』（角川書店、二〇一八年）だ。本書の公刊は死刑執行後にしてほしいと中川氏は要請した。トゥー氏はそれを受け入れ、二〇一八年七月六日に中川氏が麻原彰晃死刑囚ら六人とともに絞首されたあと、本書が刊行された。ちなみに本書の奥付は七月二六日になっているが、この日に残り六人の絞首刑が行われた。
京都府立医科大学を卒業した心優しき青年医師が、なにゆえ大量殺人に手を染めるようになったか、本書を読むとよく分かる」

シマ「飼い主は、自分がキリスト教徒として、われわれが本来やるべきことをしなかった罪がオウム真理教を生み出してしまった、と考えている。飼い主は、本質において宗教人だから、オウム真理教に対する受け止め方が、世間の基準からずれているのだと思う。オウム真理教事件のような凶悪事件が起きたことについて、飼い主は一人のキリスト教徒として、イエス・キリストの前で悔い改めなくてはならないと本気で思っている」

タマ「それだから飼い主は、トゥー博士の著書をあちこちで紹介しているのでしょうか」

チビ「そう思う。この本は実に興味深い。それは、トゥー氏に優れた人間観察眼が備わっているからだ。それだから、中川氏の麻原彰晃死刑囚やオウム真理教に対する評価が錯綜《さくそう》していることを見抜いた」

そういって、チビは、鉤爪《かぎづめ》で『サリン事件死刑囚　中川智正との対話』を開いた。

〈裁判の記録では中川氏は当初は麻原を尊敬して尊師と呼んでいたが、そのうちに麻原は「狂っている人」と批判したこともあった。中川氏の心の中で麻原に対する「畏敬《いけい》」の念と「憎悪《ぞうお》」の念という相反する気持ちが共存しているのだと思う。時間の経過とともに「憎悪」が強くなるが、時々「畏敬」の念が突然出てくるのではないかと思う。

同じことが「オウム教団」についてもいえるのではないかと思う。まだ逃走犯が逮捕されていないとき、私は中川氏に聞いた。「この三人はオウムの秘密を守るため、オウムによって殺害されてしまったという人もいますが」。すると彼は即座に反論した。

「オウムは忠実な信徒を殺すようなことはしませんよ。この三人に秘密なんてありません。秘密を知っている人は皆この拘置所の中にいますよ」

これではまるでオウムは悪くないと思っているような言い方でもある〉（一七三頁）

日本に必要な宗教的・思想的安全保障

チビ「麻原死刑囚には、他者の魂をつかむ類《たぐ》い稀《まれ》な能力があった。オウム真理教には難関大学出身の若者が多かったが、偏差値で測られる教科書の内容を記憶して再現する能力では、人生の意味を問う人に対して答えを与えることはできない。
人間は誰もが不安や闇を抱えている。中川氏は、教祖に帰依することによって人生の根源的問題を一挙に解決できると思ったのであろう。絶対に正しい教えがあると信じ込まされてしまった中川氏は被害者である。その被害者が殺人に手を染める加害者となってしまうところに、オウム真理教事件の構造的問題がある」

チビがいうとおり、カルトの被害者は、しばらくすると加害者になってしまうという構造がある。この構造を、教育を通じて、若い世代の人々に理解させることが神学者、牧師、僧侶など、宗教に関わる人々にとって重要な課題だと思う。

ロシア語に「ドィホーヴナヤ・ベスアパースノスチ」という言葉がある。直訳すると「宗教的・思想的安全保障」という意味だ。ソ連崩壊前後に、ロシアには外国からオウム真理教を含むさまざまなカルトが入ってきて問題を起こしたので、その対策が教育に組み込まれている。日本の人間たちも、宗教的・思想的安全保障について、真剣に考えなくてはならない。

フロマートカの「対話の神学」

ところで、タマは「プラハの春」を知らないようだ。僕は驚いたが、タマ以外の若い世代の猫や人間で、あの歴史的事件を知らない者は意外と多いのかもしれないと思い直し、丁寧に説明することにした。

シマ「一九五〇年代末から六〇年代にかけてチェコスロバキアでは、キリスト教徒とマルクス主義者の対話が積極的に進められた。チェコのプロテスタント神学者ヨゼフ・ルクル・フロマートカ（一八八九～一九六九年）は、『人間とは何か』というテーマについてならば、神を信じないマルクス主義者とキリスト教徒とのあいだでも建設的な対話が可能であると考えた。同時にフロマートカは、核戦争を回避するために、キリスト教徒は、資本主義陣営、社会主義陣営の壁を超えて、平和を実現するために協力すべきであると強調した。

そこでフロマートカたちは、プラハに本部を置く『キリスト者平和会議』（The Christian Peace Conference、ＣＰＣ）を創設し、そこで東西の神学者や牧師、あるいは一般信徒たちが交流するようになった。そのＣＰＣ議長にフロマートカが就任した。ＣＰＣは、共産圏でキリスト教徒のイニシアティブで結成された唯一の国際組織だった」

タマ「それはコミンテルン（共産主義インターナショナル）の陰謀じゃないんですか」

シマ「すでにコミンテルンは解散している。しかし、ソ連はＣＰＣの創設を歓迎した」

タマ「どうしてですか」

シマ「ソ連やチェコスロバキア、東ドイツなどで、ＣＰＣの活動は、外国との関係では歓迎された。その理由は二つだ。

第一に、核軍縮を進め、東西間の緊張緩和を実現することが、ソ連の外交戦略に合致していたからだ。

第二に、西側諸国では『共産圏には信教の自由がない。共産党政権によって教会が弾圧されている』という宣伝戦が展開されていたが、これに対抗する必要を、ソ連と東欧諸国の共産党政権が感じたからだ」

チビ「フロマートカのような西側でもよく知られた神学者を中心に、教会の自主的活動を支援することで、共産圏にも信教の自由があるということを宣伝する効果があると、共産党政権は考えた」

対立する国家・国民が和解するための神学

シマ「他方、社会主義諸国内でのＣＰＣの活動には、さまざまな制約が加えられた。キリスト教が影響力を拡大することを共産党政権が望まなかったからだ。

しかしチェコスロバキアでは、事態は共産党の想定外の方向に進んだ。フロマートカらとの対話を通じ、当時のチェコスロバキアで影響力を持っていたミラン・マホベェッツやビーチェスラフ・ガルダフスキーらのマルクス主義哲学者が、キリスト教を肯定的に評価したのだ。

その傾向は徐々にチェコスロバキア共産党の中枢部に及んでいった。そしてスターリン主義と訣別し、『人間の顔をした社会主義』を掲げる『プラハの春』と呼ばれる運動が展開された。

当初、知識人を中心とした運動であったが、『人間の顔をした社会主義』という言葉が、多くのチェコ人とスロバキア人の心を捉えた。チェコスロバキア共産党のトップであったアレクサンドル・ドゥプチェク第一書記は、『プラハの春』の考えに立ってチェコスロバキアの社会構造を改革しようとした」

チビ「『プラハの春』は、社会主義から資本主義への体制転換を目指す自由化運動ではなく、チェコスロバキアは社会主義体制を堅持するという前提に立ったうえでの民主化運動だった」

タマ「共産党が生き残ろうとした陰謀のように思えてなりません」

シマ「そうじゃないよ。ソ連や東ドイツなどは、『人間の顔をした社会主義』という運動が自国に広がると社会主義体制の基盤を揺るがす危険があると考え、一九六八年八月二〇日の夜遅く、ソ連軍を中心とするワルシャワ条約五ヵ国軍（ソ連、ポーランド、東ドイツ、ブルガリア、ハンガリー）がチェコスロバキアを侵攻した。

このとき用いられた論理が、『社会主義諸国全体の利益のためには、個別国家の主権が制限されることがある』という制限主権論だ。制限主権論は、国際法的には集団的自衛権を根拠としている。集団的自衛権は、解釈によっては他国を侵略する口実にもなるということが明らかになった」

タマ「分かりました。そのとき、フロマートカはどういう態度を取ったのですか」

シマ「ワルシャワ条約五ヵ国軍の侵攻の翌八月二一日、フロマートカは侵略に抗議して、駐チェコスロバキアのソ連大使、ステパン・チェルボネンコに対する書簡を公開した。そこには『私の受けた衝撃はドゥプチェク第一書記と同じであり、占領軍の即時撤退のみがわれわれの不幸を部分的に軽減することができるでしょう』と記されていた。『プラハの春』が叩き潰されたあと、フロマートカも反体制派と見なされるようになる」

チビ「飼い主は、同志社大学神学部一回生のときにフロマートカの神学に触れ、その引力圏から未だに抜け出せていない。外交官としてモスクワに勤務していたときにも、フロマートカに関する著作をロシア語で刊行し、またモスクワ国立大学哲学部宗教哲学宗教史学科でもフロマートカ神学について講義した。当時のロシアでは、知識人や学生のみならず圧倒的多数の国民も、チェコスロバキアへのソ連軍の侵攻はスターリン主義による過ちであると考えていた。それが最近では大きく変化しているようだ」

そういって、チビは飼い主のｉＰａｄを操作し、こんな記事を示した。

〈一九六八年八月に当時のチェコスロバキアにソ連軍などが侵攻し、「プラハの春」と呼ばれた民主改革を圧殺した事件について、ロシアの独立系世論調査機関「レバダ・センター」は二一日、ロシアの回答者の三分の一が「侵攻は正しかった」とした調査結果を発表した。当時のチェコスロバキアの民主改革を「反ソ分子による政変」「西側による策動」と否定的

にとらえる回答は計四四％にも及んだ〉（「朝日新聞」二〇一八年八月二三日朝刊）

チビ「東西冷戦と現下のロシアと欧米諸国の対立を類比的に捉える傾向が、ロシア人のあいだで強まっているのであろう」

フロマートカは、対立する国家間の国民が和解するために対話を推進することがキリスト教徒の責務であると考えた。フロマートカの「対話の神学」は、現在も意義を失っていないと僕は思う。果たして人間たちは理解しているのだろうか。

大阪都構想と創価学会の内在的論理

タマ「大阪市を廃止して四つの特別区に再編する大阪都構想の是非《ぜひ》を問う住民投票が二〇二〇年一一月一日に行われ、反対が多数になりました。前回二〇一五年の住民投票に続く二回目の否決です」

そういってタマは飼い主のｉＰａｄを操作し、以下の記事を示した。

〈大阪維新の会代表の松井《まつい》一郎《いちろう》市長は二三年四月の任期満了で政界を引退すると表明した。当日有権者数は二二〇万五七三〇人、投票率は前回を四・四八ポイント下回る六二・三五％だった。

松井氏は一日夜に記者会見し「けじめをつけなければならない」と政界を引退する考えを

示した。吉村洋文《よしむらひろふみ》代表代行（府知事）は「僕が都構想に挑戦することはない」と述べた。維新は党のリーダーと看板政策の都構想を同時に失った〉（「朝日新聞デジタル」二〇二〇年一一月二日）

チビ「二〇一五年の住民投票では、大阪都構想に公明党が反対した。しかし、二〇二〇年は賛成に方針を転換した」

チビはｉＰａｄを操作して、こんな記事を出した。

〈そもそも公明は昨年五月まで都構想に反対の立場だった。だが、都構想の再挑戦が最大の争点となった同年四月の大阪府知事・大阪市長のダブル選で、維新が勝利。その後、維新から次期衆院選で対立候補の擁立《ようりつ》をちらつかされ、公明は賛成に転換する。公明にとって関西は、次期衆院選で候補を立てる九小選挙区のうちの六つを抱える重要地域。その議席の死守を、優先した結果だった。ただ、公明の支持者には、突然の転換を受け入れられない人も多かった〉（「朝日新聞デジタル」二〇二〇年一一月三日）

シマ「公明党の支持母体は創価学会である。創価学会員が、大阪都構想を強く支持しなかったのは、都構想の内容よりも、二〇一五年の住民投票の経緯にわだかまりがあったからだと思われる。二〇一二年の衆議院議員選挙で、当時の大阪市長だった橋下徹《はしもととおる》氏が国政政党『日本維新の会』を立ち上げた。橋下氏は、公明党の候補のいる小選挙区には擁立を見送り、公明党候補の推薦も決めた。そうすることで公明党が都構想へ協力すると橋下氏は考えていたのであろう」

僕もｉＰａｄを操作し、少し古い記事を見つけた。

〈一四年、橋下氏が示した区割り案に公明が反発するなどして、都構想の議論は頓挫《とんざ》。橋下氏は「宗教の前に人の道がある」と述べ、公明や支持母体の創価学会を激しく攻撃した。さらに橋下氏は市長を辞職して出直し選で再選されたものの、都構想案は公明などの反対で否決された。

対立が深まる中、維新は知名度の高い橋下氏や松井氏を公明現職のいる小選挙区に擁立する作業に着手。揺さぶりをかけた。直後に安倍政権が介入し、松井氏と親交のある菅義偉《すがよしひで》官房長官が仲裁。橋下、松井両氏と公明府本部幹部らが会談し、公明は住民投票の実施に同意した。ただ一五年五月に行われた住民投票では、都構想案は否決された〉（「朝日新聞デジタル」二〇一八年一二月一七日）

チビ「創価学会員にとって、信仰は何よりも重要な事柄だ。橋下氏が『宗教の前に人の道がある』と述べたことは宗教的心情を傷つける発言で、松井氏らがそれに同調したことで創価学会員の一部に大阪維新の会に対する忌避《きひ》反応が生じた。これが、二〇二〇年の住民投票で公明党支持者の動きが鈍かった理由だと思う。大阪維新の会幹部による宗教を信じる人たちを見下した態度に根本的問題がある」

タマ「なるほど。日本の政治情勢を分析する際に、創価学会の内在的論理を知ることが重要なんですね」

チビ「そうだ。だから飼い主は『池田大作研究　世界宗教への道を追う』（朝日新聞出版、二〇二〇年）を上梓《じょうし》したのだ」

僕も飼い主の本を読んでみようと思う。

ローマ教皇が謝罪すべき発言

タマ「二〇二二年二月に始まったウクライナ戦争は、二〇二三年に入っても、戦争を煽《あお》る動きがありました。特に問題なのが、カトリック教会の最高指導者であるフランシスコ教皇（法王）の発言です」

そういってタマはiPadを操作し、以下の記事を示した。

〈フランシスコ・ローマ教皇が、ウクライナ侵攻を続けるロシア軍の兵士のうち少数民族のチェチェン人とブリヤート人が「最も残虐《ざんぎゃく》だ」と述べ、波紋を広げている。チェチェン人とブリヤート人はそれぞれイスラム教徒とチベット仏教徒で、キリスト教徒から見て「異教徒」の少数民族がやり玉に挙げられた形。プーチン政権は、外交ルートを通じバチカン（ローマ教皇庁）に抗議した。

教皇はイエズス会系の米誌アメリカ（電子版）とのインタビューで、キリスト教徒が多いウクライナでの犠牲者と残虐行為の関係に言及。「最も残虐なのは、ロシア国民でもロシアの伝統に従わないチェチェン人やブリヤート人らだ」と主張した。

（中略）ロシア側は教皇の発言に猛反発。タス通信によると、ザハロワ外務省情報局長は（一一月）二八日、「もはやロシア嫌いの域を超え、理解不能なレベルの倒錯《とうさく》」と批判した。チェチェン高官は「この論理なら、次に教皇が発表するのはロシアに対する十字軍遠征だ」と訴え、イスラム教徒への蔑視を問題視した〉（「時事通信」二〇二二年一一月三〇日配信）

シマ　「この問題が深刻なのは、懇談の場で出た不規則発言ではなく、イエズス会系の雑誌（電子版）に掲載されたからだ。

ローマ教皇庁はしっかりした官僚組織を持っている。フランシスコ教皇の発言は、雑誌に掲載される前に教皇庁が組織として入念にチェックする。そのチェックの過程で、教皇の発言が差別的であるということに、カトリック教会という組織が気づかなかった。

差別が構造化している場合、差別的発言を行っている人は、自らの偏見に気づかないのが通例だ。教皇の発言は、その典型例。チェチェン人やブリヤート人という民族的属性と残虐性を結び付けるのは、明らかな差別だ。さらにチェチェン人はコーカサス系でスンニ派のイスラム教を信じる人が多く、ブリヤート人はモンゴル系でチベット仏教を信じる人が多い。教皇の発言の背景には、民族的かつ宗教的な二重の偏見がある。

フランシスコ教皇は、この発言を直ちに撤回し、謝罪すべきだ」

チビ「他方、ロシア正教会のウクライナ戦争に対する姿勢にも深刻な問題がある。二〇二二年九月二五日の説教で、ロシア正教会の最高指導者であるキリル総主教は、『教会は、もし誰かが義務感、誓いを果たす必要性に駆られて、自分の召命（使命）に忠実であり続け、軍務の遂行中に死ぬならば、その人は確かに犠牲に等しい行為を行っていると理解します。他人のために自分を犠牲にする。そして、この犠牲によって、人が犯したすべての罪が洗い流されると信じています』（『モスクワ総主教庁ＨＰ』二〇二二年九月二五日、ロシア語から飼い主訳）と述べた。

この戦争が聖戦なので、そこで戦死することはキリスト教信仰のための殉教《じゅんきょう》であって、罪がすべて許されるという論理から戦争への参加を奨励している」

シマ「飼い主はプロテスタントのキリスト教徒だ。カトリック教会と正教会の兄弟姉妹に、〈平和を造る人々は、幸いである、その人たちは神の子と呼ばれる〉（『マタイによる福音《ふくいん》書《しょ》』五章九節）というイエス・キリストの教えに立ち返るべきだと、飼い主は主張している。人間には、本当に、何も見えていない」

ウクライナ戦争と旧統一教会と神

二〇二三年三月四日、飼い主は午前八時四〇分から透析を始めた。午後〇時四〇分頃に終わる予定だったが、終了の三〇分前から気分が悪くなった。最高血圧が六八より上がらない。看護師が「佐藤さん、目を開けてください」と呼びかける。飼い主の意識が朦朧《もうろう》としていたようだ。生理食塩水四〇〇ミリリットルを静脈に入れて、二時間ほどベッドに横になっていたら、最高血圧が一一〇になったので、主治医から帰宅を許可された。

この経験を経て、飼い主は以前よりも考え込むことが多くなった。飼い主のノートを覗くと、こんなことがメモしてあった。

《命は神から預かったものだ。いつかは神に返さなくてはならない。まだこの世の中で私にやるべき事があると神が考えているので今回は命を残してくれたのだと思う。チェコのプロテスタント神学者ヨゼフ・ルクル・フロマートカは、各人には神に命じられた召命（使命）があることを強調し、こう述べている。

〈使命は無条件である。召命を受けた者は、託された使命を進んで行うための条件を設けてはならない。自分の使命にいついつまで、という期限も設けてはならない。使命は生涯続くもので引退も休暇もない。つまり、信徒は使命を人生のあらゆる状況で果たす。使命は健康で体力があるときのみに限られない。病床でも死の床《とこ》でも変わりなく果たすものである。重病人や衰弱した人が忠実さ、忍耐、我慢、愛によって、言葉で表せないほど大きな奉仕をやり遂げたことも何度となくあった。パウロは召命を受けた証人であり続けた。皇帝の囚人としても神の国を宣《の》べ伝え、主イエス・キリストのことを教え続けた（使徒言行録二八章三一節）。パウロは獄中でも何通か手紙を書き、むしろこの境遇に陥ったからこそ福音を前に進めることができたと喜んだ（フィリピの信徒への手紙一章一二節以下）。

こうしたことから私たちがいいたいのはただ、何も口実にはならないこと、自分が置かれた境遇をいいわけにしてはならないということ（ルカ福音書九章五九、六〇節）、そして自らの恵みによって私たちに呼びかけた主は、普通ならば使命を果たすことが困難に思われるような場所や状況でも私たちの使命の絶対性を授けてくれることである（マタイ福音書一〇章一六―二〇節）〉（ヨゼフ・ルクル・フロマートカ〔平野清美訳／佐藤優監訳〕『人間への途上にある福音　キリスト教信仰論』新教出版社、二〇一四年、二九〜三〇頁）

このフロマートカの言葉に影響を受けて、私は同志社大学神学部と大学院を出たあと、牧師やキリスト教主義学校の聖書科の教師にならずに外交官になり、その後は作家に転じて今日に至っている。この原点に立ち返り、自らの良心に基づき、自らの使命を果たす形で作家活動を続けようと思っている》

どうも飼い主は、キリスト教徒として、このとき命拾いしたのは、まだこの世で飼い主にはやらなくてはならない仕事があると神が考えていることの反映だと受け止めているようだ。僕はこのメモを読んで、なぜ最近の飼い主が論壇の主流からずれたことを書いているのか、その理由が分かったような気がした。

ほとんどのマスコミと論壇陣が、ウクライナ頑張れと大合唱をしているのに(もっとも『月刊Ｈａｎａｄａ』はウクライナのウォロディミル・ゼレンスキー大統領に批判的な論考も掲載している)、飼い主は即時停戦論を唱えている。そして、これはロシアとの直接対戦を避けようとするアメリカによって「管理された戦争」で、ウクライナが失地を完全に回復することはできないという見方を示している。

また旧統一教会(世界平和統一家庭連合)の問題に関しても、家庭連合の人々を含め、信教の自由は保障されなくてはならず、特定の宗教の教義や教祖を侮辱したり、揶揄《やゆ》したりすることは許されないという主張をしている。同志社大学神学部の時代に、飼い主は、原理研究会(旧統一教会系の学生組織)の人たちとは、かなり激しく対立していたし(暴力的衝突を起こしたこともあるらしい)、同志社大学反原理全学集会の議長を務めたこともある。

過去の因縁がいろいろあるにもかかわらず、家庭連合バッシングは、信教の自由を侵害する危険な傾向があると批判した。これも論壇やマスコミの主流派から外れた主張だ(ちなみに旧統一教会問題に関しても『月刊Ｈａｎａｄａ』は多面的な論考を掲載している）。

飼い主のキリスト教徒としての使命感が、ウクライナ問題や旧統一教会問題で独自の論陣を張る動因になっているようだ。飼い主は基本的に神憑《かみがか》りの人なのだ。

「神からの召命」二〇項目

ミケ「飼い主は女子医大で腎移植手術を終え、二〇二三年七月二九日に退院しました。入院期間は六月二〇日から七月二九日までの足かけ四〇日間。短期間に全身麻酔の開腹手術を二回（腎移植と腸閉塞《へいそく》）した関係で、体力をかなり消耗したようです。脚も弱っている（四〇日間、ほぼ病室で過ごしたので、不思議はない）ので、退院日には、息切れしながら、ようやく家に辿り着いたという感じでした。

家に帰ってきてから飼い主は書斎に閉じ籠《こ》もり、チェコ語やドイツ語の神学書を読み漁《あさ》っていました。ノートには、こんなメモが記されていました。タイトルは、『ヨゼフ・ルクル・フロマートカ（チェコの神学者）の召命観について』」

〈飼い主が考える二〇項目〉

①信仰とは、「召命を受けた」という強い意識がないと成り立たない。

②召命は常に人生全体を支配するものであった。

③召命は神の個人的呼びかけである。

④人間は自分の名が呼ばれているのを聞き、それがまさに自分に向けられていると認識する。

⑤召命とは神と人間のあいだの出来事である。

⑥神は自ら人間に語りかけ、相手の人間を個人的に名前で呼ぶ。

⑦神はその力強い声で、一人一人の心、良心、思考、行動に呼びかける。個々に名前で呼びかけ、逃れようのないほど明瞭に呼びかける。

⑧召命は人間を本当の個人に仕立て上げる。

⑨召命はこの世の人生において起きるが、神の恵みによって、神の自由な決断で行われる。人間の能力や資質、出自や肌の色、教養や賢さとは関係ない。道徳性、品位、宗教への熱心さや貢献度とも関係ない。

⑩前もって召命から除外されている人もいなければ、召命を受けることを自分で前もって定めることもできない。

⑪召命は私たちの手中にも、私たちの可能性のなかにもない。

⑫召命を受けるように自ら決めることもできなければ、それに向けて精進《しょうじん》することもで

きない。

⑬使命を促す召命がただ主の力と恵みによることを人々は忘れている。「恵みによって(sola gratia)」はここにも当てはまり、無条件に適用される。

⑭召命は無条件である。

⑮召命を受けた者は、託された召命を進んで行うための条件を設けてはならない。

⑯自分の召命について、いつまで、という期限を設けてはならない。

⑰召命は生涯続くもので、引退も休暇もない。つまり、信徒は召命をあらゆる状況においても果たす。

⑱召命は健康で体力があるときのみに限られない。病床でも死の床でも変わりなく果たす。

⑲何も召命を履行《りこう》しないことの口実にならない。置かれた境遇を言い訳にしてはならない。

⑳召命は常に奉仕を意味する。

シマ「飼い主は、毎日、この二〇項目について、いろいろ考えているようだ。腎移植が成功したことによって寿命が二倍、健康寿命ならば三倍くらい延び、十数年は作家活動ができるだろうが、それでも飼い主の持ち時間は限られている。その制約のなかで、何をすることが神のため（同時に周囲にいる人々と社会と国家のため）になるかについて考えているようだ」

手前勝手だが、僕の飼い主には、日本の人間たちには見えていないものが見えているように思える。

池田大作氏の死後戦略

タマ「創価学会名誉会長（創価学会第三代会長、ＳＧＩ［創価学会インタナショナル］会長）の池田大作《いけだだいさく》氏が二〇二三年一一月一五日に逝去《せいきょ》したことが、同一八日に明らかになりました。

興味深いのは、池田大作氏の妻・池田香峯子《いけだかねこ》氏が『一〇年以上前に〝この後は妙法に説かれる不老不死のままに永遠に指揮を執る〟と語りつつ、幸いすべてを託してバトンタッチできましたので安祥《あんじょう》としていました』と述べたことです。池田氏は一〇年以上かけて、自らが死亡したあとについて戦略を練り、システムを整えていたという意味です。

池田氏の死去に関する宗教学者のコメントのなかには、創価学会の内在的論理を無視するものがあります。たとえば、宗教学者の島薗進《しまぞのすすむ》氏の以下の見解です。

〈政治活動と宗教活動が一体　いまも議論ある
宗教学者で東京大学名誉教授の島薗進さんの話
戦後の精神的な空白を埋めるべく新宗教が急速に発展し、最大の教団が創価学会だ。新宗教の一大発展期の最後のリーダーだったといえる。

この世で幸せになることを通して救いを実現すると説き、政治に重きを置く方向へと展開していったが、政治的な影響を持つことによって、社会的に注目を浴び、敵対する勢力からは厳しい批判も浴びた。池田氏が公明党に直接影響力を与えているのは政教分離に違反するのではないか、という批判もあった。

九九年の自公連立で、自民党からの批判は収束したが、政治活動と宗教活動が一体になったあり方が適切なのかは、いまも議論がある。

池田氏の指導力は、個人的なカリスマに対する崇拝《すうはい》でもあった。それに代わる精神的支柱をどう作っていくかが、創価学会の課題といえる〉（『朝日新聞デジタル』二〇二三年一一月一八日）

島薗氏は、独自の政教分離観を持っているようです」

二つの政教分離観

ミケ「政教分離には、AとBの二つの類型があります。

Aは、日本やアメリカなどが採っている政教分離観。国家が特定の宗教もしくは宗教団体を優遇もしくは忌避することはしません。他方、宗教団体が自らの価値観に基づき、政治活動、選挙活動、政党結成などを行うことは自由です。

Bは、旧ソ連、中国、北朝鮮などが採っている政教分離観。国家が特定の宗教もしくは宗教団体を優遇もしくは忌避しないだけでなく、宗教団体が政治活動を行うのを認めないという立場です。

たとえば、日本共産党の政教分離観は以下のようなものです。

〈政教分離という民主的原則を厳格に守り抜くことです。『国家の側から特定の宗教に特権を与えたり、迫害したりすることは許されません。宗教団体の側も政党の支持を決めて、信仰者の政党支持の自由を奪うことは正しくありません』と強調しました〉（二〇一一年一〇月一五日、志位和夫日本共産党委員長の発言）

現在もこの発言を日本共産党のHPで閲覧《えつらん》することができます。明らかに旧ソ連や北朝鮮と同じ政教分離観に立っています。飼い主はプロテスタントのキリスト教徒ですが、共産党が権力を獲《と》ると、宗教を信じる人の政治活動が規制される虞《おそ》れを強く感じています」

タマ「島薗さんの政教分離観も日本共産党に近い」

ミケ「僕もそう思います。島薗氏は、創価学会がなぜ政治活動に取り組むのかという内在的論理を無視しています。創価学会は世界観型の宗教で、生活の一部に宗教があるのではなく、人生の全領域が宗教によって律されるべきだと考えます。これはキリスト教ならばプロテスタントのカルヴァン派（改革・長老派）とよく似た発想です。島薗氏はそのことを理解していません。創価学会の選挙運動は、日々の勤行《ごんぎょう》や座談会活動など宗教活動の延長線上にあるのです」

タマ「よく分かります。それに〈池田氏の指導力は、個人的なカリスマに対する崇拝でもあった。それに代わる精神的支柱をどう作っていくかが、創価学会の課題といえる〉という島薗氏のコメントもピンボケです。

僕たちの飼い主は、同志社大学神学部と同大学院神学研究科でプロテスタントの組織神学（キリスト教の理論）を学んだ宗教専門家です。飼い主によると、池田氏の歴史的業績は日《にち》蓮《れん》仏法を継承する日本の宗教団体である創価学会を世界宗教に発展させたこと。これは過去に日本の宗教人の誰もできなかったことです」

創価学会は世界宗教か

ミケ「世界宗教の特徴は正典（キャノン）を持つことです」

タマ「正典とはどういうことですか。聖典じゃなく？」

ミケ「聖典とは異なる概念です。正典とは、宗教教団が公式に認めている、教義の規準や信仰生活の規範となるテキストのことです。正典については、いったん確定したら、その後は変更がない閉じたテキスト体系であることが必須です。キリスト教の『聖書』、イスラム教の『コーラン』も閉じています。しかも、標準的な人でも努力すれば読了可能な量に抑える必要があります。それによってランダムアクセスが可能になり、信徒が共通の土俵を持つことができるからです。

キリスト教との類比で考えると、新約聖書の役割を池田氏の小説『人間革命』と『新・人間革命』が、旧約聖書の役割を同氏監修の御書《ごしょ》（日蓮遺文集）が果たしています。創価学会は、『人間革命』と『新・人間革命』を『精神の正史』であり『信心の教科書』と位置づけているのです。

キリスト教徒の類比でいうと、イエスの言行を記述した『福音書』と使徒（弟子）たちの言行を記述した『使徒言行録』と同様の機能を、『人間革命』と『新・人間革命』が果たしています。

創価学会は、日蓮《にちれん》を『末法《まっぽう》の御本仏《ごほんぶつ》』すなわち釈尊《しゃくそん》ではなく、日蓮を基点にすることで救済が得られると考えます。したがって、御書は救済の根拠を示す重要テキストとなり、キリスト教ならば『旧約聖書』に相当します。

創価学会は独自編集の御書（池田大作監修『日蓮大聖人御書全集　新版』）を二〇二一年に刊行しました。それまで創価学会が用いていた一九五二年に初版が刊行された御書（『新編　日蓮大聖人御書全集　創価学会版』）は日蓮正宗宗門と共同で編纂されたものだったので、独自テキストを作成する必要があったのです」

カリスマ的指導者が逝去したあとの教団分裂を避けるためには、正典を策定しておくことが不可欠であると、池田氏はかなり早い時点から認識していたのだと思う。創価学会が強《きょう》靱《じん》なのは池田氏のカリスマ性だけに依拠するのではなく、正典を整備したからだ。

島薗氏は〈池田氏の指導力は、個人的なカリスマに対する崇拝でもあった。それに代わる精神的支柱をどう作っていくかが、創価学会の課題といえる〉と述べるが、この課題に対する答えを創価学会は正典の完結という形で、すでに出している。猫には見えても人間の島薗氏には見えないのだろうか。

第三章　外交の人間法則

真珠湾攻撃を超えるソ連の騙し討ち

僕たちは飼い主が眠ったあとの書斎で、第二次世界大戦も終盤で、当時は有効だった日ソ中立条約を侵犯したソ連について話していた。

チビ「一九四五年八月八日の午後五時（モスクワ時間、日本時間午後一一時）、ソ連のヴャチェスラフ・モロトフ外務人民委員（外相）から佐藤尚武《さとうなおたけ》駐ソ連大使に宣戦布告がなされた。佐藤大使は、東京の外務本省に報告するためにモロトフ氏に電報を封鎖しないように依頼し、モロトフ氏は暗号を使用して東京に電報を送ることを許可した。

そのため佐藤大使から東郷茂徳《とうごうしげのり》外相に宛てた電報を、日本大使館員がモスクワ中央電報局に持ち込んだ。ところが、モスクワ中央電報局は送信しなかった。結局、日本政府は、ソ連の参戦を事前に知ることができなかった」

シマ「日本のアメリカへの開戦通告が遅れた問題よりも、ずっと深刻じゃないか」

タマ「日本はソ連に闇討ちされたわけじゃないですか。外務省は、このことをもっと声を大にして国民に伝えるべきです」

チビ「僕もそう思う。しかし二〇一六年当時、安倍晋三政権は、歴史認識問題をできるだけ表に出さずに、日露の戦略提携を深めようとしていた。日露の外交当局間では、水面下で、二〇一六年にプーチン大統領が安倍首相の地元である山口県を非公式訪問する計画を検討していた。これが公式訪問に切り替わるということは、北方領土問題において、日本の立場から見て前進が見込まれたからだ」

タマ「ということは、日露外交当局が水面下で交渉して、北方領土問題についての折り合いがついていたということですか」

チビ「そういうことではないと思う。領土問題について、山口県での安倍・プーチン会談でどのような合意が得られるかについては、水面下でもまったく調整がなされていなかったと思う。しかし、安倍首相とプーチン大統領がお互いに譲歩して、北方領土問題で何らかの合意を見出《みいだ》さなければならないという強い意志を持っていたことだけは、確かだ」

こんな見込みで、プーチン大統領との関係を深めて本当に大丈夫だったのだろうか。アントン・ワイノ大統領府長官のような日本通がプーチン大統領の知恵袋になり、日本側の手が読まれるので、交渉は不利になるのではないかと見られていた。

プーチン大統領は、歯舞群島と色丹島の二島の返還なら応じただろう。しかし、国後島《くなしり》や択捉島《えとろふ》の扱いについて、日露両国が共通の言葉を見出すのは至難の業《わざ》だ。日本側が能力的にも人格的にも限界がある杉山晋輔《すぎやましんすけ》外務事務次官では、ワイノ大統領府長官に勝てるはずがなかった。不安になって、僕の尻尾がプルプル震えた。

「二島返還」鈴木宗男はダメで安倍晋三は？

この首脳会談を含む近年の日露交渉をウォッチしながら、僕は不思議な想いにとらわれた。安倍政権が行っていたのは、二〇〇一年三月のイルクーツク日露首脳会談で森喜朗《もりよしろう》首相と鈴木宗男氏が組み立てた北方領土戦略を微調整しているに過ぎないからだ。

あのとき、歯舞群島と色丹島の日本への引き渡しと、国後島と択捉島が日露のいずれに帰属するかについて、「車の両輪」のように同時並行的に進めていくというのが森氏らの立場だった。しかし小泉《こいずみ》純一郎《じゅんいちろう》政権が成立し、田中眞紀子《たなかまきこ》氏が外相に就任したあと、歯舞群島と色丹島の「二島返還」に道を開く危険があると激しく非難された。

そして鈴木宗男氏は「国賊」であると非難され、それが二〇〇二年に鈴木氏と飼い主が東京地方検察庁特別捜査部に逮捕される原因になった。

ここで過去の領土問題に関する経緯について、冷静におさらいしてみる必要がある。そもそも一九五一年のサンフランシスコ平和条約第二条c項で、日本は千島列島を明示的に放棄した。国会では、当時の吉田茂《よしだしげる》首相の指示で、条約に関して有権的解釈を行う権限を持つ外務省の西村熊雄《にしむらくまお》条約局長が、「放棄した千島列島に国後島と択捉島が含まれる」という答弁を行っている。

ところが一九五五年になって、日本政府は、「国後島と択捉島は放棄していない」と立場を変更した。このあたりの事実についても、マスコミが歴史の真実を国民に対して説明することが重要だ。

一九五一年時と同様の北方領土交渉を安倍政権が行ったわけだから、なぜ鈴木氏や飼い主があれだけ激しいバッシングに遭い、投獄されなくてはならなかったか、納得がいかない。しかし、おそらくは人智を超えた力が働いていたのであろう。

外務省の偏見とは何か

シマ「二〇一六年一一月、ドナルド・トランプ氏がアメリカ大統領に決まった。ただ、なぜ日本の外務省は、トランプ氏の当選を予測できなかったのだろうか」

チビ「それは偏見があったからだ。トランプ氏に当選してほしくないと、日本、EU（欧州連合）、オーストラリアなどの政府は、本気で思っていた。これらの諸国は、当時の国際秩序が続いたほうが国益に適うと考えていたからだ。他方、当時の国際秩序が抜本的に変化したほうがいいと考えていたロシア、中国、北朝鮮、イランなどは、トランプ氏の当選を歓迎した。ところで、日本人でもトランプ氏の当選を正確に予測した人がいるのを知っているか」

タマ「誰ですか」

チビ「副島隆彦《そえじまたかひこ》さんだ」

シマ&タマ「副島隆彦さん⁉」

チビ「二〇一六年七月に上梓《じょうし》した『トランプ大統領とアメリカの真実』（日本文芸社）において、副島氏は〈果して私の予測（予言）どおりにトランプが勝って、トランプ米新大統領が来年誕生するか。／これは私にとっても賭けである。思い出せば、私はこれまでに二〇ぐらいの言論の賭けをやってきた。あまり外れたとは思わない。今度も当ててみせる〉（二八一頁）と豪語した。まさにそのとおりの結果になった。

副島氏は英語に堪能《たんのう》で、しかも与件のなかで状況を分析する類《たぐ》い稀《まれ》なインテリジェンス能力がある。副島氏を『陰謀論者』と見なす有識者には、事柄の本質が見えていない。アメリカのパワーエリートは、ヒラリー・クリントン政権が成立すると戦争が起きると警戒した。白人の低学歴層は、エスタブリッシュされたクリントンのような人では民意を代表できないし、アメリカンドリームを実現することもできないと考えるがゆえに、トランプ氏が大統領に当選することになる……副島氏の分析は実に鋭い」

チビの話を聞いて、飼い主が副島隆彦氏との共著を何冊も出している理由がよく分かった。

北方領土交渉は安倍政権の一択

シマ「二〇一七年の後半、霞が関（官界）の安倍政権に対する姿勢が、確かに変化していた。文部科学省の官僚や幹部自衛官が、安倍政権の権力基盤を崩す画策を始めていた。機を見るに敏な外務官僚も、首相官邸から距離を置き始めた。この現象を分析するうえでは、ニクラス・ルーマンの視点が重要だと思う」

タマ「ルーマンって誰ですか」

シマ「一九二七年生まれのドイツの社会学者だ。一九九八年に死んだが、現在も社会学や政治学の分野で強い影響を与えている」

タマ「どの本を読めばいいのでしょうか」

シマ「『信頼　社会的な複雑性の縮減メカニズム』（大庭健／正村俊之訳、勁草書房、一九九〇年）を丁寧に読めばいい」

タマ「難しいんじゃないでしょうか。入門者の僕にも分かるように説明してください」

チビ「分かった。現実の社会は複雑だ。信頼によって、この複雑性を減らすことができる、とルーマンは分析する。

〈信頼とは、最も広い意味では、自分が抱いている諸々《もろもろ》の〔他者あるいは社会への〕期待をあてにすることを意味するが、この意味での信頼は、社会生活の基本的な事実である。もちろん人間は、様々な状況において、特定の点では信頼を寄せるか・寄せないかということを選択している。しかし、なんの信頼も抱きえないならば、人は朝に寝床を離れることさえできまい。なんの信頼も抱きえないとしたら、無規定の不安や、全身の力が萎《な》えるような恐怖に襲われる他はあるまい。その場合には、なんらかの規定された不信を表現することもできないし、規定された不信をてこにして防衛的な手筈《てはず》を調えることもできないであろう。

というのも、規定された不信をてこにして防衛的な手筈を調えるというのであれば、それは、べつの点にかんしては信頼を寄せるということを前提にしているからである〉(一頁)」

タマ「当たり前のことじゃないですか。人間は無意識のうちに特定の他者や社会常識を信頼しています。疑うときにも、疑いの根拠となった情報は信頼しています」

チビ「当たり前のことをきちんと分析しているのが、ルーマンの面白さだ。政治やビジネスの世界では、未来を正確に予測することは、誰にもできない。それだから、信頼が特に重要な意味を持つようになる」

シマ「ルーマンは、〈我々は、他人を、愛情関係のなかでは信頼するが、金銭問題では信頼していないとか、知識の点では信頼するが、技能に関しては信頼していないとか、道徳的な意志の点では信頼するが、客観的な報道能力に関しては信頼していないとか、趣味の点では信頼するが、秘密を守ることに関しては信頼していないとかする。このように、信頼が特定化される理由は、ひとえに信頼がこういった制限のなかで学習されたのであり、ほかの面ではうまくいかなかったことにある〉（一七二～一七三頁）と指摘する。

僕は政治家に対して、道徳的に潔癖《けっぺき》なことや知的に秀《ひい》でていることを求めていない。官僚機構をきちんと動かして、経済を安定させ、格差をそこそこに留《とど》め、治安を安定させ、北朝鮮の核・ミサイルや過激派『イスラム国』（ＩＳ）のテロから国民を守るために全力を尽くすことを政治家に求めている。『ポスト安倍』の権力抗争の結果、日本の政治力がさらに弱くなることを危惧していた」

タマ「ということは、安倍政権を支持すべきだった、ということですね」

チビ「当たり前だ。それ以外の選択肢はなかった」

歯舞群島と色丹島が日本に返還されれば、安倍政権の、教科書に明記されるほどの大きな業績になったはずだ。

ローマ教皇への名称変更と安倍外交

タマ「二〇一九年一一月二三～二六日に、カトリック教会の最高責任者でバチカン市国の元首であるフランシスコ教皇が訪日しました。日本政府は、周到な準備を行ったうえで教皇を迎えたのですが、報道では解説が不十分なので、その意義がよく理解されていません」

チビ「タマのいうとおりだ。まず、一一月二〇日に、日本政府がこれまで『ローマ法王』としてきた呼称を『ローマ教皇』に変更したと発表した。一一月二一日付の『毎日新聞』朝刊は、以下のように書く」

〈外務省幹部は「カトリック関係者をはじめ一般に『教皇』の呼称を用いる例が多くみられるため」と理由を説明。ただ、「『法王』を使用しても間違いではない」と話している。

ローマ教皇はバチカン市国の元首。外務省や日本のカトリック教会によると、日本とバチカンが外交関係を樹立した一九四二年当時の訳が「法王」となっており、日本政府はそのまま使用してきたという。

ただ、日本のカトリック教会は八一年のヨハネ・パウロ二世の来日を機に教皇に呼称を統一。「教える」という字を用いる「教皇」の方がより職務を表現していると考えたという〉

チビ「明治時代、ローマ法王という訳語が日本語として定着したが、この言葉は神学的には問題がある。法とは、もともと仏教の理論（ダルマ）を意味するので、キリスト教には馴染《なじ》まない。また、日本語で王は最高指導者ではない。

おそらく明治期にカトリック教会の宣教師が、仏教教団の最高指導者が法王と呼ばれているので、それにならってローマ法王という訳語を当てたのであろう。以前から、駐日ローマ法王庁大使館は外務省に教皇庁への名称変更を申し出ていたが、外務省は、革命や国家体制の変更が起きたわけではないので名称変更には応じられない、との立場を取っていた。
ローマ教皇はカトリック教会の最高指導者だ。カトリック教会の内在的論理を尊重し、従来どの政権も行うことができなかったローマ法王庁から教皇庁への名称変更に安倍政権が踏み込んだことには、大きな意味がある。宗教的多様性と寛容の姿勢を日本国家が持っていることを示したという点で、この名称変更は日本外交に肯定的な意味を付与するのであるが、マスコミと有識者の宗教センスが鈍いので、正当に評価されていない」

シマ「確かに安倍政権の外交は正当に評価されていない」

宣教よりも核廃絶を優先した教皇

シマ「教皇はこのとき、訪日の機会を最大限に活用して、核廃絶の必要を強く訴えた。
〈教皇は二三日午後五時半ごろ、前の訪問地のタイから教皇特別機で羽田空港に到着した。麻生太郎《あそうたろう》副総理らが出迎えた。その後、東京都内のローマ教皇庁大使館に移動し、司教たちを前に『若い時から日本に共感と愛着を抱いてきました。すぐに長崎と広島を訪問し、二つの町の被爆者のために祈ります』などと述べた〉（『朝日新聞デジタル』二〇一九年一一月二三日）

二四日には長崎と広島を訪れ、教皇は平和を祈った。

〈ローマ教皇（法王）フランシスコは被爆地の長崎を訪れ、核兵器のない世界の実現を呼びかけた。長崎は一六世紀、幕府のキリスト教弾圧で多数の信徒が処刑された地でもある。

教皇フランシスコの教皇として約四〇年ぶりとなった今回の訪日は強力な政治的メッセージを帯びている。北朝鮮との非核化交渉の行き詰まりや米国による中距離核戦力（ＩＮＦ）廃棄条約の破棄に焦点を当てた。こうした事態により、アジアで軍拡競争が起きる恐れがある事実に光を当てることになった。

教皇は激しい雨のなか、一九四五年八月九日に二発目の原爆が投下され、約七万五〇〇〇人が犠牲になった長崎にある爆心地公園で演説した。『人間の心の最も奥深くで願っているのは、安全と平和、安定だ。核兵器など大量破壊兵器の保有はこの願いに対する答えではない』と強調した。

多国間の協調体制の乱れも指摘し『新たな形態の軍事技術が増えていることを考えると、事態はなおさら深刻だ』と憂慮した〉（『フィナンシャル・タイムズ』日本語版、二〇一九年一一月二五日）

教皇は、日本におけるカトリシズムの宣教よりも、核廃絶に関するメッセージを発することを優先したのだ」

「核兵器のない世界」への安倍首相の強い意欲

チビ「一一月二五日夕刻に、フランシスコ教皇が安倍首相と会談したあとの官邸における会合の内容が興味深い。フランシスコ教皇は、広島と長崎での原爆投下に触れ、『破壊が二度と繰り返されないよう、阻止するために必要なあらゆる仲介を推し進めてください』と呼びかけた。安倍首相は、教皇の演説に先立つ挨拶《あいさつ》でこう述べた。少し長くなるが読んでみてほしい」

そういって、チビはiPadを操作した。

〈一枚の、写真があります。ところは、長崎近郊のどこか。時は、一九四五年、原爆が炸裂《さくれつ》した後の、恐らく夏から秋に変わる頃です。写っているのは、一〇歳くらいの男の子です。その背中に、力なく瞑目《めいもく》しておぶさるのは、年下の弟のようです。少年が裸足で、直立不動、気をつけの姿勢で立つ、その場所は、焼き場なのです。おぶった幼な子は既に命が絶えていて、彼はその子を、土へ返しに来たのです。

この写真を教皇は、カードにされた。「唇は、嚙《か》み締め続けたせいで、血をにじませている。この子の悲しみを表すものといっては、ただそれだけだった」と解説を加え、「戦争がもたらすもの」という言葉と署名を付して、広く配布されました。昨日、長崎でなさった祈りの場でも同じ写真を使われています。

私は、言葉を失います。原爆がもたらした、悲しみと、苦痛の重みに。それを思いやり、大きな心を寄せてくださる、教皇の、祈りの深さに。日本とは、唯一の戦争被爆国として、「核兵器のない世界」の実現に向け、国際社会の取組を主導していく使命をもつ国です。これは、私の揺るぎない信念、日本政府の確固たる方針であります。私たちはこれからも、核兵器国と非核兵器国の橋渡しに努め、双方の協力を得ながら、対話を促す努力において、決して倦《う》むことはないと、ここに申し上げます〉（「首相官邸ＨＰ」二〇一九年一一月二五日）

タマ「『核兵器のない世界』に向けた安倍首相の意欲が強く伝わってきます」

チビ「二〇一九年八月二日に米ロ間の中距離核戦力（ＩＮＦ）全廃条約が廃止された。アメリカの一部には、日本に中距離弾道ミサイルを配備しようとする動きがある。この話がアメリカから公式に出ると、中国とロシアの日本に対する姿勢が硬化し、東アジアの軍事的緊張が増大する。安倍首相がフランシスコ教皇とともに『核兵器のない世界』の実現を訴えたことは、北東アジアの軍拡を牽制する意味を持った。日本は唯一の被爆国であり、核廃絶に向けた国民の思いも強い。

他方、日本はアメリカの同盟国であり、アメリカの核兵器による抑止力に依存している。現時点において、核抑止力を無視することができないのが国際政治の現状だ」

このような状況を踏まえて、日本の外交政策を核廃絶の方向に現実的に転換していくことこそが重要な課題であると、僕は思う。

外交で成果をあげる国家安全保障局長

再び自己紹介するが、僕の名はシマ、毛並みは茶トラ。我が家には僕以外にも雄猫がいるが、いずれも元捨て猫、元野良《のら》猫、元地域猫（地域の有志が避妊／去勢したうえで、餌やりや掃除を行い、一代限りの生を全うする猫）のどれかだ。

飼い主は中学校一年生（一九七二年）のときに白黒ブチの雌猫を保護してから、ほとんどの時期を猫と一緒に暮らしているそうだ。ただし、いまのように極端な猫好きになったのは、二〇〇二年に北方領土がらみの鈴木宗男事件に連座して、「鬼の特捜」（東京地方検察庁特別捜査部）に逮捕され、東京拘置所の独房に五一二日間も勾留されたあとのことだということ。

飼い主はインドア派なので、独房に閉じ込められていても読書に集中することができたため、特に苦しくはなかったようだ。しかし、二〇〇二年九月一七日の初公判が始まる二週間ほど前、外務省の上司や同僚、あるいは親しくしていた学者が検察官に対して供述した調書が弁護士から差し入れられたときには、強い衝撃を受けたそうだ。価値観を共有して一緒に北方領土問題の解決に向けて取り組んでいた外務官僚や学者が、事実と異なる供述で飼い主を罪に陥れようとしている現実を知ったからだ。

どんなに信頼関係が構築されたと思っても、窮地に陥ると、人間は裏切ることがある（もちろん、どんな状況でも友だちを絶対に裏切らない人もいる）。人間と猫のあいだでは、いったん信頼関係が構築されると、猫のほうからそれを裏切ることはない。特捜検察に対して猫が事実と異なることを供述して、署名や指印をすることもない。

もっとも人間は猫を裏切ることがある。その端的な例が捨て猫だ。飼い猫は人間に依存しなくては生きていけない。僕を含め元捨て猫は、人懐こい。猫を捨てた人たちにも、それぞれ事情があったのだろうが、人間に依存して生きていく習慣の付いた飼い猫が捨てられると、自力で生きていける可能性はゼロだ。

人間に酷い目に遭わされたにもかかわらず、人間に対する信頼を失っていない猫たちから、飼い主は、多くを学んでいる。こういう猫に対して強い共感を持っている飼い主だからこそ、僕たちもとてもよく懐いている。

飼い主が四階の寝室で熟睡してから、僕たちは三階の飼い主の書斎に集まって、政治に関して議論する。

タマ「二〇一九年九月一三日、北村滋氏が国家安全保障局長に就任したとき、一部の外務官僚は『北村は外交の素人《しろうと》なのでこの仕事をする基準に達していない』という情報を流しました。しかし、そのような批判は、まったく聞かれなくなりました」

チビ「それは北村氏が外交において成果をあげたからだ。まず、中国との関係で、北村氏は成果を出した。二〇一九年一二月六日、北京市内で北村氏は、中国の王岐山《おうきざん》国家副主席、楊《よう》潔篪《けっち》共産党政治局員と、それぞれ会談した。

〈九月に局長に就任した北村氏の初訪中となり、年末に控える安倍晋三首相の訪中や来春の習近平《しゅうきんぺい》国家主席の国賓《こくひん》訪日に向けて、必要な準備を進めることを確認した。

王氏は、『習主席も北村局長の訪中を重視しており、私に直接、会見するよう指示があった。習主席の訪日が成功すれば、中日関係に大きな意義がある』とあいさつ。北村氏は『日中関係は極めて緊密なものになっている。安倍首相訪中、習主席訪日に向けた課題を話し合いたい』と応じた〉（『朝日新聞』二〇一九年一二月七日朝刊）」

シマ「谷内正太郎《やちしょうたろう》前国家安全保障局長（元外務事務次官）が会えたのは、楊潔篪氏までで、その上の王岐山氏とは会えなかった。習近平国家主席が国賓として来日するに当たって、日中両国は合意文書を作成することになるのだが、そこでも北村氏が重要な役割を果たすことになるはずだった」

韓国に反撃した国家安全保障局長

チビ 「北村氏は、対米外交でも大きな成果をあげた。アメリカの首都ワシントンで、二〇二〇年一月八日（日本時間九日）、北村氏が韓国の鄭義溶《チョンウィヨン》国家安保室長とともに、トランプ大統領と面会したとホワイトハウスが発表したからだ。

〈トランプ氏は日韓両国がインド太平洋地域での最大の同盟国であるとし、両国の米国への貢献に謝意を表した。

北朝鮮の金正恩《キムジョンウン》委員長は昨年末、非核化交渉を巡る米国の対応次第で、核開発や大陸間弾道ミサイル（ＩＣＢＭ）発射を再開する可能性を示した。トランプ氏が日韓の安保担当の高官と会談したのは日米韓三カ国が一致して対応する姿勢を強調する狙いがある。

これに関連し、北村氏はワシントンでオブライエン米大統領補佐官（国家安全保障担当）、韓国の鄭国家安保室長と協議し、北朝鮮や中東情勢について話し合った。日米韓の安保担当補佐官による協議は二〇一八年三月以来〉（『日本経済新聞』電子版、二〇二〇年一月九日）

前任の谷内氏は、まったくトランプ大統領と会うことができなかった。緊迫する日韓関係を打開するうえで、日本側のキープレイヤーが北村氏であることを、アメリカはよく理解している。だからこそ、トランプ大統領との会談を設定したのだ。ちなみに、北村氏はユーモアのセンスにも富んでいる」

そういってチビは飼い主のｉＰａｄを操作し、以下の記事を示した。

〈日韓首脳の側近同士が米ワシントンで、皮肉の応酬を演じる場面があったことが分かった。

国家安全保障局（ＮＳＳ）の北村滋局長は（一月）八～一〇日に訪米し、日米韓三カ国の安全保障担当の高官協議に臨んだ。北村氏は米国のオブライエン大統領補佐官（国家安全保障担当）とは個別に会談したが、韓国の鄭義溶・国家安保室長とは会談しなかった。

ただ、日本政府関係者によると、非公式な場面で、昨年一一月の日韓首脳の会話をめぐり、こんなやり取りがあったという。

「あの写真はプロ並みでしたね。構図も良かった」。そう切り出したのは北村氏だ。

写真とは、安倍晋三首相と韓国の文在寅《ムンジェイン》大統領が昨年一一月、訪問先のタイ・バンコク郊外でソファに座って話している様子を捉えたもの。当時は元徴用工問題などで日韓関係が悪化し、正式な日韓首脳会談は一年二カ月開かれていなかった。このため日韓首脳の会話は大きなニュースとして報じられた。

しかし、正式な会談ではない会話を文大統領側近の鄭氏が日本政府に無断で撮影し、韓国大統領府が公表したことから、日本政府側は反発。首相周辺は「今回の件は日本を不愉快にさせただけだ」と批判し、日本政府高官は鄭氏自ら撮影したことについて「もっと他にやることがあるだろう」と不快感を示していた。

首相側近の北村氏はこうした経緯を念頭に、鄭氏の写真の腕を褒める皮肉を述べたというわけだ。これに対し鄭氏は「たまたま、その場に居合わせたから」とし、「写真の公開は日韓関係にとって良かった」と返したという〉(「朝日新聞」二〇二〇年一月一一日朝刊)

タマ「『日本政府の合意なく写真を公開したのはどういうことだ』と詰め寄るよりも、『あの写真はプロ並みでしたね。構図も良かった』ということで、北村氏は鄭室長に『国家安保室長がカメラ係までやらされて大変ですね。あなたが必死なのはよく分かりますよ。韓国はだいぶ切羽詰まっているようですが、日本には余裕がありますよ』と牽制《けんせい》したのだと思います」

シマ「僕もそう思う。外交やインテリジェンスの世界では、このような洗練した言葉を発することが重要になる」

NATOは解散するはずだったが

タマ「二〇二二年初頭、ロシア・ウクライナ関係が緊迫していました。そこにNATO(北大西洋条約機構）が介入しようとしていたから、事態が一層厄介《やっかい》になっていました」

　そういって、タマは飼い主のiPadを操作した。

〈北大西洋条約機構（NATO）は一一月三〇日の外相会議で、ウクライナ周辺で軍備を増強しているとされるロシアに対し、「団結して攻撃的な行動を抑止する」と確認した。ストルテンベルグ事務総長は「最悪の事態に備えねばならない」と強調。二〇一四年のクリミア半島併合に続くロシアによるウクライナ侵攻もあり得るとの見方を示した。

（中略）ストルテンベルグ氏は記者会見で「ロシアの意図は読み切れない。事態は予測不能だ」と発言した。偶発的な衝突も含めて危機感をあらわにし、「ウクライナに再び侵攻すれば、ロシアは高い代償を払うことになる」と警告した〉（「朝日新聞デジタル」二〇二一年一二月一日）

チビ「この種の圧力をNATOがロシアに対してかけるのは逆効果だった。NATOに関しては、本来、ワルシャワ条約機構と同時解消するはずだったにもかかわらず、アメリカが『NATOがロシアを敵視することはない』と約束したので、当時のボリス・エリツィン大統領がNATO存続を容認した経緯がある。

　しかし、その後、NATOは旧東欧諸国とバルト三国に拡大し、プーチン大統領もロシア国民もNATOに騙されたという被害者意識を持っている。このときのイェンス・ストルテンベルグ事務総長の発言を、ロシアは最後通牒《つうちょう》と受け止めた。こうしてロシアとウクライナの国境には、開戦前夜のような緊張が漂った」

タマ「ウクライナは、ロシアが国境地帯に九万人規模の軍隊を結集させていると訴え、NATOもこれに対抗して軍事演習を行いました」

タマはiPadを操作して、次の記事を示した。

〈プーチン大統領は（二〇二一年一一月）三〇日、モスクワで開かれたフォーラムで「ロシアは自分の国境近くで大規模でかつ、予定されていなかった演習が行われることに懸念を感じている」とNATO側を非難した。「我々の国境の二〇キロ先で戦略爆撃機が飛んだ。そこには核兵器が搭載されているかもしれない。我々には脅威だ」と述べた〉（「朝日新聞デジタル」二〇二一年一二月一日）

プーチンが本当に望んでいること

タマ「ウクライナ危機をめぐっては、陰謀論という妖怪が徘徊していました。陰謀論が外交や安全保障に持ち込まれるのは極めて危険です。そんななか、ウクライナの現状認識について、ドイツ軍幹部が次のような見方を示しました」

そういって、タマはiPadを操作した。

〈ドイツ海軍トップのシェーンバッハ総監（海軍中将）が（二〇二二年一月）二二日、ウクライナ情勢を巡る自らの問題発言を理由に引責辞任した。ロシアのウクライナ侵攻に対する欧米諸国の懸念について「ナンセンスだ」と発言するなど、北大西洋条約機構（NATO）の対露強硬方針を乱す発言が物議を醸していた。

独メディアによると、シェーンバッハ氏はインドで二一日にあったシンクタンクの会合で、「ロシアはウクライナ領土の一角を統合しようと望んでいるのだろうか。いや、それはナンセンスだ」と発言。「ロシアのプーチン大統領が本当に望んでいるのは対等な立場での敬意だ」とプーチン氏への理解を示した。またロシアが二〇一四年にウクライナから強制編入したクリミア半島について「今後も戻らないだろう」と述べた。

ウクライナは発言に対し「容認できない」と反発。ランブレヒト独国防相は二二日、「思慮の足りない発言」として辞意を表明したシェーンバッハ氏の辞任を受け入れた〉（「毎日新聞」電子版、二〇二二年一月二五日）

チビ「シェーンバッハ氏の発言がウクライナとアメリカの外交姿勢に関し、思慮が足りなかったのは間違いない。ただし、同氏の認識自体は正しい。『ロシアのプーチン大統領が本当に望んでいるのは対等な立場での敬意だ』というのは、ロシアの論理を正確に理解した発言だ。また、クリミア住民の圧倒的大多数がロシアへの併合を望んでおり、ウクライナに復帰する意思がない以上、クリミアがウクライナに戻ることはないというのも冷静な見方だ。シェーンバッハ氏のような客観的で冷静な見方に立ち、それを公の場で述べるか否かは別問題だが、情勢を分析する必要がある」

感情を文章にしないプーチンの弔電は

タマ「安倍晋三氏が、内政や、アメリカ、中国、北朝鮮との関係で果たした業績については、多くの方が書かれると思います。僕たちは専門分野であるロシアに特化した議論をしましょう」

チビ&シマ「そうしよう」

タマ「安倍氏の死に際し、プーチン大統領が弔電《ちょうでん》を送ったと聞いています。どのような内容なのでしょうか」

チビ「飼い主が翻訳した」

〈尊敬する安倍洋子《あべようこ》様

尊敬する安倍昭恵《あべあきえ》様

あなたの御子息で夫でもある安倍晋三氏の御逝去に対して深甚《しんじん》なる弔意《ちょうい》を表明いたします。

犯罪者の手によって、日本政府を長期間率いて日ロ国家間の善隣関係の発展に多くの業績を残した傑出した政治家の命が奪われました。私は晋三と定期的に接触していました。そこでは安倍氏の素晴らしい個人的並びに専門家的資質が開花していました。この素晴らしい人物についての記憶は、彼を知るすべての人の心に永遠に残るでしょう。

尊敬の気持ちを込めて　ウラジーミル・プーチン〉

タマ「プーチン氏の安倍氏に対する気持ちが率直に表明されています」

チビ「感情を文章に表すことが稀なプーチン氏がこのような弔電を打つことは珍しい。プーチン氏は安倍氏に心の底から親愛の情を抱いていたのだと思う」

CIAやモサドを通じた裏外交

タマ「他にもロシアの要人で興味深い発言をしている人はいますか」

チビ「ニコライ・パトルシェフ安全保障会議書記の弔意も興味深い」

チビは飼い主のｉＰａｄを鉤爪で操作して以下の記事を示した。

〈ロシア安全保障会議ウェブサイトは八日、安倍晋三元首相死去に関連した、パトルシェフ同会議書記のお悔やみの言葉を掲載した。同書記は、「われわれは彼を、ロシアとの関係の発展のために多くのことを行い、両国民間の相互理解の顕著な改善の実現を心から願い、課された目標の達成のために労力、時間や自身の健康を惜しまなかった、優れた政治家として記憶にとどめるだろう」との見方を示した。

お悔やみの全文は次の通り。

われわれは、安倍晋三元日本首相の早すぎる死去に関連して、深いお悔やみの言葉を述べる。

安倍氏は常に、輝かしく、また権威ある日本の政治家の一人であり、自国や国外において当然の敬意を受けてきた。

われわれは彼を、ロシアとの関係の発展のために多くのことを行い、両国民間の相互理解の顕著な改善の実現を心から願い、課された目標の達成のために労力、時間や自身の健康を惜しまなかった、優れた政治家として記憶にとどめるだろう。

われわれは、安倍氏の近親者や全ての日本国民とともに、この喪失の悲しみを共有している。

N・P・パトルシェフ、ロシア安全保障会議書記〉（「ラヂオプレス」二〇二二年七月九日）

シマ「パトルシェフ氏は、旧KGB（ソ連国家保安委員会）出身で、国内を担当する秘密警察であるFSB（連邦保安庁）長官を務め、ロシアのインテリジェンス諸機関の元締めでもある。ロシアのインテリジェンス・コミュニティーも安倍氏を高く評価しているということか」

チビ「そういうことだ。安倍氏は首相時代に外務省経由の表の外交だけでなく、CIA（アメリカ中央情報局）やモサド（イスラエル諜報特務庁）など裏チャネルを通じた外交も積極的に展開した。特に北村滋氏が内閣情報官だった時期に、首相官邸とロシアのインテリジェンス機関のあいだに実務的な関係が構築されるようになった」

タマ「北村氏は国家安全保障局長になってからは、トランプ大統領やプーチン大統領とも会談しています。国際的にも北村氏は高く評価されていました」

チビ「安倍政権時代の日ロ関係では、今井尚哉《いまいたかや》首相補佐官兼秘書官も重要な役割を果たした。東京でエヴゲーニー・アファナシエフ駐日ロシア大使と毎週のように接触し、日ロ間の意思疎通に努力した」

安倍外交に対するロシア政治エリートの評価

タマ「しかし岸田文雄《きしだふみお》政権になってから、官邸主導の素人《しろうと》外交から外務省主導の専門家による外交に転換したという評価がなされていました」

シマ「まったく誤った評価だ。安倍晋三政権時代に首相官邸の高いレベルの外交に付いていていくことができなかった能力の劣る一部の外務官僚が、そのような不平不満を新聞記者に裏で語ったに過ぎない」

チビ「シマのいうとおりだ。北村氏や今井氏の能力の高さは、外交団とインテリジェンス・コミュニティーによって国際的に認められている。岸田政権の問題は、外交について本気になって考えている政治家と官僚が、秋葉《あきば》剛男《たけお》国家安全保障局長を唯一の例外として、首相官邸に少ないことだ」

シマ「岸田政権は究極のポピュリスト政権で、世論調査による支持率が上がりそうな政策だけを追求した。戦略的思考ができていない」

チビ「ロシアが着目していたのは、まさにその点だ。安倍首相時代の日本外交は戦略的だった。二〇二二年二月二四日にロシアがウクライナに侵攻したあと、日本ではロシアの政府系テレビの情報はすべて操作されたものであると受け止められ、紹介されることもほとんどなかった。しかし、そのなかにも情報的価値が高いものもある。『第一チャンネル』（ロシア政府系）が放映する政治討論番組『グレート・ゲーム（ボリシャヤ・イグラー）』は、クレムリン（ロシア大統領府）が諸外国にシグナルを送る機能を果たしている。二〇二二年七月八日のモスクワ時間午後五時（日本時間同日午後一一時）から約一時間放映されたこの番組での安倍氏に対する評価は、プーチン氏を含むロシア政治エリートの見解と見て良かった」

そういうとチビは、飼い主のPCを操作して、「一太郎」を開いた（飼い主は国産品愛用を実践しており、ＷｏｒｄやＰａｇｅｓではなく「一太郎」を常用している）。

「日本では珍しい自立した政治家」

「一太郎」には、飼い主が翻訳した二人の人物の発言が記されていた。

〈●ヴャチェスラフ・ニコノフ（国家院［下院］議員、モロトフ元ソ連首相の孫、ミハイル・ゴルバチョフ・ソ連共産党書記長のペレストロイカ、エリツィン大統領の改革を推進した知識人であるが、現在はプーチン氏によるウクライナ侵攻を支持する論客である。外交官時代の飼い主と親しくしていた）：今日（二〇二二年七月八日）、モスクワ時間の午前五時三二分（日本時間同日午前一一時三二分）、山上徹也《やまがみてつや》容疑者が安倍晋三元首相を銃撃した。しばらくして、安倍氏は意識を回復しないまま亡くなった。安倍氏は日本で最も偉大な政治家の一人である。最も偉大だといってもいい。過去数十年の日本の歴史で安倍氏ほど長期間、首相の座にとどまっていた人はいない。安倍氏は日本政治における時代を画《かく》した政治家だった。安倍氏は日本で最も影響を持つ政治家一族に属している。日本で影響があるのは、一世の政治家ではない。安倍氏の父は政権党である自由民主党の幹事長で、外相だった。安倍氏自身も力のある政治家だった。安倍氏は日本では珍しい自立した政治家だった。

私は首相になる前の安倍氏と会ったことがある。当時、ロ日間の副次的チャネルでの対話が少なくとも年二回行われており、私もメンバーだった。安倍氏がそれに参加したことがある。安倍氏は独自の思考をしていた。日本の知識人と政治家は、しばしばアメリカの立場を自分の見解のように述べる。しかし、安倍氏はそうではなく、自らの理念を持っていた。もちろん安倍氏は反米ではなかったし、親ロシアでもなかった。偉大な政治家として独自の行動をした。現実としてもロシアと日本の関係発展のために重要な役割を果たした。プーチン大統領が安倍氏の母親と妻に感情のこもった哀悼《あいとう》の意を表明したのも偶然ではない。実に偉大な政治家であり、日本の歴史に道標を残した。

・イワン・サフランチューク（モスクワ国際関係大学ユーラシア研究センター所長）：私もニコノフさんが述べたことが全面的に正しいと考える。ただし、安倍氏についての記憶がどのように歴史教科書に書かれるかについては、安倍氏によってではなく、これから日本がどのような路線を歩むか次第だ。

私にとって安倍氏は以下の点で重要だ。日本は長いあいだ、アメリカによって設定された地政学的状況を受け入れていた。対して安倍氏は、現代世界において、特にアジア太平洋地域において、日本の場所を見出そうとした。安倍氏はアメリカとの同盟関係を維持しつつ、日本の独立性を確保しようとした。

安倍氏のロシアに対する姿勢も非常に興味深かった。安倍氏が権力の座に就くまでの二〇年間、日本はロシアの弱さに最大限につけ込もうとした。この時期、日本は親西側的外交を主導した。すべての分野でロシアの弱点につけ込もうとした。日本は、クリル諸島（北方領土と千島列島に対するロシア側の呼称）問題を解決することができず、そのため日本には不満が溜まっていた。安倍氏はロシアが強くなることに賭けた。強いロシアと合意し、協力関係を構築する。アジア太平洋地域においてもロシアを強くする。それは日本にとって歓迎すべきことだ。

地域的規模ではあるが、アジア太平洋地域において多極的世界を構築する。ロシアの弱さにつけ込むという賭けではなく、ロシアの力を利用し、強いロシアと日本が共存する正常な関係を構築することだ。これが、安倍氏が進めようとしていた重要な政策だ。

（二〇一四年に）クリミアがロシアの版図《はんと》に戻ったとき、日本では再び西側諸国が反対する圧力を背景に、ロシアが日本に対して何らかの譲歩をするのではないかという発想が出てきた。私の考えでは、安倍氏は賢明な政策を採り、西側諸国の単純なゲームが成り立たないことを理解し、ロシアの戦術的弱点につけ込むという選択をしなかった。そして、ロシアと長期的で体系的な関係を構築しようとした。

もちろん現在の日本政府は別の政策を採っている。国際関係ではアメリカとの連携を強め、ロシアとの関係が著しく後退している。日本の主張は力を失っており、制裁でロシアを弱らせるという方向に傾いている。そのため短期的に安倍氏の遺産は遠ざけられる。
しかし、中長期的展望において、安倍氏が提唱した概念の遺産、すなわち日本が世界のなかで独立して生きていくためには、アジア太平洋地域の強国との関係を構築し、強いロシアと共生していくべきだという考え方は、日本の社会とエリートのあいだで維持される。いずれかの時点で日本はこの路線に戻ると私は見ている。なぜならそれ以外の選択肢がないからだ〉

安倍外交の意義が見直される時期は

タマ「安倍氏が日米同盟の強化とともに日本の独立を考えていたことは間違いありません。だからロシア政治エリートは安倍氏を尊敬していたのです。強いロシアと合意して北方領土を取り返すというアプローチにも説得力があります。しかし、ウクライナ戦争後に日本の政治エリートも国民も感情的になり、なかなか地政学に基づいた戦略的思考ができません。ロシアと中国が連携して日本に対峙《たいじ》する構造ができることを安倍氏は阻止しようとしていました」

チビ「タマのいうとおりだ。飼い主は『月刊Ｈａｎａｄａ』に、二〇一八年一一月のシンガポール日ロ首脳会談以後の安倍氏の対ロシア戦略について、かなり踏み込んだ論考をいくつも書いた。安倍氏も飼い主の論考を読んで、感想を直接、飼い主に伝えてきたことが何度もある」

シマ「いずれ安倍氏の戦略的外交が見直されるようになる」

現在のアメリカや日本の外交では、「価値の体系」という部分が肥大している。しかし国際関係は、「価値の体系」だけではなく、「利益の体系」と「力の体系」が複雑に絡《から》み合って展開されている。「民主主義vs.権威主義」「自由vs.独裁」という単純な二項対立に基づく「価値の体系」による戦争政策が行き詰まったときに、安倍氏の戦略的外交が見直されるであろう。

プーチンが語る覇権後の世界

タマ「ところでロシアでは、毎年、内外の有識者を招いて数日間行われるヴァルダイ会議という行事があります。この会議の最終日にはプーチン大統領が出席し、講演を行ったあと、出席者と討論します。二〇二二年のこの会議は、モスクワ郊外で、一〇月二四～二七日に行われました。このヴァルダイ会議は、ウクライナ戦争後に初めて行われたこともあり、掲げられた共通テーマも『覇権後の世界――万人のための正義と安全保障』でした。

二七日、プーチン氏は一時間の講演後、出席者との討論を約三時間行いました。プーチン氏は講演のときはときどきメモを見ていましたが、出席者との討論ではメモを見たり補佐官からの助言を得たりすることがありませんでした。内外の問題をプーチン氏自身が正確に把握し、判断していることが窺《うかが》えました。

この演説で興味深かったのは、文化面においてロシアとアメリカを中心とする西側連合との闘争が深刻になっている、というプーチン氏の認識です。プーチン氏はソ連時代の反体制作家アレクサンドル・ソルジェニーツィンの言説を援用し、文化闘争を展開しています」

そういって、タマは飼い主のiＰａｄを操作し、以下のテキストを示した。

〈アレクサンドル・ソルジェニーツィンの有名なハーバード大学での講演から引用します。一九七八年当時、彼は西側の特徴として「優越性に関しての欠陥が残っている」ことを挙げ、それは現在も続いている、「この惑星の広大な地域はすべて、現在の西洋のシステムによって発展し支配されるべきだという考えを支えている」と述べました。何も変わっていません。

半世紀近く前に、ソルジェニーツィンが語ったこの点は、露骨な人種差別と新植民地主義的な性格を帯びるようになり、特にいわゆる一極集中の世界が出現して以来、単に醜い形を取るようになっただけです。

（中略）冷戦の最盛期、体制やイデオロギー、軍事的対立の真《ま》っ只中《ただなか》にあっても、相手の文化や芸術、科学の存在そのものを否定することは、誰にとっても思いもよらないことでした。

（中略）いま何が起きているのでしょうか？　ナチスの時代は焚書《ふんしょ》にまで至り、いまや欧米の「自由主義と進歩の推進者」はフコードル・ドストエフスキーやピョートル・チャイコフスキーを禁止するまでに落ちぶれたのです。いわゆるキャンセルの文化ですが、実は――すでに何度も話していることですが――キャンセルは、すべての生活者や創造者を奪い、経済でも政治でも文化でも、どの分野でも自由な思想の発展を許さないのです〉（「ロシア大統領府公式ＨＰ」二〇二二年一〇月二七日、プーチン大統領演説に関しては本項で紹介する部分を含めロシア語から飼い主訳）

ドストエフスキーの預言

チビ「確かに欧米では、『ロシア憎悪《ぞうお》』が急速に拡大している。その対象はプーチン政権だけでなく、ロシア人全体とロシア文化に及ぶようになっている。アメリカ流の『キャンセル・カルチャー』が、無意識のうちに、一種の全体主義をもたらしているのだ。

この点、日本には欧米のような『ロシア憎悪』という感情はない。日本人の大多数はプーチン政権に好感を抱いていないが、ロシアのバレエや音楽、あるいは文学は、政治とは異なると無意識のうちに考えている。ロシア文学者の亀山郁夫《かめやまいくお》氏は、ドストエフスキーの五大長編をすべて訳すという大事業に取り組んだ。『罪と罰』『白痴』『悪霊《あくりょう》』『カラマーゾフの兄弟』『未成年』だ。亀山氏の翻訳が多くの読者を得ていること自体が、日本に『ロシア憎悪』が存在していない証左となる」

シマ「僕もチビのいうことに賛成だ。プーチン氏は西側のリベラリズムが変容していることを強調するが、これも鋭い視点だ」

そういって僕はタマが持つ飼い主のｉＰａｄを覗き込んだ。するとプーチン演説のこんな文章が目に入った。

〈リベラルなイデオロギーそのものが、今日では認識できないほど変化しています。古典的な自由主義が、もともとすべての人の自由を、いいたいことをいい、やりたいことをやる自由と理解していたとすれば、二〇世紀にはすでに、いわゆる開かれた社会には敵がいる――開かれた社会には敵がいることが分かった――そうした敵の自由は制限されうる、あるいは取り消すべきだとリベラリストたちはいい始めていました。いまや、代替的な見解はすべて破壊的なプロパガンダであり、民主主義への脅威であると断言され、不条理の極みにさえ達しているのです。

ロシアから発信されるものは、すべて「クレムリンの陰謀」です。しかし、自分たちをよく見てください。私たちは本当に万能なのでしょうか？（中略）すべてをクレムリンの陰謀のせいにすることはできません。

ドストエフスキーは、一九世紀に、このことを預言しました。彼の小説『悪霊』の登場人物の一人、ニヒリストのシガリョフは、想像上の明るい未来について次のように表現しました。「限りない自由を捨て、限りない専制主義で締めくくる」――これは西側のライバルたちが辿《たど》り着いたものです。「キケロは舌を切られ、コペルニクスは目をくり抜かれ、シェークスピアは石打ちの刑に処された」と、「裏切り、密告、スパイはどこでも必要で、社会には才能や高い能力は必要ない」と、小説のもう一人の登場人物ピョートル・ヴェルホヴェンスキーは彼に同調しています。これが、我が西側のライバルがやってきたことなのです。これは、近代西洋文化の廃絶（キャンセル）以外の何ものでもありません。

（中略）この世界文化を自分の裁量で処分する権利があると判断した人たちです。このような人物の驕《おご》りはスケールが大きいといわざるをえませんが、数年後には誰もその名前すら覚えていないでしょう。そして、ドストエフスキーは生き続けるでしょうし、チャイコフスキーやアレクサンドル・プーシキンもそうでしょう。たとえ、誰かがそれを望まなかったとしても〉（前掲「ロシア大統領府公式ＨＰ」）

チビ「ドストエフスキーの反西欧主義を、プーチン氏は、二一世紀に甦らせた。欧米流の個人主義、合理主義、生命至上主義からなる価値観の体系が限界に来ているというプーチン氏の認識は正しい。プーチン氏の発言は、大東亜戦争中に京都学派の学者が唱えた『近代の超克』論に親和的だ」

シマ「各国が自らの伝統を維持した多元的な棲み分け社会を作るという発想は、哲学者のゴットフリート・ライプニッツの『モナドロジー（単子論）』思想とも親和的だ」

タマ「こういう棲み分け理論が、アジア諸国、アフリカ諸国、中東諸国、ラテンアメリカ諸国では受け入れられると思います」

「求愛を恫喝で示す」外交文化

タマ「次は北朝鮮の外交の主目的について。それは、金王朝が外部からの武力干渉によって転覆されることがないとの保証をアメリカから取り付けることです。そのために弾道ミサイル実験を繰り返し、アメリカの関心を惹《ひ》こうとしています。

北朝鮮には『求愛を恫喝《どうかつ》で示す』という外交文化があります。アメリカを交渉の場に引き出すためには、核実験を行うことが最も効果的だと金正恩朝鮮労働党総書記は考えているようです」

チビ「プーチン氏は、このような金正恩氏の意図をよく理解していると思う。ヴァルダイ会議での討論を読めば、よく分かる」

そういってチビはｉＰａｄを操作した。

〈朝鮮民主主義人民共和国の核問題に関してですが、私の考えでは、安全保障の分野も含めて、北朝鮮の利益に対してまったく無礼な態度を取り、話し合おうとしないことに問題があります。実際、事実上すべてが合意された瞬間がありました。北朝鮮の指導者は、結局、核の要素を含むこの問題の解決方法についてアメリカが提示した案に同意しました。いや、最終局面でアメリカ側が立場を変えて、事実上、北朝鮮の指導者に合意事項を破棄させたのです。アメリカは追加制裁を行い、金融や銀行業務に制限を加えました。なぜでしょうか、それもあまり明確ではありません。

ちなみに、この問題を解決するための進め方については、中華人民共和国と共同で提案しています。これらの提案は、私たちの二つの文書で示されており、誰もがよく理解しています。合意した点を遵守《じゅんしゅ》するということです〉（前掲「ロシア大統領府公式ＨＰ」）

チビ「アメリカが北朝鮮との約束を反故《ほご》にしたので今日の緊張が生じた、との認識をプーチン氏は示している。以前、北朝鮮の核実験をロシアは厳しく批判し、国連安保理でも制裁決議に賛成していた。しかし、ウクライナ戦争によってロシアの立場は百八十度転換した。北朝鮮が核実験を行っても、ロシアの非難は形式的なものに留《とど》まり、国連安保理に北朝鮮に対する制裁決議案が上程されても拒否権を行使し、それを潰すであろう。

北朝鮮の人権問題についても、プーチン氏は西側諸国と一線を画して、〈人道的な問題やそれに類する問題については、北朝鮮の経済状況や一般の人々の要望を把握し、ネジを締めるのではなく、ある問題を人道的に解決することが必要です〉（前掲『ロシア大統領府公式HP』）と述べた。

人権を理由にした北朝鮮に対する干渉に反対するという立場だ。欧米諸国が普遍的価値と考える人権よりも国家主権のほうが重視されるべきであるというのが、プーチン氏の基本的立場だ。これは、ミャンマーの軍事政権やサウジアラビアの国家観、あるいは人権観と親和性が高い」

プーチンの厳しい韓国観

タマ「韓国についてプーチン氏はどう考えているのですか」

チビ「ウクライナ戦争によって、プーチン氏の韓国観が厳しくなっている。それはアメリカと連帯し、韓国がウクライナに武器・弾薬を支援することを検討していたからだ。

〈私たちは韓国と非常に良好な関係にあり、韓国と朝鮮民主主義人民共和国の両方と常に対話することができました。しかし、いま韓国がウクライナに武器・弾薬を供給することを検討していることが分かりました。これでは、私たちの関係が壊れてしまいます。もし、この分野で北朝鮮との協力を再開することになれば、韓国はどのように感じるでしょうか。それで幸せになれるのでしょうか。ぜひ注目していただきたいです〉（前掲『ロシア大統領府公式ＨＰ』）

岸田文雄首相が、ウクライナ戦争との関係でロシアを激しく批判しているにもかかわらず、ロシアの日本に対する非難は韓国に対するほど厳しくない。それは、防衛装備移転三原則があるために、日本がウクライナに殺傷能力を持つ武器を供与していないからだ。プーチン氏は各国の対応を、「言葉ではなく実際の行動で判断している」

すなわち行動から見れば、日本よりも韓国のほうがロシアにとって危険なのだ。政府は防衛装備移転三原則の運用を転換し、一部の国に戦闘機や戦車を提供できる体制を考えているが、紛争地域であるウクライナに対する武器供与はしないようなので、僕は安心している。一般論として、いつまでも続く戦争はない。いまから戦後処理について考えておく必要がある。

プーチン政権の歴史観とは

タマ 「日ロ関係に関連しても動きがありました。二〇二三年九月三日、北方領土やロシア極東で『軍国主義日本への勝利と第二次世界大戦終結の日』の式典が行われました。従来、『第二次世界大戦終結の日』と呼ばれていたこの祝日が名称変更され、初めての式典でした。『朝日新聞』の報道を見てみましょう」

〈ロシアが今年、日本への批判色をより強める形で公式に「対日戦勝記念日」と位置づけた三日、ロシアが実効支配する北方領土の択捉島など、各地で式典が開かれた。メドベージェフ前大統領は極東のサハリンを訪問し、「日本政府は新たに軍国主義化を進めている」と非難した。ウクライナ侵攻をめぐり対立する日本に対し、過去の「軍国主義」に焦点を当てて批判しようとする狙いがある。

（中略）サハリンのユジノサハリンスクでは、国家安全保障会議副議長でもあるメドベージェフ氏のほか、極東の自治体の知事らが式典に参加した。メドベージェフ氏は「日本が歴史を書き換え、（第二次世界大戦中の）戦争犯罪を正当化し、今度はウクライナでナチス政権を支持している」と批判。ウクライナのゼレンスキー政権を「ナチス」になぞらえる主張を改めて展開し、「（ロシアは）八〇年前と同じように、人類を破局に導こうとする者に反撃し、勝たなければならない」と主張した。
（中略）ソ連は大戦末期、日ソ中立条約を一方的に破棄して参戦したが、ロシアはソ連軍が対日戦争で大きな役割を果たし、「二〇〇〇〇人以上のソ連兵が命を落とした」と主張。「南サハリンとクリル諸島（北方領土と千島列島のロシア側呼称）を日本の軍国主義者から解放した」などとして、北方領土の支配を正当化している。
（中略）ロシアはウクライナ侵攻後の昨年三月、日本を「非友好国」に指定し、批判を強めてきた〉（「朝日新聞」二〇二三年九月四日朝刊）

タマ「『朝日新聞』の記事を読むとロシアでは反日キャンペーンが展開され、プーチン大統領もその流れに乗っているとの印象を受けます」

ミケ「この記事の切り口だと、全体像が見えなくなります。この関連では、二〇二三年九月五日のロシア紙『イズヴェスチヤ』の報道が興味深いといえましょう」

そういってミケは飼い主のｉＰａｄを操作し、以下の記事を示した。

〈二〇二三年九月三日にロシアで初めて祝われた「軍国主義日本への勝利と第二次世界大戦終結の日」では、プーチン大統領が参加する記念行事が行われなかった。クレムリン（ロシア大統領府）のドミトリー・ペスコフ報道官は五日に次のように述べた。
「（クレムリン主催の）記念式典は予定されておらず、（大統領府公式）サイトにもそのような情報はなかった」と大統領報道官は会見でコメントした。

ペスコフ報道官は会見で、「記念式典に関する法律はロシア大統領によって署名されたものであり、今回、日本で行われた抗議活動は、ロシア連邦とは何の関係もない」と述べた。

「この場合、問題は我々の歴史に関するものである。このことは日本にとっても明白なはずだ」とペスコフ氏は指摘した〉（ロシア語から飼い主訳）

シマ「ここにはプーチン政権の歴史観が示されている。歴史的事実は一つであっても、それに対する解釈は複数ある。どの国家も、自らの歴史を解釈する権利がある。この権利に基づいてロシアは九月三日を祝日としているので、日本からとやかくいわれる筋合いはないということだ。裏返していうと、ロシアにとっては不愉快な歴史解釈を日本が行っても、ロシアはそれに干渉しないということになる」

タマ「僕もそう理解しています」

ロシアが日本に示した配慮

タマ「さらに、ロシアは日本国民に敵対しているわけではない、そうペスコフ氏は強調しました」
〈ウラジーミル・プーチン大統領は（二〇二三年）六月はじめ、九月三日は第二次世界大戦の終結だけではなく軍国主義的な日本に対する勝利をも記念する日だ、という法律に署名した。この改正は、「ロシアの軍事的栄光と記念日に関する法律」に加えられた。こうして、この日以前に祝われていた「第二次世界大戦終結の日」は、公式に「軍国主義日本への勝利と第二次世界大戦終結の日」と改称された。

六月二〇日、国家院（下院）は祝日の名称変更に関する法案を第二読会と第三読会で可決した。

一方の日本は、同月、新しい祝日の採択についてロシア連邦に抗議した。松野博一《まつのひろかず》内閣官房長官が記者団との会見で指摘したように、ロシア国民の反日感情を引き起こすだけでなく、日本人の反ロシア感情にもつながりかねないという理由からだ。松野氏はロシアの行動を「極めて遺憾だ」と述べた。

国家院国際問題委員会のアレクセイ・チェパ第一副委員長が松野氏らの発言についてコメントしたように、「軍国主義日本に対する戦勝記念日の法律は日本国民に対してではなく、かつて存在した体制に対して向けられている。これは、アジア大陸に住む何千万人もの民間人を破壊した帝国主義日本に対する勝利の祝典である」〉（前掲「イズヴェスチヤ」）

チビ「要するにロシアが断罪しているのは東條英機《とうじょうひでき》元首相をはじめとする第二次世界大戦中の日本政府幹部であり、そもそも現在の日本国民を非難しているわけではない、という論理だ。この日本国民には岸田文雄首相も松野博一官房長官も含まれる。ペスコフ氏は明らかに日本に対して配慮している」

ウクライナ戦争でロシアと欧米諸国との関係が極度に悪化している状況下、極東では日本との軋轢《あつれき》を極力減らしたいというプーチン氏の認識を反映し、ペスコフ氏はこのような発言をしたのだと僕は見ている。日本の新聞だけを読んでいると、人間たちはクレムリンからのシグナルを見落としてしまう危険性がある。しかし僕たち猫は見落とさない。

ハマスが乳児まで殺す理由

飼い主が四階の寝室に去ってから、僕たち猫は三階の書斎に集まって、人間社会の出来事（外交を含む）について議論するのが日課となっている。この夜のテーマは、イスラエル情勢だった。

シマ「国連のアントニオ・グテレス事務総長は、ハマスのイスラエルに対するテロ攻撃の本質をまったく理解していない」

そういって僕は飼い主のｉＰａｄを操作して、以下の記事を示した。

〈国連のグテレス事務総長は（二〇二三年一〇月）二四日の安全保障理事会で、パレスチナ自治区ガザの人道危機を巡って「（イスラエル軍の攻撃は）明白な国際人道法違反だ」との認識を示した。「イスラム組織ハマスによる攻撃は何もないところから突然起きたわけではない」とも発言し、これに反発したイスラエルはグテレス氏の辞任を求めた。一方、イスラエルとパレスチナ側は非難の応酬を繰り広げた。

安保理は二四日、ガザの情勢について協議する外相級の会合を開いた。グテレス氏は冒頭「パレスチナの人々は五六年間、息苦しい占領下に置かれてきた」と述べ、ハマスによるイスラエル攻撃は歴史や文化的な背景のなかで起きたことを認識する必要があると強調した。一方でハマスによる攻撃を正当化することはできないとの見方も示した〉（「日本経済新聞」電子版、二〇二三年一〇月二五日）

タマ「シマのいうとおりです。いま起きている問題は、イスラエルに居住するユダヤ人とユダヤ人国家の生存権を認めずにテロ行為に走ったハマスに起因するものです。イスラエルとパレスチナの関係一般に還元できる話ではありません。イスラエルからすれば、ハマスとナチスは、ユダヤ人という属性を持つ人々を地上から消滅させるという類似した世界観を持ち、それを実践しています。だからこそハマスは、ユダヤ人という属性を持っているがゆえに、イスラエルの乳児ですら躊躇《ちゅうちょ》なく殺害することができるのです。

このようなハマスと共存できないという認識をイスラエルが持つのは当然です。イスラエルとハマスの戦いは国家間戦争ではありません。ユダヤ人とイスラエル国家を地上から消滅させるという思想を持ち、実践しているテロリスト集団に対する掃討作戦なのです。この基本が分かっていないから、グテレス氏は、頓珍漢《とんちんかん》な発言をしたのです」

シマ「そのとおりだ。グテレス発言に対してイスラエルが激昂《げきこう》するのは当然だ」

国連事務総長の頓珍漢な認識

僕はiPadを操作し、ミケに以下の記事を示した。

〈グテレス氏の発言に即座に反応したのがイスラエルだ。エルダン国連大使は（二〇二三年一〇月）二四日「テロ行為を正当化している」として事務総長の辞任を求めた。イスラエルは同日予定していたコーヘン外相とグテレス氏の会談も中止にしたという。

エルダン大使は会合の合間に開いた記者会見で「まともな人間であれば理解できない発言だ。グテレス氏は事務総長を辞任しなければならない」と強調し、今後は国連との関係を見直すと述べた〉（前掲「日本経済新聞」）

シマ「僕はエルダン大使がこのような反応をするのは、イスラエルの国益に照らして当然のことだと思う。グテレス発言とそれに流される国連の現状を見て、イスラエル人たちは、『われわれは全世界に同情されながら死に絶えるよりも、全世界を敵に回してでも生き残るために戦う』という決意を再確認したと思う。イスラエルとの関係が長い飼い主には、このようなイスラエル人の思いがよく分かる。残念ながら、このような認識を持つ有識者が、日本では非常に少ない。

イスラエルは国連が中立的な機関ではないとの危機感を強めている」

僕はｉＰａｄを操作して、以下の記事も示した。

〈イスラエルのメディアによると、同国のエルダン国連大使は二五日、国連当局者への査証（ビザ）発給を停止すると表明した。

（中略）エルダン氏は自国のラジオで「彼らに教訓を与えるときが来た」と語った。イスラエルは既に国連のグリフィス事務次長（人道問題担当）へのビザ発給を拒否している。

（中略）グテレス氏は二五日、記者団に「まるでテロ行為を正当化したかのように誤解されたことに衝撃を受けている」と語った。「（安保理で）ハマスによるテロ行為を明確に非難した」とも述べた〉（前掲「日本経済新聞」）

ミケ「グテレス氏は、『まるでテロ行為を正当化したかのように誤解された』と述べていますが、イスラエルは誤解したのではありません。グテレス氏は、ハマスのテロ行為がユダヤ人国家であるイスラエルの存亡に関わる事態であることを認識していないからこそ、このテロに関してイスラエルも政治的責任を負うというような頓珍漢な認識を表明したのです」

ハマスの狙いを理解できないバイデン

シマ「グテレス発言で、イスラエルは国連に対する信頼感を失った。そうなると今後、国連による仲介をイスラエルが受け入れなくなる可能性がある。ガザに対する地上作戦は多数の死傷者を生み出すが、イスラエルにはそれ以外の選択肢がなかった。この状況下、国連による人道介入の道を封じる事態をグテレス氏が招いてしまったのだ。

グテレス氏だけでなく、アメリカのジョー・バイデン大統領の認識にも問題がある。どうもバイデン氏には、ウクライナ戦争とハマスによるイスラエル攻撃の本質的な違いが理解できていないようなのだ」

そういって僕はｉＰａｄを操作し、以下の記事を示した。

〈バイデン米大統領は（一〇月）一九日、ホワイトハウスで演説し、イスラエル支援の巨額緊急予算を二〇日に議会に要請すると明らかにした。パレスチナのイスラム組織ハマスをロシアのプーチン大統領と同列に置き「隣の民主主義国を完全に滅ぼそうとする共通点がある」と非難。看過すれば「紛争リスクが中東やインド太平洋など世界各地に広がりかねない」と述べ、対応が急務だと訴えた〉（「共同通信」二〇二三年一〇月二〇日配信）

タマ「確かにバイデン氏は事柄の本質を理解していません。ウクライナ戦争は国家間戦争です。対して、パレスチナ自治政府ガザ地区で生じたことは、同地区を実効支配するイスラム教スンニ派武装テロ組織ハマスに対するイスラエル軍による掃討作戦。ハマスがテロ組織であるという認識を持つことが、この問題を正確に分析するための鍵になります。

二〇二三年一〇月七日のハマスによる襲撃で、乳児を含む無辜《むこ》のユダヤ人が多数殺傷され、拉致《らち》されました。繰り返しますが、ハマスの目的は、パレスチナの地からユダヤ人を抹殺し、ユダヤ人国家であるイスラエルを解体することでした。特に乳児までが殺害された事実を知ると、ユダヤ人という属性を持つ人を排除するナチス同様の属性排除の論理に基づきハマスは行動していると、イスラエルは確信するようになったのです。このような勢力との併存は不可能であり、ゆえにハマスを完全に殲滅《せんめつ》する、というのがイスラエル国家の方針です。この点についてイスラエルの国論は一致しています」

日本とロシアの報道姿勢の大違い

シマ「欧米や日本の報道を見ていると、ロシアはハマス寄りだとの印象を受けるが、それは間違いだ。ハマスのテロが北コーカサス地域（チェチェンやダゲスタンなど）に影響を及ぼす可能性を、プーチン政権はとても警戒している。ロシアは、イスラエルとパレスチナ自治政府の両方と良好な関係を維持するのが基本方針だ（この点は日本に似ている）。

　またイスラエルには、一九九一年のソ連崩壊前後、ロシアやウクライナなどからイスラエルに帰還した人が一〇〇万人以上、その子どもや家族を含めば二〇〇万人以上はいると推定さる。イスラエルのユダヤ人の人口は六九〇万人なので、ロシア系ユダヤ人の意向を無視してイスラエルの国家政策は成り立たない。ウクライナ戦争でもイスラエルがロシアに制裁をかけていないことについては、こうした内政要因も影響している。

　ガザ情勢をめぐる報道でも、ロシアでは、イスラエルの立場を積極的に紹介している。たとえば、駐ロ・イスラエル大使がロシアの高級紙に登場し、こんな発言をしている」

　そういって僕はiＰａｄを操作し、以下の記事を示した。

〈イスラエルはパレスチナの過激派組織ハマスとの直接会談は行わない。これは（二〇二三年）一〇月三〇日、アレクサンダー・ベン・ツヴィ駐モスクワ大使の発言である。

「イスラエルとハマスのあいだに直接交渉はないし、ありえない。なぜなら、私たちの立場は非常に単純だからだ。すべての人質は無条件に解放されなくてはならない。人質たちは民間人だ。残念ながら、人質に何が起こっているのか、私たちは何の情報も持っていない」と大使はテレビ局「ロシア24」で述べた。

　ツヴィ大使は、イスラエルはガザ地区を破壊することを目的としておらず、ハマスの過激派にのみ焦点を当てていると述べた。

「ガザ地区を破壊する計画などない。ハマスの軍事組織を壊滅させ、人質を取り戻す計画はある。それだけだ。いかなる入植も計画されていない」と同大使は述べた。

ツヴィ大使によれば、ガザ地区の人々が経済や自分たちの生活に従事するのであれば、破局的な出来事は起きないという〉（「イズヴェスチヤ」二〇二三年一〇月三〇日、ロシア語から飼い主訳）

タマ「イスラエルの意図はあくまでもハマスのテロ掃討であり、ガザ地区にユダヤ人を入植させることが目的ではないというイスラエルの方針がよく分かりました。親パレスチナに偏《かたよ》る感情的な日本の報道と比べると、ロシアの新聞は情勢分析に必要となるデータを提供しています。一方の僕たちは、専《もっぱ》ら英米やロシアの新聞、そして飼い主がイスラエルの友人たちから聴取した内容を基にして分析していますね」

日本の国際政治学者で、イスラエルを支持している人も少なからずいるが、そのほとんどは、日米同盟が最重要であり、アメリカがイスラエルを強く支持しているので追従する、という姿勢だ。こうした人間たちは自分の頭で考えていないので、説得力のある言説を展開することができない。

猫は違う。僕たちはそうした対米従属の姿勢は取らない。だからイスラエルの内在的論理を正確に捉えたうえで、この国が遂行しているテロ掃討作戦を支持してきたのだ。

第四章　共産党の人間法則

スクープか情報漏洩か

タマ「二〇二〇年一一月一九日の『しんぶん赤旗』が名指しで飼い主を非難しています。〈フェイクの果ての『赤旗』攻撃／菅官邸を擁護する佐藤優氏の寄稿〉（三浦誠《みうらまこと》社会部長署名）という見出しです」

シマ「飼い主がフェイクニュースを流しているというのか」

タマ「そうです。作家の存在基盤を毀損《きそん》することを目的とした悪質な情報操作です」

シマ「興奮して、情報操作と決めつけるのではなく、冷静に内容を見てみよう」

タマ「分かりました」

チビ「『赤旗』は、日本共産党の公式の立場を反映する媒体だ。社会部長が署名しているのだから、共産党が組織として飼い主に喧嘩《けんか》を売ってきたということだ」

タマ「共産党は、〈佐藤氏を知るメディア関係者は、『官邸の代弁をしている』といいます〉という印象操作をしています。飼い主が『官邸の代弁をしている』などという事実はないので、僕たちからも反論しておいたほうがいいと思います。まず『赤旗』記事の冒頭を見てみましょう」

そういってタマは飼い主のｉＰａｄを操作して、こんな記事を示した。

〈元外務官僚で作家の佐藤優氏が『文藝春秋』（一二月号）への特別寄稿で、菅義偉首相による日本学術会議への人事介入を報じた「しんぶん赤旗」のスクープが、事態を混乱させた原因であるかのように書いています。「文春オンライン」も、「赤旗のスクープで交渉の余地がなくなった」との見出しで紹介記事を載せています。

その趣旨はこうです。

―「赤旗」に出なければ、任命拒否の内示を受けた時点で学術会議の山極寿一《やまぎわじゅいち》会長（当時）がすぐにかけ合えば、「官邸と学術会議の間で交渉の余地はいくらでもあった」。

―菅首相や官邸中枢が主導的な役割を果たしたと思えず、〝もらい事故〟だった。

―菅首相には「学問の自由」に介入する意図はなかった〉（「しんぶん赤旗」二〇二〇年一一月一九日）

シマ「飼い主の論考を正確に要約している」

タマ「僕は『赤旗』の非難記事を三回読みましたが、『文藝春秋』の寄稿『権力論――日本学術会議問題の本質』で書いた内容を変更する必要はまったく感じません」

シマ「まったく変更する必要はない」

チビ「僕も同じ考えだ。それよりも『赤旗』の主張は乱暴で、論理が破綻《はたん》している。むしろ共産党の体質を知るための良い材料になる。実証的に検討してみよう。『赤旗』の記事では、こんな主張を展開している。

〈佐藤氏は『赤旗』スクープについても、『官邸からすれば、これは〝スクープ〟ではなく、〝情報漏洩（ろうえい）〟』と述べ、情報源が学術会議事務局員だと官邸目線で決めつけています。

スクープの端緒は、松宮孝明《まつみやたかあき》・立命館大学教授が、任命拒否されたと九月二九日にフェイスブックで公表したことです。この事実について『赤旗』は隠していませんし、公表もしています。『文藝春秋』と同時期に発売された『世界』（一二月号）は、松宮教授が公表していると正確に記しています〉（前掲『しんぶん赤旗』）

問題は、松宮氏以外の五人を菅首相が任命しなかった事実を『赤旗』がどのように知ったかだ。この点について、『朝日新聞』の取材に対して、小木曽陽司《こぎそようじ》『しんぶん赤旗』編集局長が述べた内容が興味深い。

〈赤旗は一〇月一日、一面に『菅首相、学術会議人事に介入』との白抜きの横見出しを掲げ、日本学術会議が推薦した候補者の任命を菅義偉首相が拒んだことを報じた。多くのメディアがその記事を後追いした。

小木曽氏によると、取材のきっかけは任命を拒まれた学者の一人がフェイスブックに書き込んでいた情報。共産党参院議員がシェアしたのに小木曽氏らが気付いた。記者数人で一斉に取材し、一日で原稿を完成させたという〉(『朝日新聞デジタル』二〇二〇年一一月二八日)。

松宮氏がフェイスブックに自らが学術会議メンバーに任命されなかった事実を記したのは九月二九日だ。それ以外の五人に関する情報に関して、小木曽編集局長自身が、『記者数人で一斉に取材し、一日で原稿を完成させた』と述べている。この時点で、開示されていない情報を『赤旗』は何らかの方法によって入手したのだ」

シマ「首相官邸から見れば、これが『情報漏洩《ろうえい》』になる。そもそも政府が秘匿《ひとく》する情報に関するスクープは、政府からすればすべて『情報漏洩』である。いかに官僚が『情報漏洩』するように仕向けて国民の知る権利に奉仕するか、これがマスコミ関係者の職業的良心だ。もっとも『赤旗』の場合、目的は国民の知る権利に奉仕するためではなく、日本共産党の『党益』、すなわち日本における共産主義革命の土壌を整備することに奉仕するためだ」

矛盾する「赤旗」社会部長と編集局長の発言

シマ「しかし、『赤旗』の社会部長と編集局長が矛盾《むじゅん》することをいって、大丈夫なのだろうか」

チビ「客観的、実証的には矛盾していても、弁証法的に正しいということになるのだろう」

タマ「あの人たちは、未だにスターリン流の弁証法的唯物論と史的唯物論で物事を考えます。それから、三浦誠社会部長は、〈『赤旗』のスクープは一〇月一日付です。つまり記事が出る前から、山極氏は菅首相に説明を求めていたのに、官邸からは返答がなかったのです。官邸はもともと学術会議に『交渉の余地』を与えていなかったといえます〉（前掲『しんぶん赤旗』）と述べています。しかし、山極氏自身は、一〇月一一日に日本学術会議などが主催するオンラインシンポジウムで、〈『会長であった私が総理ときちんと交渉すべき問題だった』などと謝罪〉（『朝日新聞デジタル』二〇二〇一〇月一二日）しています。三浦社会部長の解説は、山極氏の発言と齟齬《そご》を来《きた》していますよ」

チビ「そういうブルジョア的な論理整合性に基づく批判は、職業革命家の三浦誠同志には通じないと思う。日本共産党は、破壊活動防止法（破防法）の調査対象になっている革命政党だ。その場しのぎの強弁でも、『赤旗』の読者さえ納得させれば良いというプラグマティズムに基づいているのだろう。革命政党の論理としては筋が通っている。

そして三浦社会部長は、次のように飼い主を非難している。

〈『赤旗』に佐藤氏から、事実関係について問い合わせはありません。当事者に取材せぬまま、〝情報漏洩〟と不正に情報を入手したかのように虚偽の内容を書いています。根拠を示さず、事実をゆがめて、政権の行為を正当化する──。典型的なフェイクニュースの手法です。学術会議問題では、与党政治家らがネットでデマを流し、あたかも会議側に問題があるかのように〝世論誘導〟をしています。佐藤氏の寄稿も、それらと同一線上にあります〉（前掲『しんぶん赤旗』）」

タマ「『赤旗』は、外部からの照会に対して、取材過程や情報源について事実関係をペラペラ喋《しゃべ》るという編集方針を採っているのでしょうか。『赤旗』が、不正に情報を入手したのではないと強弁するならば、情報源をすべて開示せよといいたいです。それができないならば、共産党の『党益』に反するという理由で、飼い主がフェイクニュースで『官邸の代弁』をしているなどという醜悪な宣伝（プロパガンダ）をすべきではありません」

シマ「そう思う。共産党が恥をかくだけだ」

共産党の破壊活動の実態

チビ「この機会に、共産党と破壊活動防止法の関係について、おさらいしておこう」

そういって、チビはｉＰａｄを操作して報道を示した。

〈政府は（二〇二〇年一一月）二〇日の閣議で、共産党について「現在においても破壊活動防止法に基づく調査対象団体だ」とする答弁書を決定した。日本維新の会の鈴木宗男参院議員の質問主意書に答えた。また、共産党に関して「暴力革命の方針に変更はないものと認識

している」とも説明した〉（「時事通信」二〇二〇年一一月二〇日）

チビ「質問主意書に対する答弁書は、閣議決定され、内閣総理大臣名で発表される。閣議決定は政府全体の立場を拘束する。鈴木氏は、二〇二〇年一一月一一日に提出した質問主意書で、〈私が令和二年六月三日に提出した『破壊活動防止法と日本共産党との関連に関する質問主意書』（第二〇一回国会質問第一三五号）に対する答弁書（内閣参質二〇一第一三五号、以下『答弁第一三五号』という）を踏まえ、質問する〉と前置きしたうえで、〈答弁第一三五号において、『暴力主義的破壊活動とは、破壊活動防止法（昭和二七年法律第二四〇号）第四条第一項各号に掲げる行為をいう。具体的には、刑法上の内乱、内乱の予備又は陰謀、外患誘致等の行為をなすこと、政治上の主義若しくは施策を推進し、支持し、又はこれに反対する目的をもって刑法上の騒乱、現住建造物等放火、殺人等の行為をなすこと等である』、また『日本共産党は、現在においても、破壊活動防止法に基づく調査対象団体である』と答弁しているが、現在でも日本共産党を破壊活動防止法（以下『破防法』という。）に基づく『暴力主義的破壊活動』を行った団体として認識しているか。政府の見解は如何《いかん》〉と尋ねている」

タマ「共産党の本質を突いた優れた質問だと思います」

チビ「これに対して、一一月二〇日に閣議決定したうえで、〈日本共産党は、日本国内において破壊活動防止法〈昭和二七年法律第二四〇号〉第四条第一項に規定する暴力主義的破壊活動を行った疑いがあるものと認識している〉との菅義偉首相名の答弁書を公表した」

共産党の論理に恥はない

タマ「飼い主は、日本政府が暴力主義的破壊活動を行った疑いがあると認識している共産党によって攻撃されているわけですね」

チビ「そうだ。この答弁書は、共産党に対する政府の認識を詳細に述べている。非常に重要な事柄なので、少し長くなるが正確に引用しておく」

そういって、チビはiＰａｄを操作して、参議院の公式ＨＰから以下の記述を示した。

〈日本共産党は、現在においても、破壊活動防止法に基づく調査対象団体である。

また、同党のいわゆる「敵の出方論」に立った暴力革命の方針に変更はないものと認識している。

さらに、同党のいわゆる「敵の出方論」については、平成元年二月一八日の衆議院予算委員会における石山陽《いしやまよう》公安調査庁長官（当時）が「昭和三六年のいわゆる綱領発表以降、共産党は議会制民主主義のもとで党勢の拡大を図るという方向で着々と党勢拡大を遂げられつつあることはお示しのとおりでございます。ただ問題は、それは政治的な最終目標であるのかあるいは戦略または戦術の手段であるのかということの問題でございます。私どもはそれらに対しまして、今冷静な立場でもって敵の出方論何かにつきましても調査研究を進めておる段階でございまして、今のところその結果として直ちに公党である共産党に対し規制請求すべき段階に立ち入っているとは思わないから請求もしていないということであります。なお、敵の出方論について今御教示を賜りましたが、一つだけ私からも申し上げておきたいことがございます。御存じのとおり、政権確立した後に不穏分子が反乱的な行動に出て、これを鎮圧するというのは、たとえどなたの政権であろうとも当然に行われるべき治安維持活動でございます。ところが敵の出方論という中には、党の文献等を拝見しておりますると、簡単に申しますと、三つの出方がございます。一つは、民主主義の政権ができる前にこれを抑えようというような形で、不穏分子をたたきつけてやろうという問題であります。それから第二には、民主主義政権は一応確立された後に、その不満分子が反乱を起こす場合。三番目は、委員御指摘のような事態であります。ですから、それらにつきまして一部をおっしゃっておりますけれども、その全部について敵の出方論があり得る」旨を述べた答弁と同様の認識である〉

シマ「飼い主は人生で何度か共産党には酷い目に遭わされている。鈴木宗男事件の際には、飼い主の保管文書から入手したとの解説書がついて『鈴木宗男議員とロシア外務次官の会談記録』なる〝外交秘密文書〟（実態は怪文書）が共産党に流出し、国会で追及されることになった。これは改竄《かいざん》文書であるにもかかわらず、未だ共産党の公式HPに掲載されている」

タマ「恥知らずとしかいえません」

チビ「恥というのは、小ブルジョア的な道徳観に過ぎない。弁証法的に考えれば、われわれのほうが正しいというのが共産党の論理だ」

タマ「付いていけません」

この共産党を徹底的に調査しているのは法務省外局の公安調査庁だ。飼い主は二〇二〇年七月に外交ジャーナリストの手嶋龍一《てしまりゅういち》氏との共著『公安調査庁　情報コミュニティーの新たな地殻変動』（中公新書ラクレ）を上梓した。読者におかれては、この本を読んで共産党が普通の政党ではないという認識を深めてほしい。

それから、『日本共産党の矛盾と欺瞞【改訂版】』（公明党機関紙委員会、二〇二〇年一一月）を読んでも共産党の体質がよく分かる。僕は臆病な一匹の猫に過ぎないが、共産党からの攻撃に対しては、飼い主と連帯して命懸けで戦う決意をここで表明する。

評価されるべきは公安調査庁

タマ「ところで二〇二〇年代に野党が弱くあり続ける原因は、野党共闘ができないからだという見方があります。確かに小選挙区制の下では、野党がまとまっていなければ議席を獲得することはできません。ただ、機械的に野党がまとまれば自民党と公明党に対抗できる、という見方は間違いです。

ここで重要になるのが、日本共産党を野党共闘に加えるかどうか。共産党は革命政党です。共産党は二〇二〇年一月に第二八回党大会を行い、政策を見せかけ上、若干マイルドにしましたが、これは伝統的な統一戦線戦術に過ぎません。他党派との共闘を通して、共産党の影響力を拡大していくという戦略です。そして次の段階で革命を狙います。

共産党がドイツ社会民主党のような普通の政党になったという認識は間違っています。共産党は破壊活動防止法の調査対象団体なので、その動静については、公安調査庁と警備公安警察が厳しく監視しています」

シマ「特に公安調査庁は、共産党の公刊物を分析し、内部に協力者を育成して、それが大きな成果をあげている。共産党の暴発を避けるために公安調査官が日々行っている調査活動を、政治家やマスコミ関係者は正当に評価すべきだ」

チビ「二〇二〇年九月一六日の衆参両院本会議で行われた首班指名で、共産党は、立憲民主党の枝野幸男《えだのゆきお》代表に投票した。共産党が、決選投票を除き、首班指名で他党の党首に投票したのは二二年ぶりだった。共産党は統一戦線戦術を強化している。

立憲民主党にすれば、小選挙区で共産党が獲得する一万〜二万票に魅力を感じるのだろう。しかし、共産党と立憲民主党が提携すれば、連合傘下の労働組合票や、大企業はもとより中小企業の経営者の票も逃げていく。また、公明党の支持母体である創価学会も、共産党が支援する候補者だけは当選させてはならないと、必死で選挙運動に取り組む。立憲民主党が共産党との選挙協力を行うことが、与党を助ける結果をもたらす」

タマ「立憲民主党の人たちは、共産党が『普通の政党』に変わったと思っているんじゃないでしょうか」

シマ「その危険性は十分にある。共産党が革命政党であるという認識がしっかり行き渡っていない。もっとも、枝野氏は頭がいいから、そのことに気づいていたとは思う」

公明党と共産党の対決の結果

僕とチビとタマとミケは、飼い主が四階の寝室に去ったあと、三階の書斎に集まり、内外情勢について議論する。このときは東京都議会議員選挙の話で盛り上がった。

タマ「二〇二一年七月四日に投開票が行われた東京都議会議員選挙の結果は以下のとおりでした。（　）内は告示前の議席数。投票率は四二・三九％（二〇一七年は五一・二八％）でした。

・自民党　三三（二五）
・公明党　二三（二三）
・都民ファースト　三一（四五）
・立憲民主党　一五（八）
・共産党　一九（一八）
・維新　一（一）
・東京・生活者ネットワーク　一（一）
・無所属　四（五）

事前予測では自民党が五〇議席を超え、圧勝するとの見方もありましたが、そうはなりませんでした」

シマ「自民党が伸び悩んだのに対して、公明党は二三議席すべてを獲得して完勝した」

チビ「新聞やテレビでは、自公で過半数に届かずという報道が大きくなされていたが、その原因は専ら自民党によるものだ。国政レベルで自公連立政権の基盤が盤石《ばんじゃく》であるため、都民ファーストが壊滅状態になるとの予測もあり、自民党に緩みが出たのだと思う。

また、国政レベルで自民党に政治とカネの問題などの不祥事が多発したこともマイナス要因になっている。公明党は、この種の不祥事に関しては自民党を厳しく批判しているので、自民党批判が公明党に大きく影響することはなかった。公明党が強いのは、支持母体の創価学会が盤石の態勢で選挙に臨んだからだ」

タマ「この選挙で注目されるのは、共産党が存在感を増したことです。もっとも、共産党は一議席だけ増加したに過ぎません。ただし、共産党と選挙協力を行った立憲民主党が七議席も伸ばしています。この議席増は共産党のおかげです。

〈共産党の志位和夫委員長は党本部で『多くのところで自民党と競《せ》り合った末の重要な勝利。今後の野党共闘について、立憲とも協議を進めたい』と語った〉（「朝日新聞デジタル」二〇二一年七月五日）」

チビ「共産党も、七月六日、機関紙『しんぶん赤旗』の社説で、この都議会議員選挙に勝利したと総括している」

そういってチビは、飼い主のｉＰａｄを操作して、以下の記事を示した。

〈東京都議選で日本共産党は現有一八議席を確保し一九議席に前進しました。引き続き野党第一党です。二〇一三年、一七年の躍進に続く大きな勝利です。大激戦のなか、ご支持、ご支援いただいたみなさんに心から感謝申し上げます。

五輪中止を正面から掲げた共産党と「中止か延期」を主張した立憲民主党が前進したことは、このまま開催すべきでないという民意の強い表明です。菅義偉政権は都民の意思を重く

受け止めるべきです〉

タマ「共産党は一議席しか増やしていないのに、『大きな勝利』とは、ずいぶん過大な評価ですね」

チビ「もっとも、立憲民主党が共産党のフロント政党になったと考えれば、合計八議席の増加なので、『大きな勝利』という評価になるのだろう。『しんぶん赤旗』社説の末尾は、こうなっている」

そういってチビはiＰａｄを操作した。

〈党派を超えた幅広い人たちの支持を得て文京区と日野市の二つの二人区で共産党は新たに議席を獲得しました。共産党と立憲民主党が行った候補者調整は重要な成果をあげました。共産党の候補者に一本化した五選挙区、立民などの候補者に一本化した七選挙区で勝利しました。野党の協力は相互に当選を積み増すことで、自民党を追い詰めました。

都議選の成果を来たる総選挙につなげることが国政を変える大きな力となります。市民と野党の共闘を成功させ、政権交代、野党連合政権を実現しましょう〉

共産党の危険な宗教観

チビ「もっとも、共産党と立憲民主党が連携しても、自民党や都民ファーストに競り勝つことはできたが、公明党の壁を破ることはできなかった。共産党よりも公明党のほうが組織力が強いことを如実に示した」

シマ「東京都議会議員選挙の結果は、次期衆議院選挙にも影響を与える。立憲民主党は共産党との選挙協力に利点があると認識し、選挙協力を進めていくはずだ。これに対して、経団連と連合は反発を強めることになる」

タマ「共産党系の経営コンサルタント団体に支援を受けていない中小企業の経営者や個人事業主も反発を強めます」

チビ「そのとおりだ。国政選挙は地方選挙とは異なる。特に革命政党である共産党と立憲民主党が選挙協力を進めるということになれば、政権交代が起きた場合、体制変更につながる危険性がある。

立憲民主党は、明確な価値観を持っていない。対して共産党は、科学的社会主義（マルクス・レーニン主義）という強固な価値観を持っている。共産党支持層の票が欲しいばかりに立憲民主党が選挙協力を進めると、マルクス・レーニン主義の価値観も静かに立憲民主党に移入されていく。

この危険性に対して敏感なのは、自民党よりも公明党だ。なぜなら公明党の生命尊重、人間主義の価値観が、マルクス・レーニン主義と相容《あいい》れないものであるからだ。今後の政局は、価値観の観点からは、公明党と共産党の対決という形で進んでいくと思う」

タマ「共産党は、主敵が公明党になることを自覚しています。公明党の強さは、その支持母体の創価学会の団結力や組織力にあります。この都議会議員選挙でも、創価学会は総動員態勢で選挙に取り組んでいました。共産党は公明党だけでなく、創価学会に対する攻撃を強化しています」

そういってタマがiPadを操作し、こんな記事を示した。

〈「公明」「聖教」この一体ぶり／都議選　選挙紙面ウリ二つ

都民・国民の命と暮らしがかかった東京都議選（七月四日投票）で、公明党とその支持母体である創価学会の〝一体ぶり〟が深刻です。それぞれの機関紙である公明新聞と聖教新聞の記事、写真を見比べてみると、その異常さが際立ちます。

両紙の〝一体化〟は、都議選告示日の二五日付から急速に進んでいます。同日付の公明新聞一面は、「山口代表が力説　総力挙げ〝壁〟を突破」という見出しで山口那津男《やまぐちなつお》同党代表のあいさつ要旨を掲載。同日付の聖教新聞も「山口代表が力説　総力挙げて〝壁〟を突破」とほぼ同じ見出しで、山口代表のあいさつ要旨を掲載しています。

その後も「首都決戦　怒濤《どとう》の攻勢」（二六日付）、「最激戦区　大逆転へ押し上げ急務」（二七日付）などと両紙に同じ見出しと写真が並び、候補者の演説要旨も一字一句同じです。宗教的権威をもって信者に特定政党とその候補者への支持を押し付ける──政教一体もここまできています〉（「しんぶん赤旗」二〇二一年七月一日）

チビ「この記事に共産党の危険な宗教観が表れている。日本国憲法は、国家と宗教の関係についてこう定める。〈第二〇条　信教の自由は、何人《なんぴと》に対してもこれを保障する。いかなる宗教団体も、国から特権を受け、又は政治上の権力を行使してはならない。／何人も、宗教上の行為、祝典、儀式又は行事に参加することを強制されない。／国及びその機関は、宗教教育その他いかなる宗教的活動もしてはならない〉。ここで定められた政教分離原則は、国家が特定の宗教を優遇したり忌避したりすることが禁止されているのであり、宗教団体が自らの判断で政治活動を行うことは禁止されていない」

創価学会攻撃を開始するシグナル

チビ「二〇二〇年一月の日本共産党第二八回大会では、同党綱領の一部が改定された。綱領一三節で〈信教の自由を擁護し、政教分離の原則の徹底をはかる〉と記されている。ここでいう政教分離が、日本国憲法で定められた宗教団体の政治活動を認めるものであるか、あるいは旧ソ連や中国のような宗教団体の政治活動を一切認めないマルクス・レーニン主義型の政教分離であるか、共産党綱領からは読み取れない。

ちなみに、綱領一六節では〈さまざまな思想・信条の自由、反対政党を含む政治活動の自由は厳格に保障される〉と定められている。この保障の対象から『信教の自由』が外されているのは偶然ではないと思う」

シマ「確かにチビのいうとおりだ。さらに、日本共産党機関誌『前衛』二〇二一年七月号にジャーナリストの柿田睦夫《かきたむつお》氏による〈『政権追従』路線と『幹部人事』の謎——九〇周年迎えた創価学会〉と題する論文が掲載された。興味深いのは、この論文が創価学会を支持母体とする公明党ではなく、宗教団体である創価学会を直接攻撃していることだ。

政党間に論争や権力闘争があるのは当然だ。しかし、国会に議席を持つ政党である共産党が、創価学会の宗教的世界観自体を批判するのは珍しい。柿田氏は論文のなかで、牧口常三《まきぐちつねさぶ》郎《ろう》創価学会初代会長（治安維持法違反や不敬罪などの容疑によって静岡県下田《しもだ》市で一九四三年七月六日に検挙され、不転向を貫き翌四四年一一月一八日に東京拘置所で獄中死）の価値観を選挙戦と絡《から》め、こう批判する。

〈それまでの経過は横におき、目先の『実利』は確保する。それを可能にするのが徹底した『現世利益《げんぜりやく》』主義だといえるだろう。牧口常三郎初代会長は『真・善・美』というカント哲学の価値観に対置して『美・利・善』の価値観を唱えた。この哲学的意味はさておき、兵庫と広島や大阪、東京で演じるのは俗流『美・利・善』の極みだといえそうである〉

牧口氏の価値哲学をきちんと議論するのではなく、〈俗流『美・利・善』の極み〉とレッテル貼りをすることは、宗教感情に対する侮辱である」

チビ「どうも柿田氏を含む日本共産党の理論家（イデオローグ）には、キリスト教のプロテスタンティズムや創価学会など、信仰が政治を含む行為と切り離すことができない宗教人のあり方が分からないようだ。この柿田論文は、日本共産党が本格的な創価学会攻撃を開始するシグナルなのかもしれない」

シマ「注意して様子を見ていかなくてはならない」

革命政党たる共産党の本音

チビ「日本の政治構造全体を分析してみると、絶対的に、自公連立政権は弱体化している。正確にいうと自民党だけが弱体化し、公明党の力に変化はない。しかし、与党を上回る勢いで野党の力が衰弱している。野党において例外は、革命政党である日本共産党だ。共産党だけは党勢を拡大している」

タマ「そういえば、菅義偉政権の崩壊の際、共産党は喜んでいましたね」

そういって、タマは飼い主のｉＰａｄを操作して、以下の記事を示した。

〈菅義偉首相が、今月（二〇二一年九月）実施する自民党総裁選に出馬しないことを明らかにしました。事実上の退陣表明です。昨年九月の就任から約一年で政権を投げ出すことになったのは、国民の世論と運動に追い詰められた結果です。コロナ対応に無為無策を重ね感染爆発を招いた菅政権への批判は大きく広がり、内閣支持率は急落していました。菅氏の辞任だけでは国民の願う政治は実現しません。菅首相とともに悪政を推進してきた自民・公明の与党には重大な責任があります。今こそ市民と野党が本気の共闘の力を発揮し、総選挙で政権交代を果たす時です〉（「しんぶん赤旗」二〇二一年九月四日）

シマ「一方的な主張だ。菅首相が全力でコロナ対策に取り組んだ苦悩を理解しようとしない。野党が政権に就いたら、もっと混乱した」

チビ「共産党は強がりをいっているに過ぎない。衆議院解散や自民党幹部人事をめぐる菅首相のジグザグによって、国民には菅政権に対する忌避反応が生じ始めていた。これを最大限に利用すれば、与野党伯仲《はくちゅう》に近い状況を作り出すことができると共産党は考えていた。

しかし、首相を交代して新しい顔で自民党が総選挙に臨むことによって、それが難しくなってきた。共産党は口先では一気に政権交代を実現するといいながら、本音ではコロナ禍が収まるまでは自公連立政権が続き、国民の不満が高まれば高まるほど良いと考えていた」

共産党に対する危機感の薄い自民党

タマ「共産党は、資本主義の矛盾《むじゅん》が露呈することによって革命が近づくと考えているのでしょうか」

チビ「そのとおりだ。共産党綱領には、この党が追求する目標が明確に記されている」

そういって、チビはｉＰａｄを操作し、以下の文書を示した。

〈社会主義的変革は、短期間に一挙におこなわれるものではなく、国民の合意のもと、一歩一歩の段階的な前進を必要とする長期の過程である。

その出発点となるのは、社会主義・共産主義への前進を支持する国民多数の合意の形成であり、国会の安定した過半数を基礎として、社会主義をめざす権力がつくられることである。そのすべての段階で、国民の合意が前提となる。

日本共産党は、社会主義への前進の方向を支持するすべての党派や人びとと協力する統一戦線政策を堅持し、勤労市民、農漁民、中小企業家にたいしては、その利益を尊重しつつ、社会の多数の人びとの納得と支持を基礎に、社会主義的改革の道を進むよう努力する〉（「日本共産党綱領」から抜粋）

シマ「現在の共産党の解釈では社会主義と共産主義は同一のものだ。共産党の野党統一戦線が日本における共産主義革命の第一歩になる」

チビ「共産党は有言実行の党だ。共産主義革命に向けて着実に駒を進めていこうとする。公明党は共産党の危険性をよく理解しているが、自民党の危機感が薄い」
シマ「僕もそれを心配している。『月刊Ｈａｎａｄａ』には、共産党の危険性を国民に訴える言論活動を積極的に行ってほしい。緩んでいる自民党に活を入れてほしい」

立憲共産党――失敗の本質

タマ「二〇二一年一〇月に行われた衆議院議員選挙についてはどう総括しますか」
チビ「結果は自民党が二六一議席（改選前よりマイナス一五）、公明党が三二議席（プラス三）、立憲民主党が九六議席（マイナス一三）、共産党が一〇議席（マイナス二）となった。
自民、立憲、共産が議席を減らし、公明が一割伸ばした。日本維新の会は四倍近い四一議席（プラス三〇）を獲得。自民と立憲が減らした議席を維新が獲得したことになる。自民党に不満を持つ有権者の票は、共産党と連携する立憲ではなく、非自民保守である維新に流れたと見るのが妥当だ。
しかし、維新には確固たる組織がない。この総選挙は、明確な価値観を持ち、組織がしっかりしている公明党と共産党の闘いだった」
タマ「立憲が共産と組むことで損をしたということでしょうか」
チビ「平たくいうと、そういうことだ。立憲と共産の共闘が不発に終わった理由は、四つある。

第一は、経団連をはじめとする資本家が共産と組む立憲に忌避反応を覚えたことだ。

第二は、労働組合『連合』の動静。連合傘下の組合は、官公労を除けば経団連傘下の企業によって構成されている。これらの労組も共産党に対する忌避反応を強く持っている。

第三は、中小企業経営者や個人事業主の動静だ。これらの人たちも、共産党系の民商・全商連と協力関係にある人を除けば、共産党に好感を抱いていない。

そして第四が、公明党の支持母体である創価学会だ。近年、共産党は創価学会攻撃を強めているので、創価学会員は、共産党候補や共産党に推薦された候補者が当選しないように自民党候補を全力で応援した」

シマ「立憲の指導部は共産党が各小選挙区で持つといわれている一万〜二万票欲しさに、政権獲得後、共産党との限定的閣外協力を行う方針に踏み込んだが、そのために上述の四つのマイナスを引き出してしまった。客観的に見れば、この選挙協力は失敗だった。『立憲共産党』などと呼ばれては、政権を獲得できないのは明白だ。一一月二日、立憲の枝野幸男《えだのゆきお》氏は党代表を退くと表明した」

タマ「このような結果が出たにもかかわらず、共産党は立憲との選挙協力を高く評価しています。一一月一日に共産党中央委員会常任幹部会が行われ、こんな結論を出しました」

そういってタマはｉＰａｄを操作し、日本共産党中央機関紙「しんぶん赤旗」の記事を示した。

〈日本共産党は、今度の総選挙で、「野党共闘で政権交代を始めよう」と力いっぱい訴えてたたかいました。自民・公明政権の継続を許したのは残念ですが、このたたかいは、最初のチャレンジとして大きな歴史的意義があったと確信するものです。

この選挙での野党共闘は、共通政策、政権協力の合意という大義を掲げてたたかったものであり、一定の効果をあげたことは間違いありません。それは、全国六二の選挙区で、野党で一本化をはかった候補が激戦に競り勝ち、何人もの自民党の重鎮《じゅうちん》、有力候補を落選させたことにも示されました。全国各地で、たたかいの現場から心が通う共闘がとりくまれ、多くの新しい連帯の絆が広がったことも、今後に生きる大きな財産です〉（「しんぶん赤旗」二〇二一年一一月二日）

共産党の科学的社会主義に勝った日蓮仏法

チビ「共産党が全小選挙区に候補者を擁立すれば、億単位の供託金が必要とされるが、そのほとんどを没収されることになった。また、選挙運動にも一人あたり最低数百万円がかかる。立憲との選挙協力で、かなりの資金を節約することができた。その意味で、全小選挙区に候補者を擁立するという消耗戦（太平洋戦争中の日本軍によるガダルカナル戦を髣髴《ほうふつ》とさせる）から名誉ある『転進』ができたということなのだろう。今後、共産党は組織温存の観点から、立憲との選挙協力を続けようと腐心するはずだ」

タマ「比例区で得票を大きく減らしたことは共産党も認めています。〈得票数は、四四〇万票から四一六万票へ、得票率は七・九〇％から七・二五％への後退となりました〉（前掲『しんぶん赤旗』）。

他方、公明党は、比例区全一一ブロックの総得票数を伸ばし、七一一万四二八二票と、前回（二〇一七年）より一三万六五七〇票増加しました。

〈選挙結果について、公明党の山口那津男代表は一日午後、国会内で記者団に対し、『公明党として比例区七〇〇万票台を回復することができ、議席も増やした。献身的にご支援いただいた党員、支持者の皆さま、とりわけ創価学会員の皆さまのご支援に心から感謝を申し上げます』と謝意を表明。（中略）

比例区の結果については『八〇〇万票をめざす中で、結果的に前回を上回る七〇〇万票を超えた。公明党として一定のリベンジができたと思っている』との考えを示した〉（『公明党HP』二〇二一年一一月二日）。

公明が国政選挙で比例票七〇〇万台に達したのは、二〇一六年の参議院議員選挙以来です。公明党は共産党に圧勝しました。それは公明党の支持母体である創価学会に底力があるからですね」

シマ&チビ「この総選挙の本質は公明党と共産党の対決だったが、公明党が圧勝したということだ」

タマ「公明党の支持母体である創価学会の日蓮仏法が、共産党の科学的社会主義（マルクス・レーニン主義）よりも人々を動かす力を持っていたということですね」

シマ「そういうことだ。これは創価学会員の信仰の勝利だと、キリスト教徒の飼い主はいっている」

女性蔑視から脱却できなかった共産党

タマ「最近の日本国内の情勢で、僕は特に日本共産党の動静に関心を持っているわけですが、コミンテルン（共産主義インターナショナル＝国際共産党）日本支部として発足した日本共産党は二〇二二年に創立一〇〇年を迎えました」

チビ「この関連で興味深い本が二〇二二年五月に上梓《じょうし》された。中北浩爾《なかきたこうじ》氏（一橋大学大学院教授）の労作『日本共産党　「革命」を夢見た100年』（中公新書）だ」

シマ「日本共産党執行部は、この本にだいぶ神経を尖《とが》らせているようだ。機関紙『しんぶん赤旗』に本書の広告を掲載することを拒否したそうだ」
僕は飼い主のｉＰａｄを鉤爪で操作して、以下の記事を示した。
〈五月二三日に発売された中北浩爾一橋大学教授の「日本共産党」をめぐり、赤旗が広告掲載を拒んだというのだ。
「志位氏の『目くじらを立てる本ではないが、結論が党の考えと違う。あえて宣伝しなくてよい』との意向が背景にある」（共産党関係者）
中北氏は終章で、党員数の減少や高齢化を懸念するとともに、覇権主義や人権弾圧を続ける中国共産党を批判しながらも同じ「共産党」を名乗るデメリットを指摘。さらに、旧イタリア共産党のように社会民主主義に移行するなどの転換を促している。「党名維持や共産主義の継続が志位氏の考え。特に終章が許せなかったのでしょう」（同前）〉（『週刊文春』二〇二二年六月九日号）
チビ「中北氏は実証主義的方法で、この日本共産党の歴史を分析した。中北氏は、日本共産党は暴力革命路線を放棄し、社会主義革命を遠い未来の課題に先送りし、民族民主革命の実現を目標とする改良主義政党に変質したと見ているようだ」
タマ「僕はその意見には同意しません。日本共産党は『敵の出方論』に基づいて暴力革命の可能性を放棄していない、という日本政府の見解が正しいと考えています」

チビ「飼い主も同じ考えだ。現在の日本共産党は、戦前から女性の権利確立のために努力していたと強調する。志位和夫委員長は、二〇二二年四月に上梓した『新・綱領教室（上）2020年改定綱領を踏まえて』（新日本出版社）で、次のように述べている」

〈戦前の党は、「ジェンダー平等」についての今日の党の到達点から見れば、さまざまな時代的制約をまぬがれない面もあっただろうと思います。同時に、日本共産党の先輩たちによって、（中略）たくさんの先駆的たたかいが記録されていることを強調したいし、当時、日本共産党が政党としてそうしたたたかいに正面から取り組んだことを誇りにすべきだと考えています〉

タマ「なるほど。ジェンダー問題が共産党の影響力を拡大できるテーマと考えているのですね」

チビ「そうだ。中北氏の記述から明らかにされる戦前の日本共産党の実態は、以下のようなものだ」

〈周囲に怪しまれないように夫婦を装う、留守宅を見張る、検挙の際に時間を稼いだり、機密書類を持ち出したりする、場合によっては連絡役（レポーター）を務めるといった地下活動を行う技術上の理由から、男性幹部に対して女性のハウスキーパーが手当てされた。同志愛が発展して結婚に至るケースも少なくなかったが、婚外同棲《どうせい》を強《し》いられ、悲劇的な結末を迎えた場合もあった。
何よりも、女性がもっぱらハウスキーパーやレポーターといった補助的な活動に回されたことが問題であった。『無産者新聞』の編集長を務めた是枝恭二《これえだきょうじ》と党の指示で結婚したという福永《ふくなが》（波多野《はたの》・是枝）操《みさお》によると、有能な女性活動家であっても党幹部と結婚すれば、その付属物とみなされ、家庭に入るしかなかった。戦前の指導部には女性が皆無であった。共産党は結党以来、男女平等を訴えていたが、当時の日本社会の女性蔑視《べっし》から逃れられなかった。そうした弱点は地下活動を通じて肥大化した〉（『日本共産党』九五頁）

タマ「酷い話です」

チビ「この体質は戦後、一九五〇年代に日本共産党が公然と暴力革命路線を採ったときにも続いていた」

札幌では警察官を射殺

タマ「先述された暴力革命路線とは、どういうものだったのですか」

チビ「中北氏は、次のように記している」

〈一九五二年に入って、日本共産党は武装闘争を実行に移す。
非合法機関誌『内外評論（球根栽培法）』二月号に掲載された一月二三日付の論文「中核

自衛隊の組織と戦術」は、工場・地域・学校を基礎に軍事行動を行う中核自衛隊を組織し、竹やりや手榴弾《しゅりゅうだん》などを用いてアメリカ軍など敵から武器や資金を奪い取り、大衆闘争と結合しつつ軍需工場や敵の部隊を襲撃するという軍事方針を示した。中核自衛隊は、パルチザンや人民軍へと発展していくことが展望された。

この論文は、各中核自衛隊の隊長が指揮系統を通じて最高軍事委員会につながり、各隊に置かれる政治委員が党の各級機関の指導部に加わるという編成方針を提示した。つまり、地下指導部（ビューロー）が北京機関（引用者註＊北京に置かれた日本共産党の指導部）の指示を受けながら、臨中（引用者註＊臨時中央委員会）を頂点とする公然の党機関に加えて、Yと呼ばれた軍事組織を率いる軍事委員会を指導する体制が構築されていったのである〉

（前掲書一八五〜一八九頁）

タマ「内乱を本気で考えていたのですね。恐ろしい。具体的にどのようなことをしていたのですか」

チビ「この点についても、中北氏は詳しく書いている」

〈実際、年明けから騒擾《そうじょう》事件が相次いで発生した。札幌で公安担当の警察官が射殺された白鳥《しらとり》事件（一月二一日）、使用が禁止された皇居前広場にデモ隊が乱入して多数の死傷者が出た「血のメーデー事件」（五月一日）、（中略）などが、よく知られる。デモ隊は火炎瓶や投石を手段とし、応戦する警官隊が拳銃を使用することもあった。
これ以外にも警察署などへの襲撃事件が全国各地で起きた。八月七日には埼玉県の山林地主で元代議士の横川重次《よこかわじゅうじ》が襲われ、重傷を負う事件も発生している〉（前掲書一八六頁）

タマ「恐ろしい犯罪集団です。日本共産党が破壊活動防止法の調査対象団体であるのは、当然のことだと思います。公安調査庁も警察庁も、しっかりこの党の動静を調査してほしいと思います」

党幹部が忌避する「処方箋」

チビ「中北浩爾氏の本は、共産党員に動揺をもたらすことになると思う。特に中北氏が提示する日本共産党が生き残るための二つの処方箋《しょほうせん》（社会民主主義と民主的社会主義）について末端の党員が共感する可能性があるからだ。以下のくだりが本にある」

〈日本共産党が路線転換するとすれば、一つの選択肢は、イタリア共産党のような社会民主主義への移行である。

安定した連合政権の担い手になるためには、日米同盟や自衛隊の役割を承認するなど現実化が不可欠であり、平和や福祉の実現を目指しながらも、アメリカや大企業・財界と一定のパートナーシップを構築する必要がある。議会制民主主義と資本主義など既存の政治・経済

体制の枠内で改良に努める社会民主主義政党に変化すれば、野党連合政権は一気に実現に近づくであろう〉（前掲書四〇一頁）

シマ「社会民主主義への移行は、日本共産党が社会主義・共産主義革命を放棄し、改良主義政党に転換することを意味する。それでは、いままで命懸けで革命のために尽くしてきた努力が埋没コストになってしまうので、共産党指導部には受け入れ難い」

チビ「僕もそう思う。第二の民主的社会主義という処方箋を見てみよう」

〈民主的社会主義は、マルクス主義を含む多様な社会主義イデオロギーに立脚し、反資本主義や反新自由主義など旧来の階級闘争的な政策に加え、エコロジー、ジェンダー、草の根民主主義などニュー・レフト的な課題を重視する。左派ポピュリスト戦略とも親和性が高く、直接的な市民参加を通じた人々の動員に活動の力点を置く。（中略）

近年、日本共産党は共産主義を維持しつつも、かつての社会党と同様に護憲や非武装中立を唱え、脱原発、ジェンダー平等、国際的な人権保障などを重視している。その意味で、社会民主主義化よりも障害が少ない路線転換の方向であり、若者などからの支持の拡大に寄与するであろう〉（前掲書四〇二頁）

シマ「この処方箋《しょほうせん》を日本共産党が採用することもないと思う。民主的社会主義への移行は、すなわち、これまでトロツキストとかニセ左翼暴力集団というレッテルを貼って敵視していた政治勢力と和解すること。マルクス主義陣営においては日本共産党のみが革命政党であるという教義に抵触するので、共産党幹部には受け入れ不能だ」

タマ「それに社会民主主義、民主的社会主義のいずれの処方箋においても、日本共産党は民主集中制という組織原則を放棄しなくてはなりません。この原則を放棄すると、共産党は瞬時に解体してしまいます」

志位委員長は中北氏の取材に応じている。

〈偶然にも同（二〇〇〇）年九月二三日、BS日テレの「深層ニュース」に志位委員長と一緒に出演する機会を得た。かなり厳しい質問を投げかけたが、丁寧に答えていただいた。そこで、その場でインタビューをお願いし、同月二八日に議員会館の事務所で二時間近く行った。多忙ななかで貴重な時間を割き、寛大にも発言の引用をお認めくださった志位委員長に対して、改めて感謝申し上げたい。なお、不破《ふわ》前議長にも中央公論新社から党広報部を通じてインタビューを申し入れたが、お受けいただけなかった〉（前掲書四〇五頁）

きっと、取材に応じてしまったことを志位氏は後悔していると思う。志位氏はお人好しなのだ。ちなみに不破哲三《てつぞう》氏が取材に応じなかったのは、中北氏のアプローチが日本共産党に打撃を与えることになると察知したからだと思う。

不破氏の革命的警戒心は見事なものだ。なお飼い主も、二〇二二年七月二〇日に、朝日新聞出版から『日本共産党の100年』という本を出した。創設一〇〇年を迎えた日本共産党への飼い主からの「贈り物」だ。

共産党が応えるべき宗教の「宿題」

タマ「日本国憲法第二〇条一項では、〈信教の自由は、何人に対してもこれを保障する。いかなる宗教団体も、国から特権を受け、又は政治上の権力を行使してはならない〉と定めています。いわゆる政教分離原則です。

政教分離原則については二つの考え方があります。第一は、旧ソ連や中国、あるいは北朝鮮が採っている解釈です。そこでは宗教は内面的信仰に限定され、政治に関与すべきでないとしています。第二はアメリカや日本などで採られている考え方です。政教分離原則は国家が特定の宗教や宗教団体を優遇もしくは忌避《きひ》することを禁止したもので、宗教団体が自らの価値観に基づいて政治活動を行うことを認める、という考え方です。

そのためドイツでは、キリスト教民主同盟のような宗教的価値観を基盤にした政党が強い影響力を持っています。ただしドイツでは教会税が徴収されているので、日米とは制度が異なります」

シマ「日本共産党は綱領で、『信教の自由を擁護し、政教分離の原則の徹底をはかる』と定めている。『政教分離の原則の徹底』が何を意味するのか、宗教団体の政治活動に制限を加えるか否かについて、日本共産党は公党として立場を明確にすべきだ」

チビ「そのとおりだ。日本共産党は『宿題』に答えなくてはならない。宗教団体に対する感情的非難が行きすぎると、信教の自由の基盤を崩し、日本の民主主義体制を弱めることになる」

沖縄戦に遭遇した母の宗教観

シマ「その関連で気になるのが、家庭における信仰継承の問題だ。宗教を信じている親にとって、信仰の継承は重要な問題だ。旧ソ連では、親（たいていの場合は母親）がキリスト教を信じていても、子どもに信仰を継承することは社会的に好ましくないとされていた。もっとも国家が直接、信仰に介入することはせず、『知識協会』（旧称は『戦闘的無神論者同盟』）という『民間団体』（実質的にはソ連共産党の指導下にあった）の活動家が、子どもを親の信仰から切り離そうとした。子どもの信教の自由と親の宗教を子どもに伝える権利のあいだで、バランスを取る必要がある」

飼い主も宗教二世だ。二〇二二年八月の入院で病院のベッドに横たわりながら、飼い主は、二〇一〇年に他界した母（佐藤安枝《やすえ》・旧姓上江洲《うえず》、久米島出身）のことを思い出したという。

安枝は昭和高等女学校二年生（一四歳）のときに沖縄戦に遭遇した。偶然に偶然が重なって、陸軍第六二師団（通称「石」部隊）の軍属となり、最後まで軍と行動を共にした。戦後は沖縄に布教に来た日本基督教団の牧師から洗礼を受け、プロテスタントのキリスト教徒になった。飼い主も物心が付くか付かない頃から安枝に手を引かれ、教会に通っていたという。

もっとも、安枝は教会には黙って靖國《やすくに》神社にも参拝していた。戦死した安枝の姉（八重《やえ》）や、斬り込みに出撃した将校や兵士の英霊が靖國神社にいると感じていたからだ。安枝は飼い主に自分の信仰を押しつけることはなかったが、沖縄戦で生き残った自分は、そのことに感謝し、神の御心に沿う生き方をしようと努力していた。命は人間の所有物ではなく、神から預かったものだというのがキリスト教の考え方だと安枝は強調していた。

飼い主は宗教二世として母の信仰を継承できたことを誇りにしている。二〇二二年には冠動脈狭窄《きょうさく》の手術が成功し、この世に飼い主が生きる可能性が与えられた。このことを神に感謝し、残り限られた人生を「隣人を自分のように愛しなさい」（「マタイによる福音書」二二章三九節）というイエス・キリストの教えに忠実に生きたいと思っているそうだ。

諫言した党員を除名した共産党の危機感

タマ「二〇二三年四月九日に行われた第二〇回統一地方選挙前半戦、その結果の特徴は、日本維新の会の躍進と日本共産党の後退です。共産党の後退について『朝日新聞』は、四月一一日の社説で、〈共産党は道府県議選で前回の九九から七五に減らした。党首公選制を求めた党員二人を除名した影響はなかったのか。真摯《しんし》に顧みるべきだ〉と指摘しました。僕も同じ認識です」

ミケ「日本共産党は、同党の安保外交部長を務め、二〇〇一年の参議院議員選挙では同党の公認候補となった松竹伸幸《まつたけのぶゆき》氏を、分派活動を行ったという理由で除名しました。『朝日新聞』は二〇二三年二月八日の社説で、〈党勢回復に向け、党首公選を訴えた党員を、なぜ除名しなければいけないのか。異論を排除するつもりはなく、党への『攻撃』が許されないのだと言うが、納得する人がどれほどいよう。かねて指摘される党の閉鎖性を一層印象づけ、幅広い国民からの支持を遠ざけるだけだ〉と批判しました。

共産党はこの社説に猛反発し、日本共産党機関紙『しんぶん赤旗』の中祖寅一《なかそこういち》政治部長が、次のような寄稿をしました」

〈「朝日」八日付社説は、日本共産党が、党規約に違反して党攻撃と分派活動を行った松竹伸幸氏を除名したことについて、「国民遠ざける異論封じ」などと攻撃しています。そして、日本共産党が党員の直接選挙による党首選を行っていないことに対して、「党の特異性を示す」などと非難しています。これらは、日本共産党に対する攻撃にとどまらず、日本国憲法第二一条が保障した「結社の自由」に対する乱暴な攻撃として、絶対に見過ごすことはできません〉（「しんぶん赤旗」電子版、二〇二三年二月九日）

シマ「日本共産党は、松竹氏除名問題に関する『毎日新聞』と『産経新聞』の論調にも激しく反発した。統一地方選挙前に複数の全国紙と対立するのが得策でないことを共産党幹部は認識していたと思う。しかし、松竹氏の除名を正当化しないと共産党組織が維持できなくなるという強い危機感を抱いたのだろう」

国民が警戒する民主集中制

タマ「日本共産党は、京都の古参党員である鈴木《すずき》元《はじめ》氏も、二〇二三年三月一六日に分派活動を理由に除名しました。これらの対応を見て、日本共産党は『普通の政党ではない』という認識を持った有権者が少なからずいると思います」

ミケ「もっとも日本共産党中央委員会常任幹部会は、四月一〇日、選挙結果について以下のように総括しています」

〈私たちは、この統一地方選挙を、「日本共産党封じ込めの逆流を押し返すたたかい」と位置づけて奮闘していますが、比例得票との比較で得票をのばしたことは、全党のみなさん、ご支援をいただいたみなさんの奮闘が反映しています〉（「しんぶん赤旗」二〇二三年四月一一日）

タマ「『逆流を押し返すたたかい』をいい換えると『マイナスをミニマム（極少）にする』ということです。共産党の論理では、統一地方選挙前半戦では、かろうじて『勝利』したと総括しているようです」

ミケ「しかし、四月二三日に行われた後半戦で、日本共産党の議席が大幅に減少しました。そして二四日に日本共産党中央委員会常任幹部会が選挙総括の文書を発表しました。そこにはこう書かれています」

そういってミケは飼い主のｉＰａｄを操作して、以下の記事を示した。

〈統一地方選挙の後半戦で、日本共産党は、東京区議選挙で九四議席、一般市議選挙で五六〇議席、町村議選挙で二五五議席、合計で九〇九議席を獲得しました。補欠選挙では、三市一町で四議席を獲得しました。四年前の選挙と比べると、東京区議選挙で一三議席減、一般市議選挙で五五議席減、町村議選挙で二三議席減となり、合計九一議席の後退となりました。議席占有率は前回の八・〇八％から七・二八％に後退しました。当選した候補のうち女性が四四・七%でした。
日本共産党にお寄せいただいたご期待にこたえる結果を出すことができず、住民の利益のために草の根で奮闘している多くの候補者を落選させたことは、悔しく残念であり、おわびを申し上げます〉(「しんぶん赤旗」電子版、二〇二三年四月二五日)

ミケ 「ジャーナリストの池上彰《いけがみあきら》氏がこの党の特徴について、〈日本共産党は誤りを認めない政党です〉(『朝日新聞デジタル』二〇二二年四月二二日)と指摘していますが、この党が『おわびを申し上げます』などと述べるのは異例なことです。共産党が受けた打撃が極めて大きいことを示しています」

シマ 「そのとおりだ。議席減の原因について、総括では、〈『共産党は異論を認めない党』などといった反共キャンペーンが、一部の大手メディアをつかって大々的に展開されました〉(前掲『しんぶん赤旗』電子版)との見方を示す。これはベテラン党員で同党政策委員会の安保外交部長を務めたことのある松竹伸幸氏をめぐる問題だ。

松竹氏は二〇二三年、文春新書から『シン・日本共産党宣言 ヒラ党員が党首公選を求め立候補する理由』を上梓《じょうし》し、会見や新聞記事などで共産党の民主集中制を批判した。共産党は規律違反を理由に、同年二月六日、松竹氏を除名した。

この対応をめぐっては、『産経新聞』『毎日新聞』『朝日新聞』などが共産党の対応を厳しく批判した。これを共産党は『反共キャンペーン』というレッテル貼りでかわそうとしたが、失敗した」

タマ「党勢の衰退も著しいです。〈三月末までに四年前の党勢を回復・突破するという目標は達成できず、私たちは、四年前に比較して九一％の党員、八七％の日刊紙読者、八五％の日曜版読者でたたかうことになりました。統一地方選挙の結果は、『一三〇％の党』づくりの緊急で死活的な重要性を、明らかにするものとなりました〉（前掲『しんぶん赤旗』電子版）。

日本共産党は非合法地下組織の時代の組織原則『民主集中制』に未だ固執しています。この制度を止《や》めない限り、共産党に対する国民の警戒心は薄まらないと思います。もっとも、民主集中制を撤廃すれば、この党を維持することはできなくなります。共産党は、この危機を突破できるのでしょうか」

シマ「飼い主は二〇二二年に刊行した『日本共産党の１００年』（朝日新聞出版）で日本共産党の民主集中制が宿痾《しゅくあ》であると指摘した。そのことが可視化されるようになったのは良いことだと思う」

第五章　独裁者の人間法則

独裁者の内在的論理をつかむ

シマ「二〇一七年二月一三日、マレーシアのクアラルンプール国際空港で、北朝鮮の最高指導者・金正恩《キムジョンウン》氏の兄、金正男《キムジョンナム》氏が暗殺された。しかし、北朝鮮による国家犯罪と断定する前に、麻薬取引などの犯罪組織の抗争に巻き込まれた形跡がないかについても洗ったほうが良かった。その可能性を潰しておくことが、インテリジェンス分析の観点からは重要だ。もっとも、動機から判断するならば、北朝鮮が暗殺に手を染めたと考えることが合理的だった」

タマ「マレーシア警察はそう発表しています。しかし、それ以外の根拠がありましたか」

チビ「いずれにせよ、北朝鮮が金正男暗殺に関与したことを認める可能性がないなかで、オシントが重要になる」

オシント（ＯＳＩＮＴ）とは、「Open Source Intelligence」（公開情報諜報）のことで、公刊物によって対象の意図を分析するインテリジェンスの技法だ。

シマ「北朝鮮が発表している公開情報で有益なものがあるのか」

チビ「ある。オシントの観点から注目されるのが、二〇一三年に平壌《ピョンヤン》の外国文出版社から日本語で刊行された『最後の勝利をめざして』という金正恩氏の著作集だ」

「ほら、これを見てみろ」といって、チビは飼い主の本棚から金正恩著『最後の勝利をめざして』を取り出した。

タマ「飼い主は、どこでこんな本を入手したのでしょうか」

チビ「飼い主の友人、石川知裕《いしかわともひろ》元衆議院議員（小沢一郎《おざわいちろう》氏の秘書を務めていたときの政治資金収支報告書の記入が違法だとして東京地方検察庁に逮捕起訴され、執行猶予付きの有罪が確定した）が、二〇一四年に平壌を訪れたときのお土産だ。石川氏は高麗《コリョ》ホテルの売店で買ったということだ」

そういって、チビは鉤爪で、二〇一二年一〇月一二日付の「革命家の遺児は万景台《マンギョンデ》の血統、白頭《ペクトゥ》の血統をしっかり継いでいく先軍革命の頼もしい根幹となるべきである」と題する講演録が収録されている頁を示した。

そこで金正恩氏は、以下のように述べている。

〈革命家の血筋を引いているからといって、その子がおのずと革命家になるわけではありません。偉大な大元帥たちが述べているように、人の血は遺伝しても思想は遺伝しません。

革命思想は、ただ絶え間ない思想教育と実際の闘争を通じてのみ信念となり、闘争の指針となり得るのです〉（一三三頁）

チビ「金正男氏は、金日成《キムイルソン》と金正日《キムジョンイル》という革命家の血筋（白頭の血統）を引いているが、正しい思想を持っておらず、実際の闘争も経験していないので、革命家ではないという意味だ」

タマ「そういえば、一九八七年の大韓航空機爆破事件の実行犯だった金賢姫《キムヒョンヒ》氏が書面インタビューに答えて、〈今回の事件で『(金日成主席の血を引く)白頭山の血統は殺さない』という原則が崩れた。(正恩氏の)統治を阻害する勢力、命令や指示に従わずに文句を言う人物、反旗を翻《ひるがえ》して脱北した人物、韓国の主要政治家などが次のターゲットになる可能性が高い〉(『読売新聞』二〇一七年二月二三日朝刊)と述べています。北朝鮮が暗殺のイデオロギーを変更したということでしょうか」

チビ「僕はそう見ている。金正恩氏は二〇一六年五月六～九日、北朝鮮の平壌で行われた朝鮮労働党第七回大会で、自らが政治的フリーハンドを持つことができるような体制を整えたからだ」

北朝鮮情勢を分析する際には、『最後の勝利をめざして』に収録された金正恩氏の著作を読み、この独裁者の内在的論理をつかむことが死活的に重要になる。僕は、金日成と金正日という革命家の血筋(白頭の血筋)を引く金正男氏の存在が危険であると考えた金正恩氏の指令に基づいて、この暗殺作戦が実行されたと見ている。

北朝鮮が標準時を変更した意味

タマ「二〇一八年四月二七日に、韓国と北朝鮮の軍事境界線上にある板門店《パンムンジョム》で南北首脳会談が行われました。この会談は、軍事境界線よりも南側にある韓国側の施設『平和の家』で行われました。過去二回の南北首脳会談では、韓国大統領が平壌を訪問したのに対し、このときは北朝鮮の金正恩朝鮮労働党委員長が韓国を訪問する形で行われました。

過去に北朝鮮は、『会いたいならばそちらが平壌を訪ねてこい』という態度を取っていましたが、このときは金正恩氏が南の地に赴き、文在寅韓国大統領と会見するというへりくだった姿勢を取りました。これをどう解釈すれば良いのでしょうか」

チビ「韓国も北朝鮮も、儒教的な伝統の強い国だ。三四歳と伝えられていた金正恩氏が、年長者である六五歳の文在寅氏に、儒教的伝統に従って敬意を表した意味がある。韓国社会で金正恩氏は尊大であるというイメージが強いが、それを変化させようとする北朝鮮側の巧みな演出だ」

確かに、この南北首脳会談後の世論調査では、韓国国民の金正恩氏に対する好感度が増しているということだった。

タマ「もう一つ注目されるのは、この南北首脳会談で、北朝鮮が標準時を変更し、韓国との時差をなくすことを、金正恩朝鮮労働党委員長が文在寅韓国大統領に提起したことです」

シマ「五月五日から、北朝鮮は標準時の変更を実施した」

チビ「二〇一五年に北朝鮮は、韓国とは別の標準時を制定することによって、北朝鮮と韓国の時間を切断することを試みた。わずか三〇分ではあるが異なる時間を生きることで、朝鮮人と韓国人は異なる国民（ネーション）である、というベクトルを示したのである。

政治学者のベネディクト・アンダーソンは、以下のように指摘している」

〈国民とはイメージとして心に描かれた想像の政治共同体《イマジンド・ポリティカル・コミュニティ》である——そしてそれは、本来的に限定され、かつ主権的なもの〔最高の意思決定主体〕として想像されると。

国民は〔イメージとして心の中に〕想像されたものである。

というのは、いかに小さな国民であろうと、これを構成する人々は、その大多数の同胞を知ることも、会うことも、あるいはかれらについて聞くこともなく、それでいてなお、ひとりひとりの心の中には、共同の聖餐《コミュニオン》のイメージが生きているからである〉（ベネディクト・アンダーソン〔白石隆／白石さや訳〕『定本　想像の共同体　ナショナリズムの起源と流行』書籍工房早山、二〇〇七年、二四頁）

チビ「この南北首脳会談の結果、韓国人は北朝鮮人と同じネーションであるという認識を強める。そのことが、北朝鮮が標準時を韓国に合わせて共通の『想像の共同体』を創設しようとしたことに端的に表れている。韓国人と北朝鮮人の『想像の共同体』意識は、日本による植民地支配という共通の記憶によって結び付く」

ロシア人は自国を愛する外交官を信用する

シマ「外交官時代の飼い主について、少し詳しく説明しておこう。飼い主は、外務省でロシア語を研修し、一九八七年八月から九五年三月までモスクワの日本大使館に勤務していた。ソ連時代は民族問題を担当していた。

また、ロシア科学アカデミー民族学人類学研究所にも通って、東スラブ三民族（ロシア人、ウクライナ人、ベラルーシ人）の相互関係について研究していた。

一九九一年一二月にソ連が崩壊してロシアになってからは内政担当になり、クレムリン（大統領府）、政府、議会で人脈作りをした。人と会って得た情報を公電（公務で用いる電報）として起案するときくらいしか大使館には戻って来ず、車も目立たないようにロシア車（ラーダ5型）に乗っていたという、ちょっと変わった外交官だったようだ。

一九九四年のある日、飼い主は、日本の駐ロシア大使とこんなやりとりをしたそうだ」

〈**大使**「あなたはブルブリス元国務長官、ヴォルコフ大統領府副長官、ショーウヒン第一副首相、サターロフ大統領補佐官などといったエリツィン政権要人だけでなく、共産党のクプツォフ副委員長、ソコロフ国家院議員、民族派のアルクスニス国家院議員（黒い大佐）、バブーリン国家院議員などと親しくしているが、どうして左右両派と人脈を作れるのか」

飼い主「多分、理由は二つあります。第一は、ロシアの将来について一緒になって真剣に議論しているからです。特にソ連時代に禁止されていた亡命ロシア人の思想やロシア正教思想の話をすると、みんな興味深く耳を傾けてくれます。第二は、北方領土返還を強く訴えているからです」

大使「北方領土の話をするとロシア人は嫌がるんじゃないか」

飼い主「そんなことはありません。この問題を解決しなくてはならないことについては、政権側も共産党や民族派も、すべて同意してくれます。ただし共産党や民族派は、クリル諸島（北方領土と千島列島に対するロシア側の呼称）の主権はロシアに残したまま、日本人との協力を進めればいいと主張します。政権側は主権を含め、何らかの妥協を日本とする必要があると考えています。

ロシア人は、外国人であっても愛国者を尊敬します。ロシアに阿《おもね》るような主張をする外国人をロシア人は利用しますが、決して信用しません」

大使「あなたはロシアの今後についてどう考えているか」

飼い主「現在の改革路線、自由化路線は、ロシアに定着しません。ユーラシア主義が台頭してくると思います」

大使「ユーラシア主義？」

飼い主「そうです。ロシアはヨーロッパとアジアにまたがる独自のユーラシア国家で、そこには独自の法則があるという考え方です。そして、西部を除くウクライナとベラルーシ、カザフスタン、トランスコーカサス（アゼルバイジャン、アルメニア、ジョージア）をロシアの影響圏下に置こうとすると思います」

大使「ソ連の復活か？」

飼い主「そうではありません。ソ連はマルクス・レーニン主義国家でした。ロシアがマルクス・レーニン主義に戻ることはありません。むしろソ連以前の帝政ロシアの版図を回復しようとするでしょう」

大使「そうすると、ロシアは再び日本にとって脅威になるのか」

飼い主「その可能性はあると思います。だからこそ、そうならないような巧みな外交が必要になります。ロシアは普通の帝国主義国になります。共産主義革命を強要するソ連とは異なるので、日本がロシアと折り合いをつけることは可能だと思います」

大使「あなたはロシアに対する警戒心が強いけれど、同時にロシアを愛しているわけだろう」

飼い主「私は日本の外交官です。愛する国は日本だけです。ただし、国費でロシア語を勉強した専門家としてロシアの内在的論理を理解することに努めてきました。何をいえばロシア人が喜び、どういうことに対してロシア人が怒り悲しむかということが、私にはだいたい分かります。しかし、私はロシアを好きでも嫌いでもありません。ロシアは仕事で付き合う対象です」

大使「しかし、深いところでロシアに対する愛情がなければ、そこまで理解することはできないだろう」

飼い主「そんなことはありません。外交官が愛するのは自国だけです。そこが揺らいでいるとロシア人からも信用されません」〉

こんな話を紹介したのは、ロシアの侵略性が日本で深刻な問題になっている現在、飼い主の言説が他の専門家たちと異なる理由を知ってほしいからだ。

ロシアとプーチンは国際法の濫用者

僕とチビとタマとミケは、飼い主が四階の寝室で寝たあと、三階の書斎に集まって人間の社会や政治について議論する。このときの話題は、独裁者プーチンが率いるロシアによるウクライナ侵攻だった。

タマ「独裁者プーチンが始めた『特別軍事作戦』は、ウクライナの主権と領土の一体性を毀損するとともに、既存の国際秩序を武力によって変更する、許すことのできない行為です。日本はロシアと国交断絶するくらいの強い姿勢で臨むべきです」
チビ「気持ちは分かる。日本、アメリカ、ＥＵは団結して、ロシアを最大の言葉で非難し、最大限の制裁を加えた。これは正しいアプローチだ。しかし、ロシアにはロシアなりの理屈がある」
タマ「チビはロシアの肩を持つつもりですか。『盗人《ぬすびと》にも三分《さんぶ》の理がある』などというのは非国民の発想です。僕は許しません」
シマ「タマ、少し冷静になれ。チビはロシアの味方をしているのではない。プーチン大統領の戦略を見極める必要があるといっているのだ」
チビ「まず事実関係を確定して、プーチン大統領の論理を理解することが重要だ。プーチン大統領が二〇二二年二月二四日午前六時（モスクワ時間、日本時間同日正午）にテレビ演説を行い、ウクライナに対する『特別軍事作戦』の発動を命じたと述べた。この放送が始まると同時にロシア軍がウクライナに侵攻した」
タマ「とんでもない話です。絶対に許せません。国際法違反です」
チビ「国際法ではそう簡単に白黒を判定することができない。ロシアは、ソ連時代から他国に侵攻する場合は国際法的擬制《ぎせい》を整える。このときは、二月二一日にプーチンが『ルガンスク人民共和国』のレオニード・パーセチュニク首長、『ドネツク人民共和国』のデニス・プシーリン首長とそれぞれ署名した『友好、協力、相互援助条約』に基づいてロシア軍を派遣した。この条約は軍事同盟の性格を帯びている。

テレビ演説でプーチン氏は、『国連憲章五一条に基づく』と述べたが、これはロシアが集団的自衛権を行使するということだ。もちろん、国際社会はこのようなプーチン氏の国際法的こじつけを認めない」

シマ「ロシアは無法者というよりは国際法の濫用者《らんよう》ということか。そしてプーチン氏は、それをリードする独裁者であると」

チビ「そういうことだ。ウクライナや欧米諸国は、ウクライナ政府軍による両『人民共和国』に対する攻撃なるものは、ロシアが糸を引く親ロシア派武装勢力による『自作自演』だと主張するが、ロシアメディアの現地からの報道や避難民のインタビューから判断すると、起こっていた事態が完全な『芝居』であるとは思えない。ウクライナ政府軍によるロシア人の殺害もあれば、親ロシア派武装勢力によるウクライナ人の殺害もあった」

ソ連時代のような情報統制はない

タマ「ウクライナに侵攻したプーチン氏の目標は何なのでしょうか」

チビ「ゼレンスキー政権の打倒だ。ゼレンスキー氏が大統領から退いたあとのウクライナにロシアとの同盟を強要するか、中立化を求める。その結果、ウクライナがＮＡＴＯ（北大西洋条約機構）に加盟することはできなくなる」

タマ「経済制裁の効果はあるのでしょうか」

チビ「それなりの効果はある。しかしプーチン氏は、アメリカ、ＥＵ、日本などが徹底的な経済制裁を加えてくることは織り込み済みだった。最大級の経済制裁をかけてもプーチン政権は生き残るはずだ。欧米や日本では、経済制裁でルーブルが暴落し、一般国民の生活が苦しくなれば、その不満がプーチン政権に向かうと考えている。この発想自体が間違っている」

タマ「どこが間違っているのですか」

チビ「ロシアの民衆には不思議な権力者観があることを、欧米人や日本人は理解していない。普段は『プーチンは強権的な独裁者だ』『いつまでも同じ奴が大統領なのは飽き飽きする』『プーチンがクリミアを併合したりするものだから、制裁を受け、苦しい政策が続く』といっている人たちが、外国人がプーチン氏を非難したとたんに、『我が大統領を侮辱《ぶじょく》するな』と食ってかかる。家のなかで父親の悪口をいっていても、外で家族以外の者から『お前の父親は酷い人間だ』といわれると不愉快になるのに似ている。

だから経済制裁で国民生活が厳しくなると、その怒りはプーチン政権に対してよりも、制裁をかけている国とその指導者に対して向かう。そして、外国に依存せずに国内で国民生活に必要な物資を生産すべきだという気運が高まる」

タマ「プーチン政権による情報操作に、国民が乗せられているということですか」

チビ「そうじゃない。ロシア人の情報リテラシーは高い。政府系メディアの報道を額面どおりに受け取ることはない。ソ連時代から、公式報道の行間から真実をつかむ知恵をロシア人は備えている。欧米や日本では、ロシアの国営メディアが情報操作を行っていて、国民は正確な情報を知らずに政府に操られているという見方が根強いが、それも一面的な見方で偏見だ。ロシアの国営メディアもロシアに批判的な外国の報道を紹介している。プーチン氏も、ソ連時代のような情報統制は行っていない。

また、ロシアのインテリジェンス機関は情報操作を得意とする。同時に、ウクライナの情報操作を暴く作業も行っている。

具体例を紹介しよう。二〇二二年二月二五日の動画投稿で、ウクライナのゼレンスキー大統領が涙を浮かべ、二四日に黒海のズメイヌィー島（蛇島）でロシア軍との戦闘があり、『（ウクライナ）国境警備隊の全員が英雄的に死亡したが、降伏しなかった。彼らには死後、ウクライナの英雄勲章《くんしょう》が授与されることになる』と述べた。ところが、二五日、ロシアの

『第一チャンネル』のニュースは、ズメイヌィー島の国境警備隊員八二人は全員、自発的に武器を捨て、ロシア軍に迎え入れられたと報じた。セヴァストーポリ港でウクライナ兵が下船し、携行食料とミネラルウォーターを受け取る様子が、顔の分かる動画とともに。

二七日、『第一チャンネル』は、ゼレンスキー氏が名前を読み上げて死後叙勲《じょくん》した国境警備隊員のうち二人に顔出しのインタビューをした。すると一人が、『僕は生きている。国境警備隊員は全員降伏した』と述べた。

〈ウクライナに侵攻したロシアの軍艦の脅しに屈せず、全滅したとみられていた島の守備隊が『無事生存』していることが分かった。ウクライナ海軍が明らかにした〉（CNN日本語版ウェブサイト、二〇二二年三月一日）

ロシアから証拠を突きつけられて、ウクライナも真実を認めることを余儀なくされたのだ」

シマ「ロシア、ウクライナ、アメリカ、イギリスなど関係国が、それぞれ情報操作を行っているということか」

チビ「そういうことだ。だから欧米や日本の報道とロシアの報道を比較して、自分の頭で判断することが重要になる」

プーチン大統領の内在的論理をつかめ

タマ「日本政府の対応は、どう評価しますか」

チビ「岸田文雄首相は、ロシアと全面対決する腹を固めたようだった。決定的だったのは、日本政府が二〇二二年三月一日に、ロシアのプーチン大統領に対して制裁をかけ、日本における個人資産の凍結を決定したことだ。独裁者プーチンの責任を追及する、というわけだ」

タマ「どうせプーチン氏は、日本に預金や土地を持っていないので、たいした意味はないと思います」

チビ「そうじゃない。資産がないのに凍結したことには特別の意味がある。岸田首相が『お前とは付き合わない』というメッセージをプーチン氏に送ったことになる。だからプーチン氏は、必ず報復してくる」

タマ「具体的にどうなるのでしょうか」

チビ「北方領土交渉が、まったく動かなくなる。日ロ首脳会談は、岸田・プーチン両氏が国家元首に留《とど》まるあいだはしないほうがいい。首脳会談になれば、プーチン氏が平和条約交渉（北方領土問題を解決するための交渉）の打ち切りを岸田首相に伝える可能性があるからだ。北方領土交渉を上手に凍結し、次に動き出すタイミングを待つ必要がある」

シマ「日ロ関係が急速に悪化するということか」
チビ「そのとおりだ。今後、日ロ関係が改善するという幻想を持つべきではない」

ロシアがウクライナに侵攻したいま、東西冷戦終結後のロシア観は改めなくてはならない。ロシアは日本にとって現実的な脅威になった。日本のマスコミは、当然のことではあるがウクライナに同情的になり、ロシア叩きが進行している。ウクライナに対して少しでも批判的な発言をすると、インターネット空間ではバッシングの対象になるという状態だ。このような状況は危険だ。

情勢分析は、心情や価値判断をいったん括弧《かっこ》のなかに入れて、冷静に行わなくてはならない。日本を愛する猫である僕は、そう考える。

太平洋戦争が始まると、日本人は「鬼畜米英」のスローガンを掲げ、フランクリン・ルーズベルト大統領やウィンストン・チャーチル首相の藁《わら》人形に竹槍を突き刺して、戦意を昂揚《こうよう》させた。しかし、そのような形で士気を高めても、圧倒的に生産力に差がある日本が米英に勝つことは不可能だった。

対してアメリカは、文化人類学者を集めて日本人研究を行った。この報告書を基にしてルース・ベネディクトは、日本人論の古典『菊と刀』を書いた。

我々は現実的脅威になったロシアの日本侵攻を防ぐことを真面目《まじめ》に考えなくてはならな

い。そのためには感情的にならず、日本人が独裁者と考えるプーチン大統領の内在的論理をつかむ努力をしなくてはならない。

ソ連を解体したゴルバチョフも独裁者

タマ「二〇二二年八月三〇日、ソ連最後の最高指導者として東西冷戦を終結に導いたミハイル・ゴルバチョフ元ソ連大統領が、モスクワで亡くなりました。九一歳でした」

そういってタマは飼い主のiPadを操作し、以下の記事を示した。

〈ゴルバチョフ氏は一九八五年、ソ連共産党書記長に就任。行き詰まった社会主義体制について、「ペレストロイカ」(立て直し)の名で改革に着手し、「新思考外交」で西側諸国との緊張緩和、核軍縮を目指した。

八五年一一月、スイス・ジュネーブで開かれたレーガン米大統領(いずれも当時)との最初の首脳会談で、「核戦争に勝者はいない」と宣言。米国との間で八七年に核兵器削減条約の中距離核戦力(INF)全廃条約、九一年には戦略兵器削減条約(START)に署名した。アフガニスタンからのソ連軍撤退も実現した。

さらに、八九年一二月、ブッシュ米大統領(父)と地中海マルタで会談して「東西冷戦の終結」を宣言。翌九〇年にはノーベル平和賞を受賞した。

八六年四月にウクライナのチェルノブイリで起きた破滅的な原発事故を機に、「グラスノスチ」と呼ばれる情報公開、言論の自由化にも力を入れた〉（「朝日新聞デジタル」二〇二二年八月三一日）

チビ「崩壊寸前のソ連を解体に導いたゴルバチョフ氏の手法は、ある意味、独裁者のものとも見えた。そんなゴルバチョフ氏は二〇〇九年一二月に訪日し、飼い主と仕事をしたことがある」

タマ「そうなんですか。初めて知りました」

ソ連崩壊の原因はサウジアラビア

チビ「二〇〇九年一二月八日に大阪で一緒に講演し、一一日には海部俊樹《かいふとしき》元首相との昼食会に同席した。そのとき飼い主が『あなたの回想録を注意深く読みました。そこで教えていただきたいことがあるのですが、ソ連崩壊の最大の要因は何だったのでしょうか』と尋ねた。飼い主は、経済改革が順調に進まなかったから、あるいは民族問題が先鋭化したから、といった答えがゴルバチョフ氏から返ってくると思っていた。しかしゴルバチョフ氏の回答は、予想を裏切るものだった」

タマ「民族問題じゃないのですか。それじゃ何が最大の原因だったのでしょうか」

チビ「ゴルバチョフ氏は飼い主に『サウジアラビア情勢に疎《うと》かったことだ』と答えたのだ」

タマ「どういうことですか」

チビ「ゴルバチョフ氏によれば、『アメリカがサウジアラビアに働きかけて、原油を増産させたために、国際市場で原油価格が下落した。その結果、ソ連の国際収支が悪化し、経済状態が厳しくなった』ということだった。

そこで飼い主が、『ソ連共産党にも外務省にも科学アカデミーにも、アラブ諸国の専門家がたくさんいたではないですか。サウジアラビア情勢や原油価格について、ソ連は詳細にウオッチしていたはずです』と尋ねたところ、ゴルバチョフ氏は次のように答えた。

『ソ連にもアラビア語ができる専門家はたくさんいた。ところがシリアやリビアなど、ソ連との関係が深い国についてしか十分な調査をしていなかった。そのため、親米で反共的なサウジアラビアについては十分な情報収集も分析もできていなかった。

そしてソ連の国際収支が悪化するとともに、イギリスのマーガレット・サッチャー首相から、あなたたちが改革をするならば支援する、という話があった。その背後には、やはりアメリカがいた。米英は改革という名目の陰でソ連を弱体化することを計画していた』

飼い主は、『要するに、アメリカ帝国主義とイギリス帝国主義に対する警戒感が欠けていたということですね』というと、ゴルバチョフ氏はニヤッと笑って、『あなたのいうとおりだ。その理解で良い』と答えたそうだ」
タマ「興味深い証言です。ゴルバチョフ氏も、日本人が独裁者と見なすプーチン大統領同様、西側に対する警戒感を抱いていたことが伝わってきます」

武力行使を躊躇しなかったゴルバチョフ

タマ「この報道を見てください」
そういってタマがｉＰａｄを操作し、以下の記事を示した。
〈（二〇二二年八月三〇日）ウクライナの英語ニュースサイト「ビジネス・ウクライナ・マガジン」は、ゴルバチョフ氏を「冷戦を終わらせて世界の喝采《かっさい》を浴びた一方で、多くのロシア人はソ連を崩壊させたと彼を非難した」と紹介。「近年はロシアのウクライナ侵略とクリミア半島占領を支持していた」と述べ、プーチン政権による二〇一四年のクリミア半島占領を同氏が支持したことを批判した〉（「朝日新聞デジタル」二〇二二年八月三一日）
タマ「バルト三国（エストニア、ラトビア、リトアニア）もゴルバチョフ氏に対しては批判的です」
チビ「どうも日本や欧米では、ゴルバチョフ氏に対する誤解があるようだ。『欧州共通の家』とか『新思考外交』を唱えたゴルバチョフ氏と大国主義的なプーチン大統領の価値観が根本的に異なるという見方がある。しかし、それは間違いだ。

ゴルバチョフ氏は、自由と民主主義という価値観は普遍的であると信じていた。同氏が主導したペレストロイカの目的は、自由や民主主義をソ連社会に導入することで、社会主義体制を強化することだった。『新思考外交』を展開し、『欧州共通の家』を構築しようとしたのも、そのほうが国際社会からソ連が尊敬されるようになり、社会主義の影響力が強化されると考えたからだ。

ゴルバチョフ氏はアメリカと軍縮交渉を行い、中距離核兵器を全廃し、欧州にもソ連にも中距離核兵器が一つも存在しない状態を作り出した。しかし、同氏は西側流民主主義を信奉していなかった。社会主義国家体制を維持するためには武力の行使も躊躇《ちゅうちょ》しなかった、まるで独裁者のように。そして、アゼルバイジャン、ジョージア、リトアニアなどの民族反乱に際しては軍隊を投入して、流血の惨事になった。しかし同氏にとって、これらの行動はペレストロイカの精神と矛盾していたわけではない。

ゴルバチョフ氏は、死ぬまで社会主義が正しいと信じていた。社会主義をスターリン主義というロシア固有のものではなく、世界革命を行うことができる普遍的価値観に転換することを真摯《しんし》に追求した。すなわち、自由や民主主義という普遍的価値観を徹底的に追求すれば世界で社会主義革命が起きると、ゴルバチョフ氏は本気で信じていたのだ」

ゴルバチョフとプーチンにある連続性

シマ「ペレストロイカは袋小路に入ってしまい、民族の反乱と経済の混乱によって一九九一年一二月にゴルバチョフ氏の夢は破れ、ソ連は崩壊した。そうして新生ロシアでは、新自由主義的な構造転換が行われた。

　ゴルバチョフ氏は、エリツィン大統領時代のこのような転換に極めて批判的で、自らを社会民主主義者と規定し、政権に対抗する勢力を作ろうとした。しかし国民の共感は得られなかった」

チビ「ゴルバチョフ氏は、エリツィン氏に関しては極めて否定的だ。他方、同氏のプーチン大統領への評価は高い」

タマ「それは意外です。どうしてですか」

チビ「プーチン氏がロシアの国家体制を強化したからだ。ゴルバチョフ氏は、プーチン大統領がチェチェンの分離独立派を力で封じ込めたことや、二〇一四年のクリミア併合を支持した。一九九一年のソ連崩壊時に、現地住民の意向を踏まえず、クリミアはウクライナ領とされた。だから民意を尊重し、クリミアのロシア編入を歓迎するというのがゴルバチョフ氏の立場だ。ゴルバチョフ氏とプーチン氏には連続性がある」

そういってチビは飼い主のｉＰａｄを操作し、以下の記事を示した。

〈ロシアのプーチン大統領は一日、ソ連最後の最高指導者で、八月三〇日に死去したゴルバチョフ元ソ連大統領が入院していた病院を訪れ、同氏に別れを告げた。ロシア大統領府が伝えた。花を手向《たむ》け、栄誉をたたえたという〉（「朝日新聞デジタル」二〇二二年九月一日）

タマ「プーチン氏の価値観、すなわちロシアは大国であり、ユーラシアで指導的地位を占めるべきだという点については、ゴルバチョフ氏も同意していたということですね」

チビ「そういうことだ。プーチン氏もゴルバチョフ氏もロシア大国主義者だが、プーチン氏には社会主義イデオロギーが欠けているのだ」

　僕は日本人が独裁者などとは金輪際《こんりんざい》、思っていないゴルバチョフ氏が、実はプーチン氏と同じロシア大国主義者だったことを知り、なぜか尻尾がプルプルと震えた。

第六章　組織の人間法則

帝国陸軍と自民党政権の類似性

僕は最近、キーボードの順番について、面白いことを知った。それは取引コストに対する考え方だ。

〈周知のように、現在、一般に使用されているタイプライターやコンピュータのキーボードの上段の配列は、QWERTY……の配列となっている。この標準的なキーボードの配列が成立したのは一九世紀であり、われわれは歴史的にその配列に慣れているので、その配列があたかも効率的であるかのように思い込んでいる。

しかし、実際には、使用される単語の頻度や指の動きなどに関する人間工学的観点からすると、この配列は必ずしも効率的ではないといわれている。事実、このQWERTY配列は、旧式のタイプライターでは、あまり速くキーを打つと、文字を打ちつけるアームが絡まるという問題があったので、逆に指の動きを遅くするために考案されたものであった。当時、こうした技術的状況にあったので、この非効率な配列をもつキーボードは、経営戦略上、決して不利な商品ではなかった。

しかし、やがてタイプライターが電動化され、アームが絡まるという問題が解消されると、より効率的な配列を備えたキーボードに取って代わられる可能性が生じた。しかし、歴史的には、それ以後もこの配列は変わることはなかった。こうして、必ずしも効率的ではないキーボードの配列が歴史的にまったく偶然に採用され、いつのまにかその配列はロック・インされ、デファクト・スタンダード、つまり事実上の業界標準あるいは世界標準となっていったのである〉（菊澤研宗《きくざわけんしゅう》『組織の不条理　日本軍の失敗に学ぶ』中公文庫、二〇一七年、一二三〜一二四頁）

菊澤研宗慶應義塾大学名誉教授は、これと同様の現象が第二次世界大戦中のガダルカナル戦で、日本軍が白兵戦（銃剣で突撃する戦い）を繰り返すという形で現れたという。

〈白兵戦術は日本のような物的資源の少ない国の軍隊に適合し、この戦術を推進すればするほど日本陸軍は効率的に資源を蓄積しえたからである。また、満州事変、日中戦争、香港攻略作戦、シンガポール攻略作戦、そしてビルマ攻略作戦では、この夜襲による白兵突撃戦術はある程度効果的だったからである。

このように、日本陸軍は白兵突撃戦術に完全にロック・インされ、陸軍では白兵戦術はデファクト・スタンダードとなっていたのである。

精神主義を基礎とする白兵突撃戦術は、ガダルカナル戦当時では明らかに効率的戦術ではなかった。近代兵器にもとづく米軍の近代機械化戦術ははるかに効率的であった。しかし、ガダルカナル戦において、はたして一回目あるいは二回目の白兵突撃作戦の失敗によって、日本軍はいったん戦闘を中止し、撤退し、白兵突撃戦術を再考したり、効率的戦術に作戦を変更することができたであろうか。

当時、白兵突撃戦術がデファクト・スタンダードとして成立し、それにロック・インされていた日本陸軍にとって、白兵突撃戦術を放棄したり効率的な戦術へと変更することはほとんど不可能な状況にあったにちがいない。というのも、白兵突撃戦術を放棄したり効率的な戦術へと作戦を変更すれば、日本陸軍は巨額のコストを負担しなければならないような状況に置かれていたからである〉（前掲『組織の不条理』一二八～一二九頁）

日本陸軍という組織内で白兵戦を改めることに必要なコストを考慮すれば、現状維持のほうが、はるかにコストがかからなかったのである。

この説明は合理的だ。近年の自民党政権を見ても、迅速《じんそく》かつ柔軟に政策を変更することができない。それは、組織内コストがかかり過ぎるからなのだと思う。

特捜部の組織の論理で逮捕された三人

僕の飼い主は、かつて政治家がらみの事件（鈴木宗男事件）に連座して逮捕されたことがある。二〇一七年九月、飼い主の獄中生活に言及した本が出た。東京大学法学部卒業の井川《いかわ》意高《もとたか》氏（元大王製紙会長）と東京大学文学部中退の堀江《ほりえ》貴文《たかふみ》氏（元ライブドア社長）が、自らが巻き込まれた事件と獄中生活について回想した『東大から刑務所へ』（幻冬舎新書）のなかで、何箇所か飼い主に関する言及がある。東京地方検察庁特別捜査部に逮捕され、東京拘置所に勾留《こうりゅう》された飼い主の経験が、堀江氏と井川氏にも影響を与えたようだ。

三人とも、東京地検特捜部という組織の論理によって逮捕されたのかもしれない。

〈**井川**　東京拘置所の先輩である佐藤優さんは、私が東京地検特捜部の取り調べを受けている間、かなり心配してくれたのよ。私の友人の佐藤尊徳さんに「井川さんが自殺するかもしれない。なるべく井川さんを一人にせず、ずっと見ていたほうがいい」と言ってくれたらしい。私は環境順応性が高いらしく、一人でいても全然平気なタイプなので、東京拘置所に収監されたあとも平気だったんだけどね。

堀江　孤独が好きな人はいいですよね。でもほとんどの人は、周囲から隔絶された孤独は嫌だと思うんですよ。一人にされるくらいなら、検察の取り調べでもあったほうがよっぽど気が紛れます。

井川　佐藤優さんは接見禁止がまったく解除されないまま、五一二泊五一三日を東京拘置所の独房で耐え抜いた。

堀江　佐藤さんは外に出る気がなかったらしいですからね。

井川　『獄中記』という本に詳しく書いてあるけど、佐藤さんは獄中で大量の本を読みまくって書生生活を送っていた。あのときのインプットのおかげで、のちに作家デビューしてから膨大な原稿を書きまくるわけだけど。

堀江　実刑判決が予想される人にとっては、拘置所にいたほうがいいという考え方もあります。佐藤さんは執行猶予つき有罪判決をもらえたんですけど、執行猶予がつかない可能性も十分あった。だったらある程度自由がきく拘置所で踏ん張って、本を読みまくったほうが時間を有効活用できます。拘置所で過ごした未決勾留分の日数は、刑期から差し引かれますからね。

弁護団としても「佐藤さんは五〇〇日以上も拘置所にいたんだから、実刑判決なんてありえないだろう。執行猶予つきの判決にしてくれよ」という圧力を裁判所にかけたんじゃないですか。

井川　なるほど。いずれにしても、弁護士以外誰とも接触せず小菅《こすげ》の拘置所で五一二泊もするなんざ、普通の神経ではとてももちませんわな。やはり佐藤さんは異能の情報部員だ〉

（堀江貴文／井川意高『東大から刑務所へ』幻冬舎新書、二〇一七年、八六〜八八頁）

飼い主が拘置所から早く出ようとしなかったのは確かだ。外務省が鈴木宗男氏を北方領土交渉に巻き込んでいなければ、鈴木氏が東京地検に逮捕、勾留されるようなことはなかったので、鈴木氏よりも早く塀の外に出るのはモラル的にも組織論的にも良くないと、飼い主が考えたからだ。

ちなみに未決勾留期間は、実刑になった場合、全日算入されるわけではない。四割程度しか算入されない。それであっても、刑務所生活を少しでも短くするという観点から、長く勾留されていることには意味がある。

「サンカク」を徹底すれば出世する

飼い主も、あの事件に巻き込まれていなければ、職業作家になることはなかった。飼い主が、ソ連崩壊前後の体験を記した『自壊する帝国』（新潮社、二〇〇六年）は、大宅《おおや》壮一《そういち》ノンフィクション賞と新潮ドキュメント賞を受賞したが、仮に飼い主が外務省を六三歳まで勤め上げて、まったく同じ原稿を出版社に持ち込んだとしても、どこも引き受けてくれなかったと思う。おそらく、三五〇万円くらい払って、自費出版で一〇〇部程度出すことになったはずだ。そして知り合いに配布し、何の話題にもならずに終わっただろう。

出版の世界を見ていてつくづく思うが、作家になるのは運が九九％で、実力は一％に過ぎない。外務官僚が職業作家になる可能性は、街で捨てられた成猫が保護される確率よりもかなり低い（仔猫のほうが保護されやすい）と思う。

飼い主は、外務省時代のことはすでに忘れているのかと思ったが、そうでもないようだ。

この前、飼い主のPCをチェックしていたら、こんなメモが出てきた。

《私の人生に大きな影響を与えた人が何人もいる。大多数は、肯定的意味での影響だが、極少数、否定的な意味で大きな影響を与えた人もいる。外務省事務方トップの杉山晋輔外務事務次官は、私の人生に大きな影響を与えた筆頭格の人物だ。杉山氏が東京地方検察庁に事実でない事柄を供述したおかげで、私は刑事被告人となり東京拘置所の独房に五一二日間勾留されるという得がたい体験をした。

私は杉山氏との接触を通じて、外務省に「義理を欠き」「人情を欠き」、そのうえ「恥をかく」ことを何とも思わない「サンカク官僚」がいることを実感した。もっとも「サンカク」を徹底すれば、出世はするようだ》

二〇一七年一二月の「朝日新聞」には、こんな人事予測記事が出ていた。

〈政府は二七日、駐米大使に起用する杉山晋輔外務事務次官（六四）の後任に秋葉《あきば》剛男《たけお》外務審議官（五九）を充てる方向で調整に入った。来年一月にも閣議で決める見通し。

秋葉氏は一九八二年に外務省入省。総合外交政策局長などを経て一六年六月から外務審議官。安倍晋三首相の信頼が厚く、日米や日ロ交渉の調整で中心的な役割を果たしてきた〉

（「朝日新聞デジタル」二〇一七年一二月二八日）

小泉純一郎政権下の二〇〇二年七月二二日に、「外務省改革に関する『変える会』——最終報告書―」なる文書が発表された。そのアクション・プログラムには、外務事務次官について、以下の提言が記されていた。

〈事務次官が外務省事務方の最高責任者として求心力と指導力をもって省内を統括していくために、在任期間を現在より長期化し、少なくとも三年を目処《めど》とすることを検討する。次官は外務省組織の最頂点であり、従って最終ポストたるべきである〉

外務事務次官だった齋木昭隆《さいきあきたか》氏は、「次官は外務省組織の最頂点であり、従って最終ポストたるべきである」という原則に忠実に、外務省を去り、民間で活躍している。杉山氏によって外務事務次官ポストに関する外務省改革は、完全に反故《ほご》にされたといっていい。近く、この記述も外務省HPから削除されるかもしれない》

僕は、このメモを見て、杉山晋輔さんという人に興味が湧いてきた。「義理を欠き」「人情を欠き」、そのうえ平気で「恥をかく」ことをする「サンカク官僚」なんていう化け物は、猫の世界に存在しないからだ。

本書を校了する直前の二〇二四年六月末に外務省HPを調べたところ、案《あん》の定《じょう》、この最終報告書は削除されていた――。

ゴーン被告が拘置所で変装した理由

タマ「二〇一九年三月六日、金融商品取引法違反などの罪状で逮捕された日産自動車元会長のカルロス・ゴーン氏が、東京拘置所から保釈されました。ゴーン氏は午後四時半ごろ、作業着のような服装に帽子、眼鏡、マスク姿で変装して拘置所玄関に現れました。周囲を拘置所職員に囲まれながら、駐車していた軽ワゴン車に乗り込んで、拘置所をあとにしました。ところで、なぜ変装などしたのでしょうか」

シマ「ゴーン氏が変装しないでも済むような態勢を、東京拘置所は整えることができたはずだ。東京拘置所の地下に駐車場があるので、そこからゴーン氏をワゴン車の後部座席に乗せ、周囲を分厚い遮光カーテンで覆えば、強いフラッシュを焚《た》いても写真撮影は不可能だ」

チビ「東京拘置所が、容易にゴーン氏の姿を撮影できるような場所を出口に指定したので、弁護側としても、変装という手段を採らざるを得なかったのだと思う」

タマ「そういうことだったのですか。ところで、飼い主も北方領土交渉がらみの鈴木宗男事件に連座して、二〇〇二年五月一四日、東京地方検察庁特別捜査部の検察官によって逮捕され、東京拘置所の独房に五一二日間、勾留されました。二〇〇三年一〇月八日に保釈になったときは、マスコミに追われたのでしょうか」

シマ「ゴーン氏ほどじゃないが、記者とカメラマンが東京拘置所の玄関で待ち構えていた。拘置所職員が『カメラマンが控えているので裏口から出ましょう』といって、通用門から外に出してくれた。車に乗り込むときの飼い主の様子は、写真や動画に撮られなかった」

タマ「拘置所は、飼い主に対して行ったような配慮を、ゴーン氏に対しては行わなかったということですね」

シマ「そういうことになる」

ゴーン氏は無罪を主張しているのだから、スーツ姿でパリッと決めて、玄関から正々堂々と出てくるべきだったという人もいるが、それは違うと思う。勾留直後は、精神的にも体力的にも消耗している。さらに写真や動画を撮られると、手を動かす、視線を逸《そ》らせる、などの些《さ》細《さい》な動作などが、悪意を伴った解釈とともに報じられる。写真や動画を撮られないことこそが、被告人にとっては利益だ。

だから弁護団は、日本国という組織に対応するため、さまざまな知恵を働かせたのだ。

日本国の「人質司法」の後進性

僕は飼い主から勾留生活についていろいろ聞いているので、どうしても被告人に同情的になる。だから、僕が若干、偏見を持ったことをいうのを許してほしい。

タマ「日本国という組織における刑事事件では、被告人が否認していると、長期間勾留《こうりゅう》されるというのが常識です。罪証隠滅と逃亡の虞《おそ》れがあるというのが、長期勾留の理由です。しかし、すでに検察庁は関係の証拠物を押収しているし、保釈に際しては、裁判で証人になる可能性のある人との接触が禁止されるので、起訴後に勾留する必然性はないと思います」

チビ「タマのいうとおりだ。飼い主は、逃亡するつもりも罪証を隠滅する意思も、まったくなかった。しかし、検察庁も裁判所も聞く耳を持たなかった。自白して罪を認めない限り、被告人を保釈すれば罪証を隠滅し逃亡するに決まっている、という偏見を、検察庁も裁判所も持っていたとしか思えない」

シマ「日本の刑事裁判では、起訴されると九九・九%が有罪になる。現実的に考えるならば無罪を取ることはできないのだから、やっていない罪であっても自白して、早く裁判を終わらせてしまいたい、という気持ちに被告人は傾く。日本では『人質司法』が行われているというのが現実だ」

タマ「九九・九%も有罪になるのですか。テレビドラマや映画では、裁判官が『被告人は無罪』と判決をいい渡す姿がよく出てきます」

チビ「それは、ドラマや映画のなかだけの話だ。実際は、実刑になるか執行猶予になるかのいずれかだ」

タマ「保釈に際しては、どんな条件が付くのですか」

チビ「飼い主の場合、指定された住所から四八時間以上離れるときは裁判所に事前に届け出ることと、数十人の人との面会、電話、手紙といった接触が禁止された。さらに、逃げないように保釈金を積まなくてはならない。ちなみにゴーン氏はトータルで一五億円だったが、飼い主は六〇〇万円だった。保釈金は資産額に応じて決まる」

タマ「有罪になっても保釈金は戻ってくるのですか」

チビ「戻ってくる。保釈金を弁護費用に充《あ》てることが多い。ところで、ゴーン氏保釈に関しては『琉球新報』の社説に説得力があった。飼い主の事件についても言及している」

そういってチビは、飼い主のｉＰａｄを操作して、「琉球新報」の二〇一九年三月六日付の社説を示した。

〈否認すれば勾留が長引く「人質司法」は日本の司法制度の問題点としてかねて批判されてきた。精神的に追い詰められ、早く釈放されたい一心から、やってもいない罪を認めてしまう可能性もある。冤罪を生む温床ともいえる。

国際的な実業家であるゴーン被告の逮捕によって、日本の刑事司法制度の後進性が浮き彫りにされた。否認している限りなかなか保釈が認められない現状は人権上、問題が大きい。

「人質司法」からの脱却が急務だ。

会社法違反（特別背任）などの罪で起訴されたゴーン被告は全ての起訴内容を一貫して否認している。身柄拘束は一〇八日に及んだ。保釈保証金は一〇億円だ。保釈に際し、住居の出入り口への監視カメラの設置と録画映像の提出、携帯電話の使用制限、海外渡航の禁止、日産幹部ら事件関係者との接触禁止といった厳しい条件が付された。

監視カメラの設置など、被告の人権を侵害するような措置は異様に映る。

裁判で有罪が確定するまでは罪を犯していないものとして扱う「無罪の推定」原則を思い起こす必要がある。

元外務省主任分析官で作家の佐藤優さんは、北方領土問題に絡む事件で東京地検特捜部に逮捕され、五一二日間勾留された経験を持つ。その際、自身を非難する情報が大量に報じられ、事実でないものも多かったと、本紙連載「佐藤優のウチナー評論」で指摘している。ゴーン被告も同じような立場に置かれた。

佐藤さんが問題視するように、身柄を拘束されていて、反論したり情報を発信したりするすべがない中で、捜査当局側のリーク等によって事件への一方的な印象が形成されるのは公正とは言い難い。

メディア側も、被疑者・被告側の主張を対等に報道するよう努めるべきだが、勾留されている被告側の発言が伝わりにくいのも事実だ。

〈中略〉争点を絞り込む公判前整理手続きが始まらない段階で、否認している被告の保釈が認められるのは異例だという。それが異例であること自体を、異常と見るべきだ。

今回の事件を機に「長期勾留」が是正に向かうことを強く望む〉

組織として鈴木宗男と田中眞紀子を抹殺

チビ「沖縄社会には、東京地検特捜部が正義の味方だという認識が稀薄だ。だから『琉球新報』はこのような社説を掲げるのだ」

タマ「住居の出入り口に監視カメラを付け、映像記録を裁判所に提出し、ＰＣは弁護士事務所のみで使い、携帯電話については通話制限がかけられる、このような条件を満たせば裁判所が保釈を認める。ただ被告人に経済力がなければ実現しません。結果として、富裕層に属する人だけが、こうした条件で保釈されることになる懸念を拭い去れません」

シマ「タマのいうとおりだ。この保釈条件が先例になることを手放しで歓迎することはできない。捜査当局は起訴するまでのあいだに家宅捜索や取り調べを通じ、十分な証拠を確保している。保釈に関しては、『口裏合わせ』を防止するために、接触禁止者が指定される。これで十分、検察側の立証はできるはずだ。『無罪の推定』の原則が事実上無視されている現行の『人質司法』は改められるべきだ」

チビ「日産自動車の執行部がゴーン氏を排除するために検察庁と手を握った構図は、飼い主が連座した鈴木宗男事件と構造的によく似ている」
タマ「どういうことですか」
チビ「二〇〇一年四月に小泉純一郎政権が成立し、田中眞紀子氏が外相に就任した。田中氏は、外交に関する知識の蓄積も交渉能力もまったく持ち合わせていなかった。外交を利用してポピュリズムを煽り、自己の権力基盤を強化することにしか関心がなかった。そのような状況で、外務官僚は、組織として、当時の外務省に対して強い影響力を持っていた鈴木宗男衆議院議員を利用し、田中氏を駆逐しようとした。
二〇〇二年一月、小泉首相は田中氏を外相から更迭《こうてつ》した。外務省内で鈴木氏の影響力がかつてなく大きくなる可能性があった。これに危惧を覚えた当時の外務省幹部が鈴木氏の失脚を画策し、巧みに検察庁を利用した。鈴木氏がらみの外務省の秘密文書が日本共産党に流されるというような、前代未聞の出来事もあった。もちろん組織的な『犯行』だ。そして、この外務省執行部による宗男バッシングに加わらなかった飼い主も、一緒に整理された」

外務省や日産に利用された特捜部

チビ「ゴーン事件について、日産自動車の内情に詳しい経済ジャーナリストの井上久男《いのうえひさお》氏は、次のように書いている」

チビは飼い主の本棚から新書本を一冊取り出して、鉤爪で序文を示した。

〈倒産の瀬戸際から救って以来、約二〇年にわたってゴーンが支配してきた日産は、絶妙のタイミングで「社内調査」の結果を公表し、彼をトップの座から引きずりおろした。しかも、その尖兵となったのは、ゴーンが寵愛《ちょうあい》した「チルドレン」たちだったのである。

これは検察の力を借りた「クーデター」としての側面があったことは否定できない。だが、単純な権力交代劇としてゴーン逮捕を捉えては本質を見誤る。

日産の企業統治はある時期から取締役会が機能せず、ゴーンによる専制君主制のようなガバナンスに変わり果てていた。それはいったいなぜなのかを検証し、私たち自身で組織のあり方を省みる作業をしなければ、日本の企業は同じような過ちを繰り返すことになるだろう。

ヒントは「歴史」にある。

日産の創業以来の歴史を振り返ると、ほぼ二〇年周期で大きな内紛が起こっている。その都度《つど》、「独裁者」と呼ばれる権力者があらわれた。また、制御《せいぎょ》不能のモンスターと化した権力者を排除するために新たな権力者があらわれ、その権力者がまた制御不能のモンスターと化すこともあった。

日産は戦前の日産コンツェルンに源を発する。創業者・鮎川義介《あいかわよしすけ》は岸信介《きしのぶすけ》ら政界と密接な関わりをもち、満州に進出した。戦後は労働争議が長引き、労組との対立が先鋭化。会社側が画策して発足した御用労組から「日産の天皇」とまで呼ばれた塩路一郎《しおじいちろう》が出現した。労組との融和路線を敷いた社長の川又克二《かわまたかつじ》と蜜月《みつげつ》だった塩路は、会社を牛耳《ぎゅうじ》った。塩路が手に負えなくなった日産は、ゴーン追放で検察の力を借りたように、メディアの力を借りて塩路を放逐した。陰湿なやり口だった。

その塩路放逐の黒幕である石原俊《いしはらたかし》がまた暴走し、社長時代に無謀な海外投資で借入金を増やした。しかも社内のライバルの追い落としのために、成功したブランドまでも潰して、名門企業を傾かせてしまった〉（井上久男『日産vs.ゴーン　支配と暗闘の20年』文春新書、二〇一九年、三〜五頁）

タマ「確かに構造はよく似ています。飼い主とゴーンさんが会って話をすると面白いと思います」

どうも飼い主は、あるルートを使ってゴーン氏と接触しようとしていたようだ。確かに組織内の権力闘争に検察が利用されるという点で、ゴーン事件と鈴木宗男事件は似ている。もっとも東京地検特捜部は、自分たちが外務省や日産に利用されているという認識を持っていない。巨悪と闘っていると信じ込んでいるから面倒だ。

ゴーン氏はこれまで数々の修羅場《しゅらば》を乗り越えている。国際的にも、ビジネスだけでなく政治の世界にも、強力なネットワークを持っていることを、特捜は過小評価していた。ただし、飼い主がこういう問題に首を突っ込んで検察と対峙《たいじ》するような面倒な状況は、猫の僕としては極力避けてほしいと思っていた。ゴーン事件よりも、飼い主は家族（僕たち猫を含む）の生活を第一に考えてほしい。

ゴーンが逃亡後に捕まっても大差なし

タマ「二〇一九年一二月二九日、保釈中の日産自動車前会長カルロス・ゴーン被告が、レバノンに逃亡しました」

チビ「米紙ウォール・ストリート・ジャーナル電子版が逃亡劇に関する詳しい報道をした。内情に通じた情報源からのものと思われる。同紙によると、逃亡計画の中心になったのは、キャロル夫人とのことだ」

タマ「でも、〈ゴーン被告は二日、米国の広報担当を通じて声明を発表し、『私は単独で（日本からの）出国の準備をした』と述べ、家族の関与を否定した〉（『朝日新聞デジタル』二〇二〇年一月三日）とのことです」

チビ「それはキャロル夫人を守るための戦術的発言だと思う」

そういってチビは飼い主のｉＰａｄを操作し、以下の記事を示した。
〈航行追跡データによると、ボンバルディア社製の長距離プライベート・ジェット機が大阪近くの関西国際空港から一二月二九日午後一一時一〇分に離陸した。ロシア領空を航行した後、三〇日朝、トルコのイスタンブール空港に到着した。東京からの航路に従事したのと同じトルコを本拠地とする「ＭＮＧジェット・ハバチリク社」が運営する小型機が、三〇分後に（レバノンの）ベイルートに向かって飛び立った〉（「ウォール・ストリート・ジャーナル」電子版、二〇二〇年一月一日）

シマ「レバノン政府は、ゴーン被告が合法的に入国したと述べている」

タマ「ゴーン被告は、一二月三〇日（アメリカ東部時間）、代理人を通じて日本の司法当局に対して挑発的な声明文を発表しました」

そういってタマはｉＰａｄを操作して以下の記事を示した。
〈私は現在レバノンにいます。もうこれ以上、不正な日本の司法制度にとらわれることはなくなります。日本の司法制度は、国際法・条約下における自国の法的義務を著しく無視しており、有罪が前提で、差別が横行し、基本的人権が否定されています。私は正義から逃げたわけではありません。不正と政治的な迫害から逃れたのです。やっと、メディアのみなさんと自由にコミュニケーションを取ることができます。来週から始められることを、楽しみに

しております〉（「朝日新聞デジタル」二〇一九年一二月三一日）

チビ「日本とレバノンは犯罪人引渡条約を締結していない。レバノンの法律では、自国民を外国に引き渡してはならないと定められている。ゴーン被告は、フランス、ブラジル、レバノンの三重国籍者だ。当然、レバノン国民ということになる」

〈外務省幹部は三一日、前日産自動車会長カルロス・ゴーン被告が日本から逃亡し、国籍があるレバノンに入国したと表明したことに関し「事実関係を確認中だ」と取材に答えた。政府関係者は身柄引き渡しについて「さまざまな方策を考える必要がある」と述べ、レバノン政府への要請も視野に検討する考えを示した。

別の外務省幹部は「外交ルートを通じて引き渡しを求めることになるだろう」と述べた〉

（「共同通信」二〇一九年一二月三一日配信）

チビ「しかし、レバノン政府がゴーン被告の引き渡しに応じる可能性は皆無だ」

シマ「日本の刑事裁判の一審は、一部の軽微な犯罪を除いて、被告人が出席しないと開廷できない。ゴーン被告の場合、複数の特別背任容疑などで起訴されているので、被告人の出席が必須になる。ゴーン被告が日本に帰国しない限り裁判はできない。そして日本の刑事裁判では、起訴されれば九九・九％が有罪になる」

タマ「飼い主も有罪になりました。日本の刑事裁判とはそんなものだと、飼い主はいっていました」

チビ「飼い主の場合、懲役二年六月だったが、弁当（犯罪者用語で執行猶予のこと）が付いたので、刑務所に行かずに済んだ。判決が懲役三年を超えると執行猶予は付かず、必ず実刑になる。ゴーン被告の場合、最高刑は懲役一五年だ。ゴーン被告が最高裁判所まで徹底的に争うと、一〇年はかかる。検察はゴーン被告に対して一二年程度の求刑をするのではないかと見られていた。

ここで、刑事事件を担当する裁判官が出世するには検察官控訴を受けないようにする、という不文律がある。求刑の七割以下の判決をいい渡すと、検察官控訴を受ける可能性が高くなる。そうなるとゴーン被告が懲役八年前後の実刑になる可能性も排除されない。当時、六五歳のゴーン被告は、一八年後には八三歳だ。刑務所内の医療体制は貧弱なので、実刑になれば獄中死する可能性も十分あった」

タマ「ゴーン被告には国外逃亡を図る動機が十分にあったということですか」

チビ「そうだ。仮に逃亡が露見して逮捕されることになっても、刑期は一～二年しか延びない。ゴーン被告には、逃亡を実行する財力とネットワークがある。これらを総合的に考えれば、ゴーン被告が逃亡を選択したのは合理的だ、日本国という組織の司法体系の下では」

ゴーンに完敗した日本国という名の組織

シマ「ゴーン被告の逃亡を契機に、否認する被告に関しては保釈を認めないようにするという動きを検察と裁判所が強める可能性がある。しかし、それは危険だ。飼い主も鈴木宗男事件に連座し、東京拘置所の独房に五一二日間、勾留された経験がある。最後の七ヵ月間、両隣の独房には確定死刑囚が収容されていた。

検察が望むとおりの自白をしない限り保釈を認めないというような日本国の仕組み、すなわち『人質司法』は、間違っている。長期勾留の圧力に抗しきれず、自らの意思に反する供述を行った被疑者や被告人を、飼い主は何人も知っている。

問題は保釈よりも、日本の出入国管理ができていないことだ」

チビ「僕もそう思う。深刻なのは、日本の出入国管理が突破されたことだ。国際基準で見ても、日本の入国管理は厳しい。ただ、ゴーン被告を逃亡させた組織が、日本の入管当局を超える能力を持っていたということだ。一部の軍事請負会社（民間警備保障会社の形態を採っている）は、ヨーロッパの中堅国レベルのインテリジェンス（諜報）能力を持っている。

これらの企業には、CIA（アメリカ中央情報局）、SIS（イギリス秘密情報部、いわゆるMI6）、モサド（イスラエル諜報特務庁）、SVR（ロシア対外情報庁）での勤務歴がある有能な工作員が働いている。軍事請負会社は、人質解放や誘拐などの業務にも従事している。工作員の能力は高いが、カネで動くので、良心に欠ける。軍事請負会社の関与なくしてゴーン被告の逃亡は実現しなかったと思う」

シマ「プライベート・ジェットならば関西国際空港の荷物検査が緩いことを調査できたのも、プロの工作員の力を借りたからだろう」

タマ「出入国管理は、国家主権の重要事項です。それが適切に行われていないということ自体が深刻な問題です。インテリジェンスの観点からも、この事件を綿密に検証する必要があります。また、日本国内の外国企業によるインテリジェンス活動を規制する制度を整えなくてはならないと思います」

シマ「僕もタマのいうとおりだと思う」

チビ「東京地方裁判所は、二〇一九年一二月三一日夜、ゴーン被告の保釈を取り消した。保釈保証金一五億円は没収される。ゴーン被告は、軍事請負会社に巨額の成功報酬（おそらく数十億円）を払ったと思われる。

ただし、その費用を回収することは十分可能だ。ゴーン被告の手記なら世界的なベストセラーになるのは確実で、一五億円以上の印税を得ると思う。ハリウッドでの映画化ならば、ゴーン被告は英雄視されるとともに、収入を得ることになる。この逃亡劇によってゴーン被告は、経済的にも大きな利益を得るはずだ。ゴーン被告の知力と行動力に日本国という名の組織は完敗した」

これで日本国は大丈夫なのだろうか。僕はとても心配だ。

安倍政権と菅政権の「首相機関」

タマ「二〇二一年九月二九日に行われた自民党総裁選挙では、岸田文雄氏が選出されました。一〇月四日の衆議院本会議と参議院本会議で第一〇〇代内閣総理大臣（首相）に指名されたあと、皇居で親任式が行われ、天皇の任命を受けました。岸田政権の基本的性質については、どう考えればいいのでしょうか」

チビ「岸田政権は、安倍晋三政権・菅義偉政権のシステムと政策を継承する。ここで、安倍・菅両政権で継続してきたシステムについて説明しておこう。飼い主はこのシステムを『首相機関』と呼んでいる」

タマ「『首相機関』とは何を意味しているのですか」

チビ「安倍政権が七年八ヵ月も継続したのは、さまざまな利益集団（自民党の各派閥、公明党とその支持母体である創価学会、各府省、日本会議、日本医師会、農協など）にとって安倍氏が首相であることが都合が良いようなシステムが形成されたからだ。利益集団を代表する首相側近から政策案が上げられ、決裁を求められたとき、安倍氏は裁可することを基本とした。気に入らない政策案については返事をしない。こういうことが続くと、安倍氏の決裁を得られそうもない案件については、首相側近が忖度《そんたく》して、安倍氏に上げない。

首相はいわば内閣を象徴する機関として機能するようになった。そのことによって安倍政権は安定性を増したのだ」

シマ「ただし、安倍政権と菅政権には差異があると思う」

チビ「シマのいうとおりだ。菅政権も安倍政権から首相機関を継承した。ただし違いが生じた。安倍政権においては、今井尚哉首相補佐官兼秘書官が、霞が関（官界）や首相の側近政治家が決裁を求める事案について調整するとともに、官僚を統制した。そして北村滋内閣情報官（安倍政権末期は国家安全保障局長）が、情報面で安倍氏を支えた。

一方の菅首相は、今井氏や北村氏の機能を果たす官僚を、あえて作らなかった。今井氏は内閣官房参与に退き、北村氏は国家安全保障局長の所掌事項である外交と安全保障の問題に専心するようになった。そうして、今井氏や北村氏が果たしていた機能を、菅首相自身が果たすようになったのだ。結果、菅首相に権力が集中したが、システムとしての首相機関は弱体化した」

シマ「菅政権は絶対的には弱くなった。ただし、野党の弱体化と混乱のほうがはるかに大きいので、菅首相は相対的には強くなったということか」

チビ「そういうことだ。与野党の政権交代がないという安心感があるためか、菅政権を支えていた安倍晋三元首相ならびに麻生太郎財務相と、二階俊博《にかいとしひろ》自民党幹事長のあいだに潜在的に存在していた軋轢が顕在化……この権力闘争に巻き込まれて菅政権は崩壊したのだ。

岸田首相は、弱体化した首相機関を強化することにエネルギーを傾注した。党人事や閣僚人事の双方において派閥と世代のバランスを重視する。こうすることで、首相機関が強化されると岸田首相は考えていたのだろう。

興味深いのは、松野博一元文部科学相を内閣官房長官に起用したことだ。松野氏は清和政策研究会に属する。そこには、安倍晋三系、森喜朗《もりよしろう》系、福田康夫《ふくだやすお》系の三つの小グループが存在する。松野氏は森氏の信任が厚かった。森元首相の岸田政権への影響が強まるのは必然だった。

菅氏と比較して、岸田氏は首相への権力集中を緩和していった。そして官僚機構の潜在力を顕在化させようとした」

ユダヤ人で構成された反シオニスト委員会

チビ「さて、二〇二二年二月から始まったウクライナ戦争に際し、ロシアのセルゲイ・ラブロフ氏は、『ヒトラーにはユダヤ人の血が流れている』と述べた。これは事実に反する陰謀論の類いだ。さらに危険なのは、この言説を敷衍《ふえん》すると、ホロコーストはユダヤ人によるユダヤ人虐殺となることだ。これは最悪のタイプの反ユダヤ主義だ。イスラエル政府が激しく抗議したのは当然である。

ところでソ連には、一九八三年設立の反シオニスト委員会という民間団体があった。

タマ「これは本当に民間団体だったのですか」

チビ「民間団体というのは建前で、ソ連の共産党と政府が梃《てこ》入れをしていた組織だ。そして、この反シオニスト委員会は、ユダヤ人によって構成されていた。『われわれはユダヤ人だが、シオニズムに反対する』という反イスラエル政策の宣伝と煽動《せんどう》が、この委員会の目的だったのだ。

ラブロフ氏の発言の背後には、ロシアの国益に反する行動を取るユダヤ人はシオニストである、というソ連政治エリートの発想の残滓《ざんし》がある」

タマ「プーチン氏もラブロフ氏と同じような発想をしているのですか」

チビ「それは違う。プーチン氏には反シオニズムの傾向がない。ソ連崩壊前からプーチン氏はイスラエルと良好な関係を維持している。特にサンクトペテルブルクで公職に就いていた時期に、プーチン氏はイスラエルとの関係を強めた。

ソ連崩壊前の一九九〇年五月から、プーチン氏は、レニングラード市長アナトリー・サプチャークの国際問題担当顧問に就任した。一九九一年六月からは同市の対外関係委員長を務めた。同年九月にレニングラード市はサンクトペテルブルク市に改称し、一二月、ソ連は崩壊した。

その後、プーチン氏は一九九二年五月から対外関係担当副市長、九四年三月から第一副市長を務めた。副市長と第一副市長としてプーチン氏が取り組んだ重要な問題の一つが、ユダヤ系市民のイスラエルへの帰国だった。プーチン氏は、ユダヤ人の旧ソ連からイスラエルへの帰還を担当している秘密組織『ナティーブ』（道）の幹部とは良好な関係を持っていた」

モサドとは別の秘密組織

タマ「『ナティーブ』は『モサド』（イスラエル諜報特務庁）の下部組織ですか」

シマ「違う。『ナティーブ』は『モサド』とは別組織だ。飼い主は外交官だった頃、『ナティーブ』の長官と親しくしていた。だからこの組織について、よく知っている」

チビ「サンクトペテルブルクのユダヤ人がイスラエルへの出国を認められるためには、対外関係担当のプーチン氏の許可が不可欠だった。プーチン氏は、シオニズムに対して理解を示し、ユダヤ人のロシアからの出国に協力した。

一九九六年八月のサンクトペテルブルク市長選挙でサプチャーク氏が敗れると、プーチン氏も第一副市長を辞任し、モスクワに移動した。そしてプーチン氏とイスラエルの人脈は、一九九八年七月にプーチン氏が連邦保安庁（ＦＳＢ）長官に就任したあと復活したのだ。チェチェンと中東のイスラム原理主義過激派を弱体化させるために、プーチン氏はイスラエルとのインテリジェンス協力を積極的に推進した。一九九九年八月、プーチン氏が首相に就任すると、イスラエルとの関係は一層深まった。

プーチン氏は大統領に就任してからもイスラエルとの関係を重視している。イスラエルは、アメリカの最重要同盟国であるにもかかわらず、ウクライナ戦争に関わる対ロシア制裁に加わらなかった。このような状況下で、ラブロフ氏の発言は、ロシアとイスラエルの関係を決定的に悪化させる危険性があった。

いずれにせよ、ラブロフ発言で、現在もロシア政治エリートに反ユダヤ主義発想が存在することが可視化されたのは深刻な事態だ」

イスラエルが、ロシアのウクライナ侵攻に関して、アメリカやＥＵと共同歩調を取っていないという点は、日本の巨大組織の報道からは見えてこない。未来の情勢を予測するうえで、イスラエルがプーチン政権にどのような態度を取るかについて観察することが、とても重要になる。

第七章　民主主義の人間法則

日本型とロシア型の民主主義

タマ「ロシアでは欧米型の民主主義が育たず、プーチン氏の強権体制が二〇年以上も続いているのはなぜでしょうか。僕には不思議で仕方ないです」

チビ「この点について掘り下げて考察することが、プーチン政権を理解する際にも重要になる。フランスの人口学者で歴史学者のエマニュエル・トッド氏は、一九七六年に上梓した『最後の転落 ソ連崩壊のシナリオ』でソ連の人口動態を分析し、一〇年から三〇年以内にこの国が崩壊すると予測した。この予測は的中し、ソ連は一九九一年一二月に崩壊した。

トッド氏は『大分断 教育がもたらす新たな階級化社会』(大野舞訳、PHP新書、二〇二〇年)で、民主主義には、『フランス・アメリカ・イギリス型』『ドイツ・日本型』『ロシア型』の三つの類型があることを強調する。重要な指摘なので関連箇所を正確に引用する」

そういって、チビは飼い主の本棚から新書本を取って、鉤爪で頁を開いた。

〈まず、「フランス・アメリカ・イギリス型」の民主主義です。例えば、フランスのパリ盆地の農民、つまりフランス革命が起きた場所での家族というのは、核家族で個人主義です。そこから生まれた価値観が自由と平等でした。パリ盆地の農民家族には、大人になった子供たちが親に対して自由であるという価値観があり、兄弟間の平等主義という価値観もありました。そのような地盤があった上で、識字率が向上し、その平等と自由の価値観は普遍的な価値観になっていったのです。

次に、「ドイツ・日本型」の民主主義についてです。日本の十二世紀から十九世紀の間に発展した家族の形というのは、直系家族構造で、そこでは長男が父を継いでいきます。ここで生まれた基本的な価値観は、自由と平等ではなく、権威の原理と不平等です。両親の代がその下を監視するという意味での権威主義と、子供がみな平等に相続を受けるわけではないという点から生まれた不平等です。つまり、日本の識字率がある程度のレベルまでいった時点で明らかになった価値観が、権威の原理と不平等だったのです。だから、軍国主義のように権威主義に基づいた形がとられた時期もありました。それはドイツを思い起こさせます。ドイツもまた、イギリスやフランスの価値観を取り込むことに失敗したからです。ドイツは、その家族構造が日本と似通っているのです。

民主主義の種類について最後に付け加えたいのが、「ロシア型」の民主主義です。西洋でしばしば議論の対象になるのが、共産党に続いたロシア政権の本質です。ロシアの基礎にある価値観は、中国と同じで、権威主義と平等主義です。そこに伝統的な宗教の崩壊が起き、共産党が生まれました。現在、ロシア人たちは投票をするようになり、その中で、世論調査が認めるように、彼らは一斉にプーチンに投票をしているのです。これは新しいタイプの民主主義といえます。権威主義と平等主義に合致したタイプの民主主義で、一体主義的な民主主義と言えるでしょう〉(『大分断』七一～七二頁)

チビ「日本の民主主義の構造的問題は、平等の原理が弱いことだ。家族あるいは企業の正社員、役所の正規職員は、コロナ禍で困難な状況にあっても権威主義的なパターナリズム(強い立場の者が、弱い立場の者の利益のために、当事者の意思と関わりなく介入や支援をすること)によって、問題が解決されることが多い。しかし、一人親家庭、非正規職員、失業者などに対して、日本社会はとても冷たい。しかも、その冷たさを多くの日本人が自覚していない。

これに対してロシア型民主主義では、共産党が権威主義的な独裁体制を取っても、国民が平等ならば、それで統治が成り立ってしまう。家族類型は文化の基本で、国民の集合的無意識を支配する。ロシアに欧米型の民主主義を導入しようとしても、無理なのである。

ロシア人は、ソ連時代も現在も、国家を信用していない。裏返すと国家には頼らないという姿勢が徹底している。その代わり、互いに助け合う。親族や友人だけでなく、苦しんでいる人がいると、誰もができる範囲で手を貸す。これはロシア社会に平等の原理が徹底しているからだ」

民主主義にはいろいろな型がある。日本型民主主義があるように、ロシア型民主主義も存在するのだ。

ロシアの国会幹部からの「温情」

〈ロシア外務省は（二〇二二年九月）二六日、在ウラジオストク日本総領事館の領事が「領事の職務と相いれない行為をし、ロシアの安全保障に関わる利益を損なった」として、四八時間以内の国外退去を命じたことを明らかにした。（中略）

タス通信によると、ロシア連邦保安局（ＦＳＢ）が二六日、この領事の拘束を発表。「ロシアとアジア太平洋地域のある国との協力関係や、極東の経済状況に対する欧米の制裁の影響をめぐって、公開が制限された情報を金銭報酬を与えることによって入手した」と主張した〉（「朝日新聞デジタル」二〇二二年九月二七日）

タマ「任国の情報収集は外交官（領事）にとって重要な仕事です。ロシアのような国では、政治情勢の変化によって、これまで許容されていた外交官の活動が認められなくなることがあります。ここで重要になるのは、九月二一日、ロシアのプーチン大統領のテレビ演説です。この演説でプーチン氏は、ウクライナ戦争の主敵はウクライナではなく同国を支援するアメリカを中心とする西側連合であるとの認識を示しました。具体的にプーチン氏は、〈西側エリートらはあらゆる手段を使って支配を維持しようとし、そのために、他の国や民族に彼らの意思を押し付け続け、偽りの価値を移植するために、あらゆる主権的独立的発展の拠点を妨害し封じ込めようと試みています〉（『ロシア大統領公式HP』二〇二二年九月二一日、ロシア語から飼い主訳）と述べました」

チビ「日本も西側連合の一員であるので、ロシアが日本の情報収集活動を規制する動きを強めることが当然、想定された。領事の拘束と取り調べはその翌日に起きた。本件については『産経新聞』が詳細に報じている。

〈外務省は（二〇二二年九月）二九日の自民党外交部会などの合同会議で、ロシア当局がウラジオストク日本総領事館の領事を一時拘束した問題に関し、当時の状況を説明した。拘束は二二日午後で、約三時間後に解放されたと明らかにした。外務省は解放直後に抗議したが『領事の安全を確保するため』として公表を見送っていた。

日本政府が拘束事案を明かしたのは二七日になってから。外務省は『ロシアが発表したため、事案を説明することにした』としている。領事は二八日に出国。政府は領事から詳しい状況を聴取し、ロシアへの具体的な対抗措置を決定する方針だ〉（『産経新聞』二〇二二年九月二九日）

一〇月四日、外務省は在札幌ロシア連邦総領事館の領事をペルソナ・ノン・グラータ（好ましくない人物）に指定し、同月一〇日までに日本から退去するよう要請した」

シマ「日本領事の行動には二つの問題がある。第一に、ウラジオストクのような軍事都市では、連邦保安庁と軍参謀本部諜報総局（ＧＲＵ）の防諜部局が、日本総領事館員の動きを視察や盗聴などで詳細に観察している。そのような状況下、レストランもしくはカフェのような公共スペースで文書を受領するのはあまりに不用心だということ。

第二に、拘束された瞬間に『総領事館員の身体は日ソ領事条約によって不可侵とされている。拘束は国際法違反なので直ちに解放せよ』と主張しなくてはならない。さらに取り調べに関しては『私は日本国の領事なのでロシアの公権力の管轄に服することはできない。総領事館に私が違法に拘束されている事実を伝えてくれ』と一言いって、あとは黙秘するのがこの世界で仕事をする人の通常の対応だ」

チビ「もっともロシアは本件を拡大し、日ロ関係をこれ以上悪化させたくないというシグナルも出している。九月二七日のロシア紙『イズヴェスチヤ』（電子版）に、グリゴリー・カラーシン連邦院（上院）国際問題委員会委員長の見解が掲載されている」

そういってチビはｉＰａｄを操作し、以下の記事を示した。

〈連邦院国際問題委員会の委員長であるグリゴリー・カラーシン氏は、（在ウラジオストク）日本領事の事件がモスクワと東京の関係を悪化させると解釈すべきではないと、九月二七日、イズヴェスチヤの取材に答えて述べた。

「同様の事件は、残念ながら、ときどきある。日本だけでなく、アフリカやアメリカの外交の現場でも、外交官としてふさわしくない活動で拘束され、ペルソナ・ノン・グラータとされることだ。私たちの生活のなかの普通のエピソードを話しているのであって、それを世界的な大災害に発展させてはならない」とカラーシン氏は述べた。

カラーシン氏によれば、この事件による地政学的破滅は予想されないという。「両者の関係が酷く悪化していると解釈してはならない」と締めくくった。

九月二二日に、日本領事のA（「イズヴェスチヤ」の記事では実名）が金銭を払って秘密情報を受け取ったとして拘束された。外交官は罪を認めた。この事件に対して、両国の外務省は相互に抗議を表明している。Aは九月二八日までにロシアを離れる予定だ。ミハイル・ガルージン駐日ロシア大使によると、日本の外交官の行為は領事関係に関する条約に違反する。ロシアの安全保障を傷つけたと強調した〉（「イズヴェスチヤ」電子版、二〇二二年九月二七日、ロシア語から飼い主訳）

ロシアとしても、領事の「スパイ活動」が素人《しろうと》による稚拙なものなので、本件で日ロ関係を悪化させることは避けたいと考えているのだろう。日本外務省は情報担当官の教育をきちんとしてほしい。

一般にスパイ事件で摘発されるのは、よく仕事をしている「勲章」だが、このときは少年探偵団のような稚拙なスパイごっこで、民主主義国家を自任する日本が、権威主義国家のロシアから大恥をかかされた。ロシアの国会幹部から「温情」をかけられるなど情けないことだ。

ホメイニ化するプーチン

タマ「二〇二二年九月二一日の演説では、プーチン大統領が、ウクライナのドネツク州、ルハンシク州、ザポリージャ州、ヘルソン州のロシア軍と親ロシア派武装勢力が実効支配する地域で、ロシア連邦への加入を求める住民投票の実施を訴えました。併せて、この戦争の主敵がウクライナではなく、西側連合、特にアメリカであるとの立場を明示しました。そして住民投票では、予想どおり編入賛成派が多数になり、九月三〇日にクレムリンでプーチン氏は、これら四州の代表者と連邦条約に署名しました。

その前にプーチン氏が行った演説の内容が恐ろしく、僕は腰を抜かしました。現在、西側で主流になっているイデオロギー、たとえば民主主義に裏打ちされたものとするＬＧＢＴＱ理解推進などは、キリスト教に敵対する悪魔崇拝《すうはい》であると決めつけています」

そういってタマはｉＰａｄを操作して、ロシア大統領公式ＨＰを示した。

〈要するに、何十億もの人々、人類のほとんどの人々が持つ、自由と正義、自分たちの未来を決めるという当然の権利に唾を吐きかけているのです。彼らはいま、道徳、宗教、家庭を徹底的に否定する方向に進んでいます。

自分自身のための非常に簡単な質問に答えてみましょう。ここで、私がいったことに戻って、会場にいる同僚だけでなく、すべてのロシア国民に向けて、「父親と母親の代わりに『第一号』『第二号』『第三号』の親を持つことを本当に望むのか」と問いかけたいと思います。私たちは、小学校から始まる学校で、子どもたちが、劣化や絶滅につながる倒錯《とうさく》にさらされることを望んでいるのでしょうか。男性と女性以外に性別があることを教え、性転換手術を受けさせるのか？　これが私たちの国や子どもたちのために望むことなのでしょうか？このようなことは、私たちには受け入れられません。私たちには、自分たちの別の未来があるのです。

繰り返しますが、西側エリートの独裁は、西側諸国の国民を含むすべての社会に向けられています。全員への挑戦状です。このような人間の完全否定、信仰と伝統的価値の破壊、自由の抑圧は、「宗教を逆手《さかて》に取った」、つまり完全な悪魔崇拝の特徴を帯びているのです。イエス・キリストは山上の説教のなかで、偽預言者を糾弾《きゅうだん》し、「その実によって、あなたがたは彼らを知る」といわれました。そして、これらの毒の実は、我が国だけでなく、欧米の多くの人々を含むすべての国の人々にとって、すでに明白なことなのです〉（「ロシア大統領府公式ＨＰ」）

タマ「以前からプーチン氏は同性愛に否定的でしたが、この見解をさらに推し進め、伝統的家族観に反する価値観を悪魔崇拝《すうはい》の特徴を帯びていると述べるに至っています。悪魔崇拝を行っている西側に対し、正しいキリスト教（正教）的価値観を保持するロシアが戦っているという価値観戦争を強調しているのです」

チビ「タマは、ロシア正教会の最高責任者であるキリル総主教が二〇二二年九月二五日に行った説教を聞いたか」

タマ「聞いていません。モスクワ総主教庁のＨＰに掲載されているのですね」

チビはｉＰａｄを操作して、以下の文章を示した。

〈父と子と聖霊の御名《みな》において。

神は、そのひとり子をお与えになったほどに、世を愛されていました（「ヨハネによる福音書」三章一六節）。何を与えたのでしょうか？　それは死です！　ひとり子、神の子の死です！　そして、なぜこの恐ろしい神の犠牲が必要とされたのでしょうか。その規模と意味は、人間の知恵では理解できません。全能の神は、ご自身を刑死にするためにお与えになりました。それは、人間社会のはみ出し者である犯罪者が、確かに恐ろしい、危険な罪を犯したときの刑です。

この言葉にできない神の犠牲を考えるとき、人間の知恵では神の計画の全体を把握することは困難であると理解しなくてはなりません。しかし、主は、私たちにはまったく理解できないような、計り知れない知恵を持つ主だけに内在するもののために、自らを捧げ、人間的に苦しんだので、死んだことは明らかです。もし、御子である神が他者のため、人類のためにご自身の命を捧げたのであれば、犠牲は人間の同胞に対する最高の愛の表現であることを理解させてくれます。犠牲は、人間の最高の資質の最大の表れです。

今日、多くの人々が争いの場で死んでいることを私たちは知っています。教会は、この戦争が一刻も早く終わるように、この兄弟殺しの戦争で殺し合う兄弟が一人でも少なくなるように祈っています。そして同時に教会は、もし誰かが義務感、誓いを果たす必要性に駆られて、自分の召命に忠実であり続け、軍務の遂行中に死ぬならば、その人は確かに犠牲に等しい行為を行っていると理解します。他人のために自分を犠牲にする。そして、この犠牲によって、人が犯したすべての罪が洗い流されると信じています。

（中略）ロシア、ウクライナ、ベラルーシ、そのほか歴史的ロシアの広大な地域に住む人々のあいだで活動を行う教会は、今日、特に内戦の早期終結、正義の遂行、友愛の交わりの回復、長年にわたって蓄積され、最後には血なまぐさい紛争に至ったすべてのものの克服のために苦しみ、祈っています。私たちは、ロシアの地で輝いたすべての聖人たちが――この場合、すでに用いられている「ロシアの地で」という表現は、ロシア、すべてのロシアの土地、聖なるルーシを意味します――今日、私たちとともに、この地に平和が訪れるように、兄弟関係にある人々のあいだに和解が生まれるように、そして何よりも、正義が勝つように、主に祈りを捧げることを信じます。正義なしには永遠の平和はありえないからです〉

（以下略）（「モスクワ総主教庁ＨＰ」）

タマ「キリル総主教は、『軍務の遂行中に死ぬならば、その人は確かに犠牲に等しい行為を行っていると理解します。他人のために自分を犠牲にする。そして、この犠牲によって、人が犯したすべての罪が洗い流されると信じています』と述べています。この戦争が聖戦なので、そこで戦死することはキリスト教信仰のための殉教となり、罪がすべて許され、天国に行けるということです」

チビ「悪魔崇拝者である西側連合と戦っているというプーチン氏自身の認識と合わせると、プーチン政権は神憑《かみがか》り化している。プーチン氏はイランでイスラム革命を起こしたホメイニ師（一九〇二〜一九八九年）のような心境になっていると僕は見ている」

「プーチン氏のホメイニ化！」――これはたいへんな変化だ。首相官邸や日本外務省は、このことに気づいているのだろうか。プーチン氏がホメイニ化して行われるロシア型の民主主義の政策を、予想できているであろうか。

外務省の不作為を暴いた『安倍晋三 回顧録』

タマ 「『安倍晋三 回顧録』（安倍晋三、中央公論新社、二〇二三年）は、日本の民主主義の裏で起こっているさまざまな事象に触れ、首相の政策を邪魔しようとする勢力にも触れています。安倍晋三氏へのロングインタビューの聞き手は橋本五郎《はしもとごろう》氏と尾山宏《おやまひろし》氏、二人は次のように述べています」

そういってタマは鉤爪で本を開き、以下の頁を示した。

〈『安倍晋三 回顧録』は二二年一月にはほぼ完成、まもなく出版の運びになっていました。しかし、安倍さんからしばらく待ってほしいと「待った」がかかりました。安倍派会長として本格的に政界に復帰しようとしていました。内容があまりに機微に触れるところが多いので躊躇《ちゅうちょ》されたのでしょう〉（『安倍晋三 回顧録』六頁）

シマ 「二〇二二年七月八日に安倍元首相が銃撃され、死亡する事件がなければ、本書がわれわれの目に触れるのはずっと先になっていたと思う」

チビ 「今後、この回顧録の内容はさまざまな方面から検証されることになると思うが、安倍氏が歴史法廷の被告人席に立つ覚悟を持っていることが行間から伝わってくる」

タマ 「特に興味深いのが、ロシアのプーチン大統領との北方領土交渉についてです。外務省が半永久的に公開しないであろう重要証言が多々盛り込まれています。まず興味深いのが、二〇一八年一一月一四日の日露首脳会談の準備に関して外務省ルートが機能しないので、内閣情報調査室とＳＶＲ（ロシア対外情報庁）をチャネルに用いたという事実です」

そういってタマは次の頁を示した。

〈外務省は、従来の四島の帰属問題云々《うんぬん》にこだわっていました。ロシア外務省も、非常に日本との交渉に慎重です。本来、外交交渉を担うべきラインが、あまり機能しないのですね。

そこで、プーチンに近い人物を探ったところ、セルゲイ・ナルイシキン対外情報庁（ＳＶＲ）長官がいたわけです。プーチンは元ＫＧＢで、ＳＶＲは、ＫＧＢの後継機関ですから、プーチンはナルイシキンを信用していました。しかも、ナルイシキンは過去に何度か来日していて、日本のことにも多少知識がある。この分野の専門は、北村滋内閣情報官でしたから、北村さんからナルイシキンを通じて、プーチンに日ソ共同宣言でどうか、という話をしてもらったわけです。プーチンには、しっかり日本側の考えは届いていました〉（前掲書三二九頁）

チビ「表の外交では対決姿勢を示していても、裏のインテリジェンスで手を握ることがある。安倍官邸は、このようなインテリジェンス機関を用いたかなり高度な外交を展開していたのだ。もっとも北村滋氏という聡明で腹の据わったインテリジェンス・オフィサーがいたからこそ、このオペレーションが実現した。日本のインテリジェンス界には、数は少ないが北村氏のような傑出した人物がいる」

安倍首相の歴史的業績

シマ「安倍氏は、平和条約締結後に歯舞群島と色丹島をロシアが日本に引き渡すことを約束した一九五六年の日ソ共同宣言を基礎に北方領土問題を解決するという、抜本的な政策転換を行った。

その真意について、〈日ソ共同宣言は、両国の国会が批准《ひじゅん》している公式な文書で、事実上、条約なわけです。いろいろな経緯があって日本はこれを認めなかったわけですが、ニュートラルに考えれば、この共同宣言を日本が無視しているのは、おかしな話です。そこで原点に戻ろう、としたわけです〉（前掲書二二七頁）と証言する。

北方四島は日本固有の領土であるという東西冷戦時代の神話から、リアリズムの方向に対露外交を転換した。このことが安倍氏の歴史的業績だ」

タマ「安倍さんは〈二〇一八年〉一一月のブエノスアイレスでの会談では、翌年六月に大阪で開かれるG20首脳会議での合意を目指す、という考えで一致していたのです。プーチンは『明日から外相間で交渉を始めてもいいくらいだ』と言い、横にいたラブロフの方を向きながら、『彼は何もやることがないから、ウイスキーばかり飲んでいる。体に悪い。飲むならウォッカだろう』と言って笑っていました。この時が、安倍政権の中で日露が最も近づいた時だったと思います。

本当に二島返還の合意に向けたチャンスだったのですが、一九年になって外相や次官級の協議になったら、ロシアは原理主義に戻ってしまいました〉（前掲書三三一頁）と述べています。安倍さんは本気で歯舞群島と色丹島の二島返還を考えていたのです」

チビ「そのとおりだ。交渉が頓挫《とんざ》した原因について、安倍氏は〈私も一生懸命説得したけれど、ロシアの米国不信は拭えなかったのかもしれません〉（前掲書三三一頁）と述べる。米露関係の急速な悪化で日露の交渉の窓が閉じてしまったのだ」

危うい官僚主導の国策転換

タマ「ウクライナ戦争で米露関係は一層悪化しました。現状をどう見ていますか」

チビ「ＮＡＴＯ（北大西洋条約機構）が東アジアに与える影響に注目している。二〇二三年一月三〇日、ＮＡＴＯのイェンス・ストルテンベルグ事務総長が訪問先の韓国・ソウルで講演し、ウクライナに対して韓国が直接的な軍事支援を決断すべきだと述べた」

そういってチビは飼い主のｉＰａｄを操作し、以下の記事を示した。

〈韓国の学生らを対象に講演したストルテンベルグ氏は、韓国と同様の政策（引用者註＊紛争当事国に殺傷能力を持つ兵器を提供しない政策）をとっていたドイツやノルウェーなどの同盟国が、ロシアのウクライナ侵攻後に方針を転換したと指摘。「独裁や専制政治に勝ってほしくないのであれば、（ウクライナの人々に）武器が必要だと気づいたからだ。それが現実だ」と語った。

さらに中国や北朝鮮などを念頭に、「もしロシアのプーチン大統領が勝てば、他の権威主義的な指導者たちに武力行使で欲しいものが手に入るというメッセージが伝わる」と述べ、「最後はあなた方の決断にかかっている」として韓国側に軍事支援を強く促した〉（「朝日新聞デジタル」二〇二三年一月三一日）

チビ「このことに北朝鮮が神経を尖らせている。この記事を見てみろ」

チビはそういって再びｉＰａｄを操作し、北朝鮮の国営通信社「朝鮮中央通信」の記事を示した。

〈国際政治研究学会の研究者キム・ドンミョン氏が（一月）二九日、「ＮＡＴＯ事務総長の訪問は『アジア版ＮＡＴＯ』の創設をあおり立てるものか」と題する次のような文を発表した。

ウクライナを代理戦争の場に使った軍事機構の高位責任者が自分らの作戦領域でもない水

陸万里離れた東半球のアジア太平洋地域を訪問するという事実自体が、懸念をかき立てている。

いわゆる「力による現状変更」に反対すると云々《うんぬん》し、空母と戦闘機をはじめNATO加盟国の武装力を送り込んで各種名目の二国間および多国間合同軍事演習を行う一方、「AUKUS（オーカス）」「クアッド」「ファイブアイズ（五つの目）」のような排他的安保同盟との協力を拡大、強化する手法で、アジア太平洋地域に手を伸ばそうとしている。

特に、NATOは自分らの覇権野望の実現において南朝鮮と日本をキーポイントと見なし、近年、彼らとの双務《そうむ》関係強化に前例なく拍車をかけている〉（「朝鮮中央通信」日本語版二〇二三年一月三〇日）

シマ「ウクライナ戦争はロシア対西側連合（そこには日本も含まれる）だという北朝鮮の認識は、客観的にいって正しい。またアメリカも日本も、東アジアにおける安全保障システムについて、日米、米韓、米豪、米・ニュージーランドの二国間軍事同盟を基礎とする従来の形態では、台頭する中国の脅威に十分対抗することができないため、NATO型の集団安全保障体制への転換を図りつつあるという分析にも、説得力がある」

チビ「キム・ドンミョン氏は、日本と韓国がウクライナに殺傷能力を持つ兵器を供与するのは時間の問題だと見ている」

〈米国と西側の戦車提供の決定によってウクライナの事態が新たな峠を迎えている時に、南朝鮮と日本を訪問したＮＡＴＯ事務総長が今回も、両国に「中国脅威論」を絶えず吹き込んで「アジア版ＮＡＴＯ」創設の必要性を再三強調し、対ウクライナ軍事支援に積極的に臨むよう厳しく戒め、圧力を加えるのは、火を見るより明らかである。

ＮＡＴＯに送り込まれる南朝鮮と日本の武装装備がウクライナ戦場に現れるのは、時間の問題である〉（前掲「朝鮮中央通信」）

日本外務省の一部勢力（特に駐ウクライナ日本大使の松田《まつだ》邦紀《くにのり》氏）が、岸田文雄首相のキーウ訪問の際、ウクライナのゼレンスキー大統領に日本の殺傷能力のある武器の供与を求められた可能性は十分にある。国民が気づかないうちに、日本は積極的に戦争に関与する国へと変わろうとしている。僕は官僚主導のこのような国策転換には危うさを覚えるし、それは真の民主主義から外れる行為だと思う。

第八章　教育の人間法則

「大学入学共通テスト」のプレテストは良問ぞろい

タマ「二〇一七年一二月四日に発表された、大学入試センター実施の『大学入学共通テスト』の第一回試行調査（プレテスト）の問題のなかから、『数学Ⅰ・数学A』と『現代社会』を解いてみました」

シマ「手応えはどうだった」

タマ「いずれも良問でした。数学に関しては、不等式や三角比などで記述問題が加わっています。基礎力をきちんとチェックできる内容です。現代社会では、民法の成年年齢を引き下げた場合のメリットとデメリットについて、統計データを読んで考える問題が出ました。大学の法学部や社会学部のゼミでも十分に扱えるレベルの問題です」

シマ「試験に対応できるようになるためには、暗記だけでなく、自ら積極的に思考しなければならない」

チビ「まさに、そうなるはずだった……。

日本の教育は、大学入試制度が変わるときに大きく変化してきた。二〇二一年に大学入試センター試験に代わって『大学入学共通テスト』が始まったが、国語と数学では、マークシート式の問題に記述式が加わるはずだった。さらに英語では、英検、ＴＯＥＩＣ、ＴＯＥＦ

Lなどの民間試験が導入されることになっていた。こうすれば、全科目で考える力と実用性が重視されるようになるはずなのだが、結局、見送られた。残念だ。

現在の大学入試は、一九七九年に共通一次試験（大学センター試験の前身）の導入によって作られた形だ。その結果、マークシート方式の試験が普及した。この方式だと、受験者が正確な知識を持っているか否《いな》かについては判断できるが、思考の過程を検証することができない。

また、記述能力が低下する。思考力や表現力を児童・生徒が主体的に育むことができないので、グローバリゼーションが急速に進み、変化が激しい社会状況に対応できなくなる。そのため、二〇二〇年度に大学入試改革と小学校の学習指導要領改訂が、二一年度には中学校の、二二年度には高校の学習指導要領改訂が行われた。この方向性は基本的に正しいと思う」

一般入試者より低いAO入試者の学力

シマ「譬《たと》えでいうならば、現在の教育は、一九七九年製のプロペラ機のようなものだ。学校ではプロペラ機の操縦を習得する。一九四〇年七月に運用が開始され、四五年の敗戦まで使用した旧海軍の零式《れいしき》艦上戦闘機（ゼロ戦）は一一型、二一型、二二型、三二型、五二型、五三型、五四型とマイナーチェンジを繰り返して米軍戦闘機の能力向上に対応しようとしたが、太平洋戦争の後半は劣勢に追い込まれた。現在の日本の教育も、これに似ている」

タマ「自己推薦入試や、大学が特別の基準でユニークな人材を確保するAO入試なども行われています。多様な学生を確保することで、学生の能力を多面的に発展させるという目的は達成されているのでしょうか」

チビ「まったく達成されていない。そう断言する。飼い主は複数の大学で教壇に立っているが、附属高校からの内部進学、推薦入学、AO入試で合格した学生の学力が、ごく一部の例外を除けば、一般入試で合格した者よりも低く、大学教育の混乱要因になっているといっている」

中高一貫校が数学のできぬ経済学部生を大量生産

シマ「それに、新興の高偏差値の中高一貫進学校の一部では、中学一・二年次に数学の成績が不振だと、早稲田や慶應義塾などの難関私大文科系の入試に目標を定め、英語、国語、社会の三科目に特化させる。そして、数学や理科については習得できていなくても単位を与える。その結果、中学数学の怪しい難関私立大の学生が大量に存在するようになった。

特に、数学がまったく分からない経済学部生や商学部生という、国際基準では考えられない奇妙な現象が生じている。理科系にしても英語や歴史の知識が欠如し、国語の表現力が弱いために、教養の欠如した専門家が生み出されている。イノベーションのためには幅広い教養が必要なので、理科系出身者も壁に突き当たっている」

タマ「文科系か理科系かに関わりなく、日本の大学生は実用英語力の欠如に悩まされています。二〇二一年度以降の学習指導要領改訂で、英語力が質的に改善されました。また、文理融合が進み、高校卒業レベルの数学力に欠損のある文科系学生や、歴史や政治や思想がまったく分からない理科系学生もいなくなるはずです。さらに、文科系、理科系ともに、自分の考えを文章にして発表する力、論理的な討論（ディベート）をする力が磨かれます」

新科目「歴史総合」「地理総合」は社会人も学べ

チビ「飛行機が安定的に飛行できるようになるまでには、運用して初めて明らかになるさまざまな故障を修理する必要に迫られる。同様に、二〇二〇年から始まった学習指導要領改訂による新しい教育も、最初の一〇年くらいはいろいろと欠陥が見つかり、試行錯誤《さくご》を繰り返すだろう。

しかしその後は、ジェット機を操縦することができる新しい世代が生まれる。二〇年後には、新しいスペックを備えた人材が社会に輩出してくる。その結果、旧世代の教育を受けた者は競争に敗れる。匠《たくみ》の技でプロペラ機を操縦できる人であっても、ジェット機には絶対に敵わないのと同じだ。

そのため、現在二〇代・三〇代の人たちには、二〇年後を視野に入れた対策を立てておくことを勧める。文科系、理科系、いずれの出身者も、英検、TOEIC、TOEFLなどの実用英語の試験を受けて、英語力を向上させることだ。

二〇二二年には、日本と世界との関わりについて近代史を中心に学ぶ『歴史総合』という新科目と、グローバルな視点で課題を解決する力を育てるために『地理総合』という新科目が必修になった。この知識を社会人も身に付けておく必要がある。

さらに、プログラム言語の知識も必要になる。しかし、もっとも重要なのは、日本語で正確に文章を読み、他人の話を正しく把握し、自分の考えを正確かつ説得力を持つ形で書き、話す力だ。

これから社会人教育がかつてなく重要になる。新時代に適応できる勉強をしない者は、二〇年後に確実に落後してしまう。大変な時代が到来した」

二極化する大学院生

タマは、留学にも関心を持っているようだ。

タマ「ところで、日本からアメリカの大学や大学院に留学する学生が激減しています」

そういって、タマは飼い主のｉＰａｄを操作し、「朝日新聞」の記事を出した。

〈米国の国際教育研究所によると、九月ごろに始まる学年度で、一九九四〜九七年度には米国の大学・大学院に在籍する日本人留学生は国別で一位だった。その後、二〇〇〇年代になり、中国とインドからの留学生が急増。一六年度には両国が合わせて留学生の半数を占めた。日本人は約一万九〇〇〇人と全体の一・七％で、国別で八位に落ち込んでいる。うち学部への留学が約半数を占め、大学院留学が約一五％と少ないのも特徴だ〉（「朝日新聞デジタル」二〇一七年一二月四日）

シマ「世間で『いまどきの若者は内向きで留学したがらない』といわれているが、留学したいと思う学生がいても、三年生の秋以降は日本で就職活動に時間を割かれるため、躊躇してしまう例が多い。

飼い主が教壇に立っている同志社大学神学部では、留学を強く希望する学生は一年生の夏休みまでに、外国人留学生用の英語試験であるＴＯＥＦＬ iＢＴ（北米向け）、ＩＥＬＴＳ（イギリス、オーストラリア、ニュージーランド向け）で高得点を取り、二年生の九月から一年間留学し、就職活動に間に合うタイミングで帰国している。この準備が間に合わないと、大学院に進学することを決めない限り、学部での留学は難しくなる」

チビ「飼い主は複数の大学で教えているが、大学院生が二極化しているとも話していた。真面目《まじめ》に研究をしている大学院生と、就職がうまくいかないというよりも就職活動から逃げている大学院生だ。

学術研究にも関心がないので、後者の大学院生はきちんとした業績を残せない。しかし大学としては、こういう人にいつまでもいられては面倒なので、基準に達していなくても修士号を与える。体《てい》よく追い出しているのだ。すると当然、まともな就職先はない。こういう大学院生が留学しても、モラトリアム期間が延びるだけだ」

タマ「大学院に進学すると就職で不利になる例もありますね。海野《うみの》つなみ氏原作の人気漫画『逃げるは恥だが役に立つ』(全一一巻、講談社)がTBSテレビでドラマ化(二〇一六年一〇月一一日〜一二月二〇日)され、社会現象となりました。

大学院を卒業したが派遣会社にしか就職できず、派遣先もクビになった森山《もりやま》みくり(二五〜二六歳、新垣結衣《あらがきゆい》)が、京都大学卒のシステムエンジニアで「プロの独身」(もちろん童貞)の津崎平匡《つざきひらまさ》(三五〜三六歳、星野源《ほしのげん》)と契約結婚(婚姻届は出さない事実婚)することから生じる人間ドラマを描いていましたが、大学院における教育も課題が累積していますね」

五万ドルの学費が免除される制度も

チビ「真面目《まじめ》な大学生や大学院生が留学しようと考えるときに、アメリカにおける大学授業料の高騰も大きな障害になっている」

そういって、チビは鉤爪でｉＰａｄ上の記事を指さした。

〈経済協力開発機構（ＯＥＣＤ）の一六年のまとめでは、公立大学の学費の平均は米国の年八二〇二ドル（約九〇万円）が最も高く、日本は五一五二ドル（約五六万円）で続いた。米国の教育ＮＰＯカレッジボードによると、一七年度の米国の私立四年制大学の学費の平均は年約三万五〇〇〇ドル（約三八〇万円）。一〇年前に比べ約二五％増えた。年五万ドル前後の学校も珍しくない〉（「朝日新聞デジタル」二〇一七年一二月四日）

タマ「アメリカの大学生は寮生活が基本なので、これに寮費が加わります。追加的に、年一五〇万円の支出を考えなくてはなりません」

シマ「飼い主が客員教授を務めている同志社大学と沖縄の公立名桜大学は、大学として留学生を送り出す体制づくりに努力している。日本で学費を支払えば、アメリカでの約五万ドルの学費支払いを免除される交換留学の制度が多数ある。さらに留学を応援する大学独自の奨学金もある」

飼い主は一九八五年四月に外務省に入省し、八六年九月から八七年六月までイギリス陸軍語学学校ロシア語科に、八七年九月から八八年五月までモスクワ国立大学言語学部に留学した。このときに習得したロシア語力と異文化体験が一生の財産となったという。今日、飼い主が職業作家として活動する基盤も、このときの留学によって作られたといってもいい。特にモスクワ国立大学に留学したときの同級生を通じて、クレムリン（ロシア大統領府）、政府、議会、有力シンクタンクに人脈を拡大することができた。

日本の就職活動の方式が急に変化することはない。留学を考える人は、志望校選びの際に、交換留学制度が整っているかどうかを考慮するといい。そして高校時代から、海外留学に向けて英語の準備を始め、一年生の秋に大学の交換留学選考に合格し、早期に留学するというのが現実的方策だと思う。

プーチンはソ連時代の教育に戻す

飼い主が四階の寝室で寝たあと、僕たちは三階の書斎に集まって人間社会の出来事について話し合うのが習慣になっているが、この日、口火を切ったのは、タマだ。

タマ「二〇二三年二月二一日、モスクワで、ロシアのプーチン大統領が連邦議会に対する大統領年次教書演説を行いました。この年次教書演説は、ウクライナ戦争一周年を総括する意味がありました」

シマ「プーチン大統領は、この戦争が長期化することを見越して、軍産複合体に対する梃入れを強調するとともに、戦争継続を可能にする教育改革の必要性について述べた」
ミケ「プーチン氏は、ロシアの教育をソ連システムに戻そうとしています」
タマ「ソ連時代の教育システムはどうなっていたのですか」
ミケ「ソ連時代の教育は、職業と結び付いていました。本人の希望よりも生徒・学生の能力と適性を教師が評価して、社会主義社会建設のために最適の人材を配分するようにしたのです。ゆえに日本でいうような就職活動はソ連には存在せず、専門教育と結び付いた分野に生徒・学生を配置（ラスパラジェニエ）していきました。
ソ連崩壊後のロシアの教育は、旧ソ連時代のシステムとアメリカを手本にした西側型モデルが混在しています。プーチン氏は、この教育を、旧ソ連型システムを規範にして再編しようと考えているのです。それは、年次教書演説における以下の発言から読み取ることができます」
そういってミケは飼い主のｉＰａｄを操作し、大統領年次教書演説における当該箇所を示した。
〈第一に、我が国の高等教育を受けた専門家の伝統的な基礎訓練に戻すことです。修業年限は四年から六年で良いです。一つの職業、一つの大学のなかでも、特定の職業、分野、労働市場の需要に応じて、異なる訓練期間のプログラムを提供することも可能にします。

第二に、職業がさらなる訓練や専門性を必要とする場合、若者は修士課程やレジデンシー・プログラム（引用者註＊提携機関などに滞在しながら学ぶプログラム）で教育を継続することができます。

第三に、大学院は、科学や教育に携わる人材を育成するために、専門教育の別のレベルとして位置づけられることになります。

新制度への移行は円滑に行わなければならないことを強調したいです。政府は、国会議員とともに、教育や労働市場などに関する法律を数多く改正する必要があります。私たちはこのことについて考え、細部にわたって作業を行う必要があります。若者たち、私たちの国民は、質の高い教育、雇用、専門的な成長のための新しい機会を得るべきです。繰り返しますが、これはチャンスです〉（「大統領年次教書演説」ロシア語から飼い主訳）

ミケ「ソ連時代の大学生は、高校から直ちに大学に進学する極端に成績が優秀な者と、兵役に就いたり工場・集団農場で数年間の勤務をしたりした経験者によって構成されていました。ソ連崩壊後は西側諸国や日本と同様に高校修了後、直ちに大学に進学する学生が多数派となりましたが、プーチン氏は大学教育と職業を結び付け、特に大学院に関しては、実務経験を積んでから進学するシステムに変更しようとしています。このような形態で産学軍の協力体制を強化しようとしているのです」

シマ「もっとも現行の高等教育システムを受けている人にも不利益がないようにプーチン氏は配慮し、〈そして、強調したいのは、現在学んでいる学生たちは、既存のプログラムのもとで教育を続けることができるということです。そして、すでに現在の学士、専門家、修士の課程を修了した国民の訓練レベルと高等教育修了証は、改訂の対象とはならない。彼らはその権利を失ってはなりません〉（前掲演説）と述べている」

教育面でも西側と決別したプーチン

ミケ「さらにプーチン氏は、中等教育（日本の中学高校レベル）の強化について、次のように述べています」

そういってミケはｉＰａｄを操作し、以下の箇所を示した。

〈近年、中等職業教育の名声と権威は著しく高まっている。技術学校や専門学校の卒業生に対する需要は莫大である。失業率が三・七％という歴史的低水準まで低下したということは、人々が働き、新たなスタッフが必要だということです。

その一環として、教育と生産の拠点を作り、訓練施設を更新し、企業や雇用者が大学や専門学校と緊密に連絡を取り合いながら、経済のニーズに基づいた教育プログラムを形成する、プロフェッショナリズム・プロジェクトを大幅に拡大する必要があると私は考えています。そしてもちろん、実際の複雑な生産現場で経験を積んだ指導者が、この領域に来ることが非常に重要です〉（前掲演説）

ミケ「中等教育修了後、社会に出る生徒たちに対しては、実務と結び付いた職業訓練を十分に行う必要性を強調しています。総力戦体制に生徒たちを動員することを考えているのです」

ウクライナ戦争を契機に、プーチン氏は西側連合と全面的に対決する腹を固めた。そのためには教育（とりわけ大学教育）における西側的価値観からの決別が不可欠と考えているのであろう。

ソ連は政治・経済だけでなく、教育においても、西側とは異なる世界だった。プーチン氏は、再びロシアの教育を西側から切り離し、独自の体系に改変しようと腐心している。

ロシアと西側の論理の乖離《かいり》が今後さらに強まるので、日本政府は、ロシアの教育に対する調査研究に一層力を入れるべきだと思う。

とても短いエピローグ――「猫だけが見える人間法則」は実在する

本書は『月刊Ｈａｎａｄａ』二〇一六年六月号から二〇二四年二月号に連載したコラム「猫はなんでも知っている」を内容別に再編集したものです。

我が家で飼ってきた猫は数多くいるのですが、読者が読みやすくなるように配慮し、四匹だけ登場させています。

そして、この四匹を含め、これまで一緒に暮らしてきた一〇匹の行動を間近に見ていると、人間の行動の癖を猫たちが見極めているのは事実です。そう、「猫だけが見える人間法則」は確かに存在します。

飼い主（佐藤《さとう》　優《まさる》）

佐藤 優（さとう・まさる）
1960年、東京都に生まれる。作家、元外務省主任分析官。1985年、同志社大学大学院神学研究科を修了。外務省に入省し、在ロシア連邦日本国大使館に勤務。その後、本省国際情報局分析第一課で、主任分析官として対ロシア外交の最前線で活躍。2002年、背任と偽計業務妨害容疑で逮捕、起訴される。2009年、最高裁判所で執行猶予付き有罪が確定し、外務省を失職。2013年に執行猶予期間が満了し、刑の言い渡しが効力を失った。『国家の罠 外務省のラスプーチンと呼ばれて』（新潮社）で第59回毎日出版文化賞特別賞を受賞。『自壊する帝国』（新潮社）で新潮ドキュメント賞と大宅壮一ノンフィクション賞をダブル受賞。その他の著書には、『獄中記』（岩波書店）、『私のマルクス』（文藝春秋）などがある。

猫《ねこ》だけが見《み》える人間法則《にんげんほうそく》

Hanada新書 003

2024年8月10日　第1刷発行
2024年8月31日　第2刷発行

著　　者　佐藤 優
発 行 者　花田紀凱
発 行 所　株式会社 飛鳥新社
〒101-0003
東京都千代田区一ツ橋2-4-3 光文恒産ビル 2F
電話　03-3263-7770（営業）
03-3263-5726（編集）
https://www.asukashinsha.co.jp
装　　幀　ヒサトグラフィックス
カバー写真　乾 晋也、Getty Images
印刷・製本　中央精版印刷株式会社
本 文 組 版　朝日メディアインターナショナル株式会社
校 正 担 当　得丸知子
編 集 協 力　間渕 隆

ISBN 978-4-86801-027-2

編 集 担 当　沼尻裕兵

Hanada新書

001
放送禁止。
「あさ8」で知るニュースの真相
百田尚樹
有本香
大人気ネット番組「ニュース生放送あさ8時！」（「あさ8」）待望の完全書籍化！地上波では100％報道されない本物のニュース解説が読める！

002
「いい人」の本性
飯山陽
「いい人」のフリをしてとんでもない悪を為す者は、日本の政界、財界、学界、メディアだけでなく、世界中にいる。9割の人が騙されている偽善者の正体を暴く！

004
60歳から体温を「0.5度」アップする健康法
川嶋朗
「体温を一度アップする」というと、たいそうハードルの高い作業のように感じてしまう。しかし、日々のちょっとした生活習慣の工夫で、簡単に実現可能なのだ！